D0674111

Lucjan Wolanowski

AUSTRALIEN

Notizen
vom fünften Kontinent

VEB F. A. Brockhaus Verlag
Leipzig

Aus dem Polnischen übertragen von Bolko Schweinitz

Die Originalausgabe erschien unter dem Titel
»Ląd, który przestał być plotką«
im Państwowy Instytut Wydawniczy, Warszawa, 1983

Fotonachweis

Heiner Klinge: Abb. 6, 8, 10, 17
Hans-J. Richter: Abb. 33, 34, 35, 39
Alle anderen Motive stellte uns freundlicherweise
Australian Information Service zur Verfügung

ISBN: 3-325-00052-5

Lizenz-Nr. 455/150/47/87 · LSV 5349
Lektorat: Angelika Ziegner
Buchgestaltung: Claus Ritter
Printed in the German Democratic Republic
Gesamtherstellung: Karl-Marx-Werk Pößneck V 15/30
Redaktionsschluß: März 1986
Bestell-Nr. 587 266 2
01280

Inhaltsverzeichnis

Die australische Geschichte ist fast immer pittoresk; sie ist so merkwürdig und seltsam, daß sie selbst den hervorragendsten aller neuen Eindrücke darstellt, die das Land zu bieten hat, und verweist so die anderen neuen Eindrücke auf den zweiten und dritten Platz. Sie liest sich nicht wie Geschichte, sondern wie die wunderschönsten Lügen. Aber wie Lügen frischer, neuer Prägung, nicht schimmelige, abgestandene, alte Lügen. Sie steckt voller Überraschungen, Abenteuer, Ungereimtheiten, Widersprüchlichkeiten und Unglaubwürdigkeiten; aber sie sind alle wahr, es hat sich alles ereignet.

Mark Twain

Der griechische Astronom Hipparch aus Nicäa lehrte: Das Gleichgewicht der Erde beruht auf einer Übereinstimmung der Landmassen der nördlichen Halbkugel mit denen der südlichen. Man glaubte bereits damals an einen unbekannten südlichen Kontinent, an eine terra australis incognita. Zur Zeit Harun al-Raschids berichteten arabische Seefahrer von Fabelwesen in einem fernen Land, die ihre Jungen in Beuteltaschen trügen. Auch in den Hafenschenken an den Küsten des Mittelmeeres wußte man über diese seltsamen Tiere zu erzählen. An der Verbreitung dieser Geschichten beteiligten sich ebenfalls niederländische Kapitäne, die in Diensten der Ostindischen Kompanie standen. Doch wer nahm das Seemannsgarn, das die Seeleute spannen, schon ernst? Wußte doch jeder aufgeklärte Mensch, daß es zu Beginn der Welt »so viele Gattungen gab, wie sie der Allmächtige geschaffen hatte«. Ein Tier wie das Känguruh hätte, so wie man es in seinem Äußeren beschrieb, sämtlichen Formen und Gesetzen widersprochen. Das konnte nicht sein, weil es nicht sein durfte. Alles, was in Europa bis zum 17. Jahrhundert über das legendäre Land bekannt war, stützte sich auf Vermutungen und Gerüchte. Doch die Geschichten, die jetzt folgen, betreffen ein Australien, das sich an der Schwelle des 21. Jahrhunderts befindet, sie betreffen ein Land, das aufhörte, eine Legende zu sein.

Auf den Flügeln der Phantasie

Von »Abalone bis Zygophyllaceae« – so kündigt ein Werbeslogan die neue »Australische Enzyklopädie« an. Bei »Abalone« handelt es sich um eine eßbare Krebsart mit einer opalisierenden Schale, beim letzten Wort, »Zygophyllaceae«, einem echten Zungenbrecher, um eine Grasart der australischen Wüste. Insgesamt bietet das Nachschlagewerk 2,4 Millionen Begriffe, zusammengestellt von 300 Autoren, Preis: 149 Australische Dollar.

Vorliegendes Buch ist billiger und auch nur von einem Autor verfaßt, der, wo immer er konnte, authentische Quellen in seine Berichte einfließen ließ. Der Leser möge entschuldigen, aber für den Preis dieses Buches kann man wirklich nicht verlangen, daß sich der Autor persönlich dem Studium der üblen Gewohnheiten der australischen Schlangen widmete oder nach untergegangenen Schiffen tauchte, die seit Jahrhunderten auf dem Grund der Torresstraße ruhen.

Sicher sind in diesem Werk keine 2,4 Millionen Begriffe zusammengetragen, dafür bemühte ich mich, und darauf gebe ich mein Wort, das Buch gut lesbar und interessant zu gestalten. Es sollte weder ein Vortrag zum Thema »Ausgewählte Kapitel der australischen Geschichte« noch ein statistisches Jahrbuch über Australien werden. Verschiedene Zahlen, die ein Verstehen der Probleme erleichtern, findet man am Ende des Buches. Doch bis wir zum Schluß der Ausführungen gelangen, erwarten den Leser viele inhaltsreiche Geschichten über Australien, wie dieses Land einmal war, wie es ist und wie es möglicherweise einmal sein wird.

Es ist mein zweites größeres Buch über Australien*, und wer beide Bücher aufmerksam liest, wird sich vielleicht wundern oder gar protestieren: Gewisse Dinge werden in beiden Werken unterschiedlich dargestellt. Und trotzdem, es geschah bewußt und hat seine Richtigkeit.

* Im VEB F. A. Brockhaus Verlag erschien 1970 der Band »Abschied vom Bumerang«.

Neue Ergebnisse der Wissenschaften lüfteten Geheimnisse, die nicht allein für mich, sondern auch für die Australier eine große Überraschung darstellten. Auf sie und weitere Ereignisse, vor allem auf gesellschaftlichen und wirtschaftlichen Gebieten, möchte ich den geschätzten Leser aufmerksam machen.

Da es sogar unter den Kennern der Materie keine Einigkeit gibt, wenn sie Ergebnisse diskutieren, wollte ich auf keinen Fall klüger sein, enthalte mich endgültiger Urteile und zitiere dafür lieber Autoritäten. Vor allem aber nahm ich mir vor, den werten Leser mit meinen Geschichten über Australien nicht zu langweilen. Einfach ist das nicht. Falsch wäre es beispielsweise, über alles zu schreiben, was ich bei meinen Australienaufenthalten sah, erlebte, beobachtete. Denn erstens ist es sowieso unmöglich, das Thema Australien in einem Buch erschöpfend zu behandeln, und zweitens, so definierte es ein Meister der Reportage, Joseph Kessel: »Je mehr Einzelheiten, um so weniger Leser.«

Ich schreibe für Leser, die noch nie in Australien waren, sich aber für dieses Land interessieren und deshalb gern nach diesem Buch greifen.

Die Welt verändert sich, und es verändert sich auch Australien. Ich bin mir jedenfalls sehr bewußt, daß ich dem Lauf der Dinge nie vollständig nachkommen kann. Das Buch ist keine Zeitung, und man verzeihe mir, wenn verschiedene Ereignisse, die in diesem Bande zur Sprache kommen, aus der Gegenwarts- in die Vergangenheitsform umgeändert werden müssen. Auf jeden Fall wird man feststellen, daß mich vor allem Australiens Geschichte interessiert, die »wunderschönste Lüge«, wie sie Mark Twain bezeichnete. Sie erlaubt es, nicht nur den heutigen, sondern vielleicht schon den morgigen Tag, das XXI. Jahrhundert, zu verstehen, das die meisten Leser meines Buches noch erleben werden. Des weiteren gilt mein Interesse der gegenwärtigen Konsolidierung des australischen Volkes, das heute noch aus einem Konglomerat verschiedenster Lebenshaltungen und Zivilisationsstufen unter dem Kreuz des Südens steht.

Über hundert Nationalitäten waren und sind daran beteiligt, ein einheitliches australisches Volk zu schaffen. Jeder vierte australische Einwohner wurde – diesen Prozentsatz weist außer Israel kein anderes Volk der Welt auf – außerhalb von Australien geboren. Heute tragen führende Vertreter in Regierung, politischen Parteien und Gewerkschaften meist englische, schottische oder irische Namen und entstammen Familien, die im 19. oder zu Beginn unseres Jahrhunderts nach Australien kamen. Eine kleine Führungsschicht verteidigt hartnäckig die Politik eines »weißen Australiens« und den Grundsatz der »beschränkten« Einwanderung. Den Ankommenden legen sie nahe, auf ihre eigenen kulturellen Traditionen zu verzichten und sich dem anzuschließen, was sie in Australien vorfinden. Manch einer gelangt dann zu der Erkenntnis, daß es sich in der alten Heimat doch besser lebte, und kehrt wieder zurück. Die überwiegende Mehrheit aber glaubt, Australien gehe einer glücklichen Zukunft entgegen, und alles ändere sich noch zum Guten.

Eine Griechin, die aus einem kleinen ägäischen Fischerdorf nach Sydney kam, berichtete: »Eigentlich begann die Diskriminierung mit dem Tag unserer Ankunft, und es dauerte lange, bis ich den Glauben an meine eigene Kraft wiederfand. Bereits am ersten Schultag hämmerten mir die Lehrer ein: Sprich nur Englisch und nicht Griechisch! Nach Beendigung der Mittelschule hatte ich den Wunsch weiterzulernen, um an die Universität zu gelangen. Doch der Schuldirektor meinte: Du bist ein so nettes, fröhliches Mädchen, warum willst du nicht im Krämerladen deines Vaters arbeiten? Und so kam es schließlich auch. Ich arbeitete mehrere Jahre als Verkäuferin bei meinem Vater. Dann meldete ich mich zum Fernstudium und bekam schließlich ein Stipendium für das Hochschulstudium. Später wandelte sich für uns schließlich alles zum Guten. Eigentlich waren wir hergekommen, um viel Geld zu verdienen und dann wieder nach Hause zurückzukehren. Doch es kam alles anders. Es gelang uns, eine gute Schulbildung zu erwerben und eine anständige Arbeit zu bekommen. Man lebt nicht schlecht in Australien, hier beginnt sich alles zu verändern. Und treffe ich einen Landsmann aus Griechenland, der mir erzählt, daß er wieder zurück nach Hause will, weil ihm Australien nicht gefällt, dann sage ich ihm: Hier geht es nicht um das Land, hier geht es um Menschen, und Menschen ändern sich.«

Ein türkischer Einwanderer erzählte: »Wir fühlten uns hier wie an Land gespülte Fische, konnten uns nicht verständigen. Zu Hause hatte man uns gesagt, es sei ohne Bedeutung, wenn wir die Sprache nicht sprächen, wir bekämen auch so eine gute Arbeit und könnten viel Geld verdienen. Die ersten Jahre waren sehr schwer. Meine Frau hatte in der Türkei als Bankangestellte gearbeitet, hier fand sie aber nur als Hilfsarbeiterin in einer Fabrik für elektrische Geräte eine Anstellung. Kurz darauf erkrankte sie schwer und verdiente viele Monate keinen Cent. Ich konnte meinen Beruf als Lehrer ebenfalls nicht ausüben und nahm eine Arbeit in einer Autofabrik am Fließband an. Eines Tages erlitt ich einen Arbeitsunfall, fürchtete ihn aber zu melden, um nicht entlassen zu werden. Wir brauchten das Geld so dringend. Auf Hilfe konnten wir nicht rechnen. Später wurde alles besser. Meine Frau legte Prüfungen ab und begann ein Studium der Pädagogik, und ich bekam eine Stelle im Ministerium für Sozialwesen. Wahrscheinlich bleiben wir für immer in Australien. Der Lebensstil behagt uns, und auch das Geld reicht jetzt. Ja, sicher, zu Haus, in der Heimat, hatten wir viele Freunde und Verwandte, was uns hier sehr fehlt. Hier bedeutet Geld das höchste Gut, alles andere ist unwichtig. Das Leben ist in Australien sehr monoton.«

Australien lockte stets mit besten Versprechungen für eine Ansiedlung, tat dann doch recht wenig, um die Sprachbarriere zu überwinden und die Neuankömmlinge an das fremde Milieu zu gewöhnen. Im Grunde genommen wurden die nach dem zweiten Weltkrieg aus Europa eintreffenden Auswanderer »billiges Fabrikfutter«, das man bei der sich stürmisch entwickelnden Industrie dringend benötigte.

Es wird beispielsweise geschätzt, daß um die 40 Prozent aller Arbeitsunfälle Einwanderer betrafen. Alle Vorschriften für Arbeitshygiene und Arbeitssicherheit waren gewöhnlich nur in englischer Sprache abgefaßt. Man kam erst sehr spät auf den Gedanken, diesbezügliche Gebote und Verbote in Sprachen zu drucken, die den meisten Arbeitern verständlich waren. Noch unbefriedigender gestaltete sich die Lage der Frauen. 60 Prozent der in der australischen Wirtschaft tätigen Frauen waren Neuankömmlinge. In der Regel wurde ihnen Akkordarbeit vermittelt, und nicht immer gelang es den Arbeiterinnen, den Mindestlohn zu erkämpfen. Da die Vorgesetzten Schwierigkeiten hatten, den Namen der Frauen auszusprechen, ging man in verschiedenen Betrieben dazu über, sie zu numerieren. Sie wurden mit Trillerpfeifen herbeigerufen, und man zog ihnen die Zeit ab, die sie auf den Toiletten verbrachten. Eine jugoslawische Emigrantin erinnerte sich: »Die ersten Jahre verbrachte ich in Australien damit, täglich zehn Stunden Hosenknöpfe anzunähen. Und ich betete jede Nacht, wieder nach Hause zurückkehren zu können.« Die Menschen, die aus kleinen Balkandörfern stammten, waren an diese harte Disziplin und das hohe Arbeitstempo, die sie in der Wirtschaft antrafen, in keiner Weise gewöhnt.

Noch schlimmer stellten sich die Lebensbedingungen bei den ältesten Einwohnern Australiens, den Ureinwohnern, dar. Es war die am meisten benachteiligte und am grausamsten verfolgte ethnische Gruppe des australischen Kontinents. Tief ins Innere des Landes, in die Steppen und Wüsten, weitab von den fruchtbaren Küstenstreifen verdrängten die weißen Siedler die Stämme. Ihr Leben galt nichts, man hielt sie nicht für menschenwürdig und rottete oft ganze Stämme aus. Es sei an dieser Stelle daran erinnert, daß auf der Insel Tasmanien der letzte Ureinwohner bereits im Jahr 1876, also vor über hundert Jahren, für immer »in das Land der Träume« eingegangen war. Die Ureinwohner aber, die in Australien am Leben blieben, die Massakern und Seuchen entgangen waren, führen auch heute kein leichtes Leben. Doch darüber in einem besonderen Kapitel.

Ein Professor der Australischen National-Universität in Canberra stellte Überlegungen über eine weitere Entwicklung in Australien an. Er sagte, daß die Zeiten endgültig vorbei seien, da man nach den Parolen »Australien den Australiern« oder »Australien für den weißen Menschen« vorging. Und der Fachmann für australische Geschichte führte weiter aus: »Heute bedient man sich der Begriffe ›weißes Australien‹ und ›der Kampf um die Erhaltung der reinen Rasse‹ nicht mehr. Diese Vokabeln wurden ein für allemal aus der australischen Amtssprache entfernt. Wir werden in der Welt auch nicht mehr für diejenigen gehalten, die unter allen Umständen auf eine Vorrangstellung der Weißen in Australien beharren. Wenn wir nun aber einerseits den Begriff ›weißes Australien‹ auf den Abfallhaufen der Geschichte beförderten, so wissen wir andererseits immer noch nicht, wie wir uns korrekt ausdrücken sollen, wenn es um Australiens Zukunft geht. Soll es nun ein Land mit ineinander verschmelzenden oder fein säuberlich getrennten Rassen werden? Wir streben kein britisches Australien an. Doch wenn wir auch behaupten, aus eigenen Kräften vorwärtskommen und endlich auf die englische und amerikanische Schirmherrschaft verzichten zu können, so ist uns unsere wirkliche Situation immer noch nicht ganz klar. Sollen wir uns auch weiterhin auf unsere traditionellen Verbündeten und Freunde verlassen? Gehören wir zur dritten Welt? Müssen wir uns nicht endlich selbst entscheiden? Unsere Gesellschaft hat einen Reifegrad erreicht und muß, um bildlich zu sprechen, wie jeder reife Apfel vom Baum fallen, was auch immer wir anstellen, um es zu verhindern. Doch wohin soll diese Frucht fallen? Das ist unserer Jugend von heute nicht bekannt. Die Historiker aber wissen: Der Apfel fällt nicht weit vom Stamm.«

Australien regte schon immer die Phantasie der Menschen an, auch schon zu Zeiten, als dieser Kontinent noch unentdeckt war. Ptolemäus, der 150 Jahre vor unserer Zeitrechnung lebte, zeichnete ein Land, das er terra australis incognita nannte, in eine seiner Weltkarten ein. Im 16. Jahrhundert ließ ein französischer Kartograph seiner Phantasie freien Lauf und verband auf einer Karte ein im Süden liegendes großes Land mit der Antarktis, in der Hirsche und Kamele umherliefen und Menschen sich hinter dicken Wällen verteidigten. Lange und hartnäckig hielten sich die unterschiedlichsten Gerüchte über die terra australis, selbst dann noch, als die ersten Segelschiffe an den australischen Küsten anlegten. Ein Reisender teilte sogar mit, Australien sei größer als ganz Asien und von über 50 Millionen Menschen bewohnt.

Wer heute durch Sydney spaziert und die Reste der Herrlichkeiten des britischen Imperiums besichtigt, weiß oftmals nicht, daß er sich beinahe im französischen Konsulat um das Visum für Australien hätte bemühen müssen und daß man in den Straßen der australischen Städte nicht Englisch, sondern Französisch gesprochen hätte.

Eine der Launen des Schicksals bestand darin, daß in der letzten Januarwoche des Jahres 1788 bei einer anderen Windrichtung nicht die Flotte von Admiral Phillip, sondern das Schiff des französischen Kapitäns La Pérouse die Botany Bay an Australiens Ostküste erreicht hätte. So aber wurden die Franzosen bei ihrer Ankunft in Australien durch die stolz im Wind flatternde britische Flagge überrascht. Auf diese Weise ging ihnen die australische Kolonie verloren.

Die Franzosen jedoch waren im Raum des Stillen Ozeans keine Neulinge. So erwähnen Historiker den Bericht eines französischen

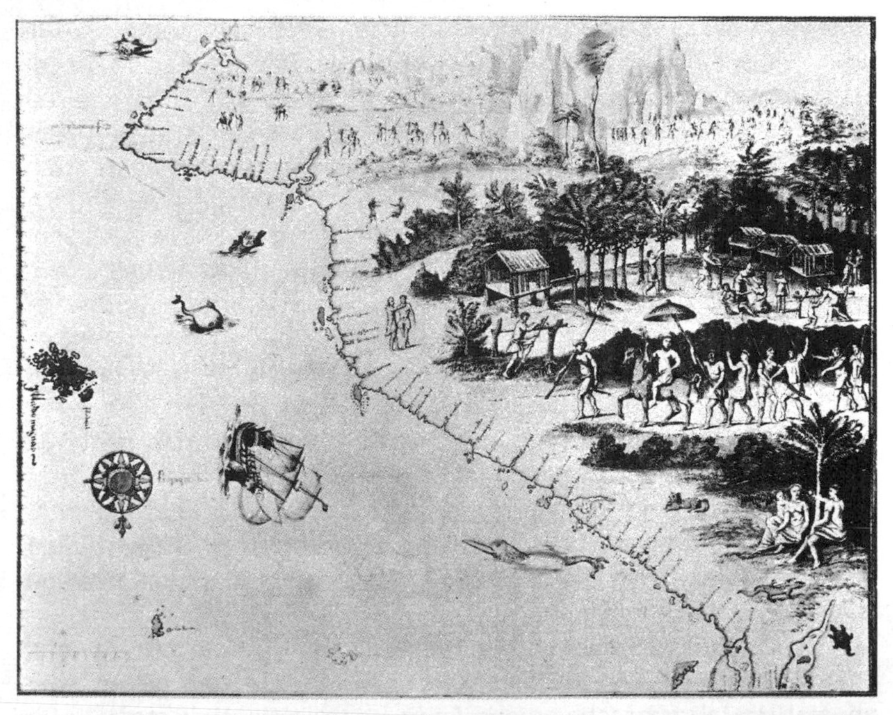

Die Legende von einem Land, das irgendwo auf der südlichen Halbkugel liegen sollte, erwies sich als sehr hartnäckig. Nicholas Vallard hinterließ uns (1547) eine phantasievolle Karte der terra australis.

Seefahrers, der angab, im Jahr 1503 durch unbekannte Gewässer der südlichen Halbkugel gesegelt zu sein, wobei es sich sehr wahrscheinlich um den südlichen Pazifik gehandelt hatte.

John Dunmore, Autor der Monographie »Französische Erforscher des Stillen Ozeans«, hält den Bericht über diese Reise für weniger phantastisch als die meisten Mitteilungen der damaligen Seefahrer. Er sei allerdings so abgefaßt, daß man ihn zwar für glaubwürdig, aber nicht für bestätigt halten muß.

Am 13. Mai 1787 verließen elf Schiffe England und segelten vierundzwanzigtausend Kilometer über die Weltmeere. Kapitän Arthur Phillip, der Kommandant, und seine zwölf Offiziere brachten damals verurteilte Briten nach Australien. 32 Deportierte überlebten die Fahrt nicht. Bürokratische Maßnahmen verzögerten das Auslaufen der

Flotte. Als sie den englischen Hafen endlich verließ, hatte man die warme Bekleidung für die Frauen vergessen. Mitleidige Matrosen kauften während des Aufenthaltes in Rio de Janeiro für am meisten betroffene Frauen Jacken und Decken. Ein paar Verbannten gelang es zu fliehen. Auf einem der Schiffe brach ein Aufstand aus, der während der Fahrt um Südafrika blutig niedergeschlagen wurde. Der Mast des Flaggschiffes zerbarst bei einem heftigen Sturm in tausend Stücke. Unweit des Kaps der Guten Hoffnung stieß die Flotte auf eine Walherde. Am schwersten verlief die Fahrt über den Indischen Ozean, fast hatte man die Hoffnung auf ein Überleben aufgegeben. Auch die Küste der Botany Bay erwies sich als unwirtlich: Weder fanden die Engländer Süßwasser noch fruchtbaren Boden.

Spricht man heute von der australischen Viehzucht und nennt die Zahlen von Millionen Schafen und Rindern, dann sollte nicht vergessen werden, daß die Anfänge überaus bescheiden waren. Die Schiffe der Ersten Flotte brachten zwei Hengste, vier Stuten, einen Bullen, vier Kühe, vier Ziegen, 44 Schafe, 32 Ferkel und 291 Stück Geflügel sowie einen Neufundländer mit.

Wie erwähnt, erschienen die französischen Schiffe fast zur gleichen Zeit wie die Erste Britische Flotte. Die Franzosen hatten zweiundeinhalb Jahre beschwerliche Fahrt hinter sich, als sie am 23. Januar die australische Küste erblickten. Heftige Winde verhinderten die Landung, so daß sie auch am nächsten Tag nicht anlegen konnten. Sicher waren sie schwer enttäuscht, als sie von weitem die britische Flotte in der Bucht vor Anker liegen und die britischen Flaggen auf der felsigen Steilküste im Winde flattern sahen.

Es ist überliefert, daß die Besatzung der beiden französischen Schiffe nach der Landung in freundschaftliche Beziehung zu den Engländern trat, daß man sich gegenseitig besuchte. Eine Legende besagt, daß die »Französische Straße« in Sydney auf den Pfad zurückzuführen sei, den die Seeleute benutzten, wenn sie sich trafen. Engländer und Franzosen verstanden sich so gut, daß die französischen Expeditionen auch später, als beide Länder im fernen Europa in blutige Kriege verwickelt waren, von den britischen Kolonisten in Australien freundlich und höflich empfangen wurden. La Pérouse beispielsweise behauptete, Cook hätte seine Arbeit so gut getan, daß den Franzosen nichts anderes mehr übrigblieb, als ihm ihre Anerkennung zu zollen. Matthew Flinders revanchierte sich und lobte die vorzüglichen Seekarten, die der französische Gelehrte von den Gewässern um Tasmanien angefertigt hatte. Als 1800 eine weitere französische Expedition Australiens Südküste erreichte, waren die Männer durch die beschwerliche Fahrt und vor allem durch den Skorbut so geschwächt, daß man eine englische Mannschaft an Bord holte, die die Schiffe an eine sichere Landungsstelle brachte. Damals weilten zwei französische Forschungsschiffe über ein halbes Jahr in Sydney. Der Chronist der Expedition hielt fest: »Wir konnten uns nicht genug über den Wohlstand in dieser Kolonie wundern.« Das überrascht um so mehr, als ein Engländer, der zur gleichen Zeit in Australien weilte, in seinen Reisenotizen schrieb, daß die Bevölkerung außer aus Deportierten nur aus Menschen bestand, »die zum einen Rum verkaufen und zum anderen Rum trinken«. Gänzlich aber gab Frankreich seine »australischen Träume« nicht auf.

In jener Zeit kam in Frankreich ein Atlas heraus, in dem die Karten des südlichen Teils des Stillen Ozeans mit französischen Namen belegt waren. Ob Staatsmänner, Schriftsteller, Philosophen, ja sogar Jeanne d'Arc – sie alle bekamen auf der Karte ein kleines Stück Australien zugeteilt. Besonders berücksichtigt wurde dabei die Familie Bonaparte. Wahrscheinlich wird man nie mehr feststellen können, ob Napoleon bei der Errichtung seines Imperiums daran dachte, auch Australien in seine Pläne einzubeziehen. Von den Historikern jedenfalls wissen wir, daß er sich während seines Feldzuges in Ägypten eingehend über die Reise von Kapitän Cook informierte. Es ist uns auch bekannt, daß Napoleon eine Porträtgalerie der berühmten Männer, wie etwa Cicero, Caesar, Demosthenes, Washington, plante. In diese Galerie sollte auch William Dampier einbezogen werden, der sich nicht nur als ein erfolgreicher englischer Forscher, sondern auch zugleich als berüchtigter Pirat ausgezeichnet hatte.

Trug sich Napoleon also wirklich mit der Absicht, Australien zu erobern? Den einzigen konkreten Hinweis fanden die Historiker in seinen Instruktionen, eine Expedition in den Indischen Ozean vorzubereiten, die unter anderem die englische Kolonie Jackson in französischen Besitz nehmen sollte. Reichte sein Ehrgeiz wirklich bis zur australischen Küste? Es fällt heute schwer, diese Frage definitiv zu beantworten. Eins ist auf jeden Fall erwiesen: Inspirator der Expeditio-

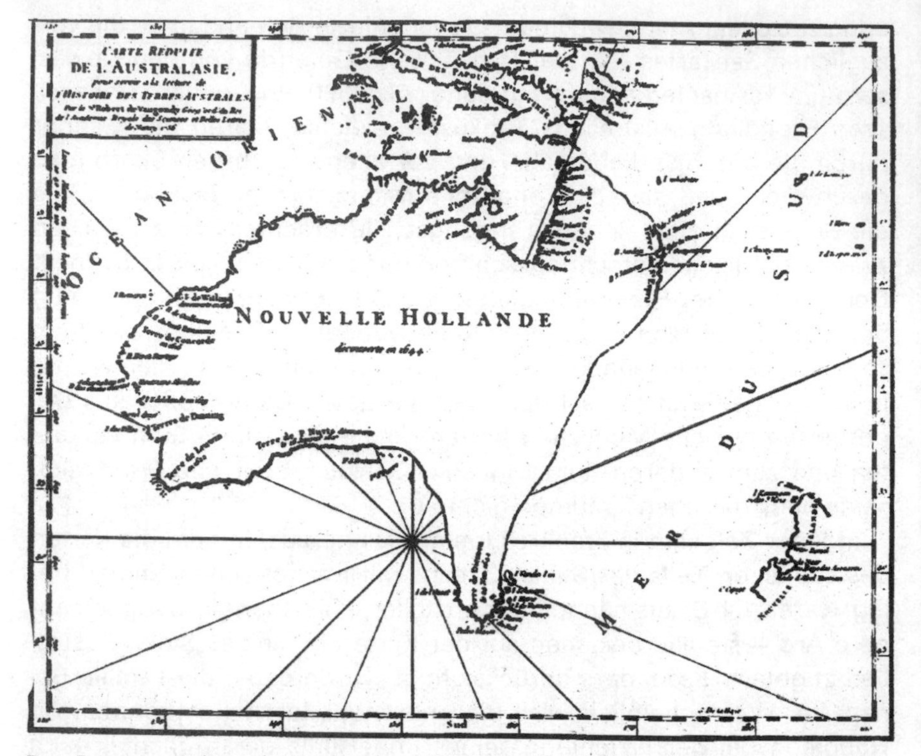

Der Franzose Robert de Vaugondy, königlicher Geograph, überlieferte 1756 eine Karte, auf der er das damalige europäische Wissen vor den großen Entdeckungsreisen festgehalten hatte. Lange Zeit gebrauchte man die Bezeichnung Neu-Holland.

nen war der französische Wissenschaftler de Brosses, der das Buch »Die Navigation in der südlichen Hemisphäre« verfaßt hatte. Er empfahl auch, eine französische Kolonie an der Stelle zu gründen, wo sich heute die Insel Neubritannien befindet, und diese mit aus Frankreich deportierten Abenteurern, Dieben und Bettlern zu besiedeln. De Brosses wandte als erster das Wort Australasien an. Nach Napoleons Sturz änderten auch die französischen Atlanten die Bezeichnungen, und man übernahm ebenfalls die Namen, die schon Flinders auf seinen Karten notiert hatte. Und wenn auch einige wenige französische Benennungen erhalten blieben, so verbindet sie heute kaum jemand mit Napoleons Familie.

Alle Amerikaner, die dazu neigen, die Australier zu verhöhnen und ihnen ihre deportierten Großeltern vorzuwerfen, alle, die lachend meinen, die Australier zögen ihre Socken nie aus, um die Spuren der Fußeisen zu verbergen, sollten sich an ihre eigene Historie erinnern. Immerhin waren es amerikanische Kolonisten, die zu Beginn des 17. Jahrhunderts die britische Krone drängten, ihnen englische Strafgefangene für Zwangsarbeiten auf nordamerikanischen Plantagen zu verkaufen, 10 Pfund pro Kopf. 1766 legalisierten die englischen Gerichte dieses Geschäft, und in den folgenden hundert Jahren gelangten etwa 500 englische Deportierte nach Amerika. Mit anderen Worten, die Amerikaner dürften selbst genügend Blut von verurteilten und verbannten Engländern in ihren Adern haben.

Die Gerichte jener Zeit waren erschreckend ungerecht und primitiv. So lesen wir in Archivakten: »Taschendiebe ernteten in der Menge, die in London dem Schauspiel des Hängens von Taschendieben beiwohnte, reiche Ernte.« Gelegenheiten zu solchen Schauspielen gab es genügend, da die besorgte Elite der Gesellschaft mit allen Mitteln darum bemüht war, die wenigen Übeltäter, die sich erwischen ließen, zum abschreckenden Beispiel streng, ja grausam zu bestrafen. So sah die damalige Gesetzgebung allein 200 Vergehen vor, die mit dem Tod bestraft wurden. Die Todesstrafe wurde ausgesetzt, wenn sich der Verurteilte bereit erklärte, als Verbannter in die Kolonie zu gehen, was in der Gerichtssprache »Transportation« genannt wurde.

Das Schicksal der Verurteilten ist erschütternd und lohnt, näher untersucht zu werden. Man schätzt, daß insgesamt 160 000 Verbannte nach Australien gelangten, darunter 20 000 Frauen, meist Prostituierte. Oft wurden auch Knaben, die man als Waisen in den Straßen von London aufgegriffen hatte, auf Deportationsschiffe gebracht. Mit dem Eintreffen des ersten dieser Schiffe 1788 setzte aber auch der bescheidene Anfang einer überaus mühseligen Entwicklung ein, die im Ergebnis zu der Erschließung des riesigen Landes führen sollte. Der Gouverneur, Kapitän Arthur Phillip, stellte lakonisch fest, daß sich die Küste der Botany Bay kaum eignete, besiedelt zu werden. Er schaute sich in der Bucht um und fand schließlich eine Stelle, an der sich heute der in der ganzen Welt bekannte Hafen von Sydney befindet. Die Stadt wurde zu Ehren des damaligen britischen In-

Am 26. Januar 1788 sprach der Kapitän der Königlichen Flotte Phillip einen Toast auf das Wohlergehen eines weiteren Kleinods der britischen Krone aus.

nenministers nach dessen Namen benannt. Der 26. Januar aber, an dem im Jahr 1788 etwa 800 Verbannte, Offiziere, Beamte, Matrosen und Soldaten an Land gingen, wird heute als Staatsfeiertag begangen.

Die wenigsten Deportierten verbüßten ihre Strafe in Australien hinter Gittern. Viele Historiker überlieferten, daß die Verbannten mehr Kolonisten als Gefangene waren. Der Grund dafür ist sehr einfach: Es wurden dringend Arbeitskräfte gebraucht. Die nächsten Transporte brachten weitere Menschen, Verpflegungsschwierigkeiten waren an der Tagesordnung. Die Kolonie kämpfte mit vielen Problemen, und so mußten sich jene, die in London als geschickte Taschendiebe ihr Brot verdienten, in Australien notgedrungen der Arbeit auf dem Lande widmen.

Die meisten Verbannten wurden also Siedlern oder Offizieren als Arbeitskräfte zugeteilt und mußten in der Landwirtschaft oder in kleinen Betrieben arbeiten. Die Siedler besaßen über die Deportierten eine uneingeschränkte Macht. Es pfiff die Peitsche, es hagelte der Stock, die einfachsten Utensilien, um Disziplin und Ordnung aufrechtzuerhalten. Man schätzt, daß in den Jahren 1830 bis 1837 allein in der Kolonie, dem heutigen Staate Neusüdwales, 42 000 Gefangene ausgepeitscht wurden, bei Anwendung verschiedener raffinierter Techniken. Gewöhnlich wurden die Delinquenten – so der Bericht von Augenzeugen – an Baumstämme gebunden, so daß sie sich nicht rühren konnten, und dann systematisch geschlagen. Freistehend hätte nämlich niemand die unmenschliche Strafe von 300 Hieben ausgehalten.

Die Lebensbedingungen in der jungen Kolonie waren grausam. Es herrschte eine Atmosphäre der Rechtlosigkeit, Trunksucht, Gewalttätigkeit und Ausbeutung. Doch die meisten der in Australien geborenen Kinder wuchsen zu anständigen und arbeitsamen Menschen heran. Ein Richter, der 1817 in die Kolonie kam, hielt in seinem Tagebuch fest, daß sich die junge Generation in moralischer und physischer Hinsicht von ihren Eltern total unterschied.

Das Phänomen ist einfach zu erklären: Australien bot den hier geborenen Kindern im Gegensatz zu England unbegrenzte Möglichkeiten. Mit anderen Worten, es war für sie günstiger zu arbeiten als zu stehlen.

Als 1899 ein neuer Gouverneur im Staate Neusüdwales eintraf, gaben ihm die hier ansässigen weißen Australier zu verstehen, daß sie sich ihrer Abstammung immer noch schämten. Ein britischer Schriftsteller stellte noch in den sechziger Jahren unseres Jahrhunderts fest, daß der Staat – und das dürfe man nicht vergessen – vor kaum sechs Generationen von »Gesetzesbrechern« gegründet worden war. Wenn dieses Schamgefühl heute auch nur noch von wenigen Australiern geteilt wird, so bemüht man sich doch oftmals darum, die wahre Geburtsurkunde des australischen Staates zu vertuschen. Sicher dauert es noch Jahre, bis man das ganz verstehen wird. Wollte man hier einen historischen Vergleich mit dem Schiff »Mayflower« anstellen, das die ersten englischen Auswanderer nach Amerika brachte, dann fiele es natürlich schwer, die ersten amerikanischen Kolonisten mit den australischen Deportierten zu vergleichen. Bei letzteren handelte es sich um Menschen, die unter schrecklichsten Bedingungen arbeiteten und litten, bevor sie das schufen, was die Australier heute mehr oder weniger ironisch »das glückliche Land« nennen. Die Dichterin Mary Gilmore schreibt in einem ihrer Werke: »Man schickte mich in die Hölle, auf daß ich in der Wüste den Brunnen des Lebens errichte. Ich zerschlug Felsen, fällte Bäume und legte den Grundstein für mein Volk. Schmach und Schande allen, die vergessen, daß gekettete Hände uns emporhoben.«

Von der Poesie zur historischen Wirklichkeit übergehend, überlegen die Australier ernsthaft, ob sie nicht anläßlich des 200. Jahrestages ihres Staates die berühmte Fahrt der Ersten Flotte in allen Einzelheiten nachvollziehen sollten. Vielleicht regt eine solche Reise die Phantasie der Menschen in der Zeit der Computer besonders an. Es gibt jedenfalls genügend Bewerber sowohl für den Bau einer naturgetreuen Flotte als auch für die Teilnahme an einer solchen langen und beschwerlichen Fahrt nach Australien. Werften, die diese Holzschiffe bauen könnten, existieren. Wenn dabei finanzielle Probleme auch eine gewisse Rolle spielen, so dürfte sich Australien ein solches Spektakulum zu Ehren des großen Jahrestages durchaus drei Millionen Dollar kosten lassen.

Australien ist ein riesiges Land. Vom Ayers Rock, dem bekannten Felsengebilde im Herzen des Landes, sind es in jeder beliebigen Richtung mindestens 1 800 Kilometer, um an die Küste zu gelangen. Australien ist der einzige Staat der Welt, der einen gesamten Kontinent und angrenzende Inselgruppen einnimmt. Wollte man die Bevölkerung Australiens gleichmäßig verteilen, dann müßte ein Australier in einem Abstand von 500 Metern zum anderen stehen.

Denkt man an Australien, dann stellt man sich entweder sonnenüberflutete Strände, blaues Meer oder gleißende Wüsten vor. Dabei gibt es um den Mount Kościusko größere Skigelände als in der Schweiz. Hier befindet sich auch ein Skilift, der 5 Kilometer lang ist.

Der nach Wasser lechzende Kontinent sitzt buchstäblich auf Wasser. Man braucht nur 200 bis 300 Meter tiefe artesische Brunnen zu bohren, um an das Wasser zu gelangen. Dieses eignet sich zwar nicht für die Bewässerung von Feldern, doch den Tieren bekommt das unterirdische Naß sehr wohl. In den wasserarmen Gebieten existieren etwa 9 000 solcher Brunnen, zu denen Millionen Schafe drängen. Als ungewöhnlich wasserarm müssen die australischen Flüsse bezeichnet werden. Der Fluß Darling beispielsweise ist auf den Karten mit einer gestrichelten Linie eingezeichnet. In regenarmen Zeiten versickert der Fluß oder verwandelt sich stellenweise in morastige Teiche. Auch der Eyre-See ist auf allen Karten mit blauer Farbe gekennzeichnet, doch in Wirklichkeit handelt es sich um eine flache, ausgetrocknete Mulde, 10 Meter unter dem Meeresspiegel gelegen. Und seit der weiße Mann in Australien erschien, war dieser See nur wenige Male mit Wasser gefüllt.

Es gibt in Australien Landstriche, die nicht nur an der Oberfläche ausgedörrt sind. In Westaustralien, nahe der Goldgrube »Goldene Meile«, brachte man ein Bohrloch von 1 200 Metern Tiefe an, ohne ein einziges Mal auf Wasser zu stoßen.

Spricht man von der »Tyrannei der Entfernung«, dann muß erwähnt werden, daß der Schnellzug, der durch die Nullarborebene rast, auf 530 Kilometer nicht ein einziges Mal hält. Wozu auch? Der Zug fährt eine schnurgerade Strecke, ohne eine Kreuzung zu passieren, ohne eine Weiche zu benutzen, ohne ein Signal beachten zu müssen. So ähnlich sieht das mit der australischen Autobahn Nr. 1 aus. Man kann auf ihr, der längsten Autobahn der Welt, eine kleine Strecke im Norden ausgenommen, das ganze riesige Land umfahren, über zwölfeinhalbtausend Kilometer. Allerdings benötigt man dafür ein paar Wochen. Die letzte Strecke der großen Autobahn, die jetzt praktisch um ganz Australien führt, wurde 1976 dem Verkehr übergeben. Es waren vierhundert Kilometer schwierigstes Gelände, und in der Gegend von Encel mußten die Fahrer aus dem Wagen steigen, um das Tor eines langen Zaunes zu öffnen. Über dem Tor hing ein Schild mit der Aufschrift: »Schließe das verdammte Tor hinter dir!«

Passierte in Australien eigentlich nie etwas Besonderes, oder erfuhr die Welt nichts davon? Wir wollen uns in der Bibliothek von Sydney ein paar alte, leicht vergilbte Zeitungen ansehen. Es war am 3. Juni 1924, als man die Entdeckung des Herrn Marconi in Anspruch nahm, um zum ersten Mal eine menschliche Stimme von England nach Australien zu übermitteln. Telegraphische Nachrichten gab es natürlich schon früher, doch es war damals das erste Mal, daß man in der Station von Sydney laut und deutlich eine menschliche Stimme aus England empfing. Am 13. August schlugen zwei australische Sportler den

Weltrekord im Straßenrennen und erreichten Sydney mit einer Durchschnittsgeschwindigkeit von 60 Stundenkilometern.

Am 9. Dezember teilte das Amt für Statistik mit, daß die Zahl der australischen Einwohner auf 5 835 000 Menschen angestiegen war.

Im Jahrgang 1934, also zehn Jahre später, finden wir folgende Meldungen: Es wurde die Schiffsglocke des Kreuzers »Emden« gefunden, die irgendwo bei Melbourne vergraben worden war. Sie stammte von einem deutschen Schiff, das der australische Zerstörer »Sydney« am 9. November 1914 in der Schlacht bei den Kokosinseln versenkt hatte. Es war dies die erste Seeschlacht, an der australische Kriegsschiffe teilnahmen.

31. Januar. In der westaustralischen Bergarbeiterstadt Kalgoorlie kam es zu blutigen Unruhen. Zwei Personen wurden getötet und mehrere verletzt. Häuser von Ausländern brannten bis auf die Grundmauern nieder.

28. Februar. Im Staate Victoria verstarb Mrs. Harriett Scarffe im Alter von 109 Jahren. Ihr Leben gestaltete sich überaus stürmisch. Mit 14 Jahren verließ sie das Elternhaus und verbrachte viele Jahre ihres Lebens als Schiffsköchin auf hoher See. Dann heiratete sie und ließ sich in Australien nieder. Nach dem Tod ihres Mannes betrieb sie einen Krämerladen, in dem sie eines Nachts einen Dieb erschoß. Sie stand auch im hohen Alter bei Tagesanbruch auf, um ihre Kühe zu melken.

Am 16. Mai meldete die Zeitung den großen Fortschritt des Fernsehens. Man war jetzt in der Lage, zukünftig bei Wahlen die Kandidaten über Bildschirm »anzupreisen« und dabei per Lautsprecher ihre Stimmen ertönen zu lassen.

1. Februar. In Darwin verurteilte ein Richter drei Ureinwohner, die einen Japaner ermordet hatten, zum Tode. Der öffentliche Verteidiger bewies, daß auch die Japaner gegen das Gesetz verstoßen hatten. Trotzdem behauptete der Richter: »In diesem Fall besteht das angemessene und humane Strafmaß darin, daß man sie hänge, bis daß der Tod eintritt.« Das kaum beachtete Vergehen der Japaner bestand darin, daß sie eingeborene Mädchen auf ihre Schiffe lockten und entführten.

7. November. Der Reporter Egon Erwin Kisch wollte auf dem in Australien stattfindenden Kongreß gegen Krieg und Faschismus auftre-

ten. Man verbot ihm, an Land zu gehen. Als er in Melbourne heimlich vom Schiff kletterte, verstauchte er sich den Fuß, worauf man ihn sofort wieder auf das Schiff brachte. Der neue Generalstaatsanwalt, Mr. Robert Menzies, verkündete, Kisch sympathisiere mit den Kommunisten, und Australien hätte keinen Grund, Leute dieses Zuschnitts aufzunehmen.

15. November. Ein australisches Passagierflugzeug, das zum ersten Male von England nach Australien flog, zerschellte im Staate Queensland. Alle vier Fluggäste kamen ums Leben.

Und noch zehn Jahre später. 1944. Kriegsjahre.

14. Januar. Im Staate Victoria wütete ein furchtbarer Buschbrand, der vier Städte vernichtete und neunzehn Menschen tötete. Dem Brand fielen zum Opfer: 500 Häuser, eine Million Schafe, 50 000 Rinder, 1 000 Pferde, 1 000 Schweine und 200 000 Stück Federvieh. Es verbrannten Tausende Kilometer von Holzzäunen.

16. Juni. Fleischer klagten über Fleischmangel, Lebensmittelkarten blieben ungedeckt. Sogar das weniger gefragte Kaninchenfleisch wurde zur Rarität.

5. August. 900 japanische Kriegsgefangene meuterten in einem australischen Lager und griffen die Wachen an. Ein japanischer Offizier und 30 Soldaten wurden erschossen beziehungsweise begingen Selbstmord. 108 Japaner erlitten Verwundungen. Dieser Zwischenfall blieb streng geheim, die Militärzensur gab in einem Kommuniqué lediglich bekannt, daß einige Kriegsgefangene geflohen, aber wieder eingefangen worden waren.

Und weitere zehn Jahre später, 1954. Sydney erwartete den Besuch der englischen Königin. Plätze für die Tribüne, an der sie mit ihrem Gefolge vorbeikommen sollte, wurden auf dem Schwarzmarkt zu Höchstpreisen verkauft. Es war das erste Mal, daß die Monarchin Australien besuchte.

17. September. Premierminister Robert Menzies, der gleiche, der Egon Erwin Kisch den Aufenthalt in Australien verboten hatte, vollzog in einem feierlichen Akt die Grundsteinlegung für das Uranbergwerk im Nordwestterritorium. Damit setzte in Australien die Uran-Epoche ein, und begann der Staat mit der Gewinnung dieses Rohstoffes.

27. Oktober. Louis Armstrong trat im Stadion von Sydney zu seinem ersten australischen Konzert auf, zu dem 20 000 begeisterte

Menschen herbeigeeilt waren. Ein Kurzschluß führte zum Brand der Drehbühne. Louis Armstrong unterbrach auch beim Löschen das Konzert nicht und meinte danach lakonisch: »Vielleicht war die feurige Musik Ursache des Brandes?«

Weitere zehn Jahre, 1964.

2. Januar. Fünf aus England ausgewanderte Siedler fanden in der südaustralischen Wüste den Tod. Der Treibstoff war ihnen ausgegangen, und sie starben vor Durst und Hitze.

10. Februar. Der Tag der größten Seekatastrophe in der australischen Geschichte. Der Flugzeugträger »Melbourne« stieß mit dem Zerstörer »Voyager« zusammen und schnitt ihn in zwei Teile. Dabei kamen 82 Matrosen ums Leben.

Ich beziehe mich – um es noch mal zu betonen – immer wieder gern auf historische Ereignisse, und das ist durchaus kein Zufall. In einem Land, das der weiße Mann erst vor knapp zweihundert Jahren in Besitz nahm, prägte die Geschichte in einer nicht zu übersehenden Weise das Antlitz der Gegenwart, gestaltete sie die Mentalität der Menschen und ließ durch das Verständnis gewisser Ereignisse des gestrigen Tages die heutige australische Realität begreifen. Vielleicht trifft das Sprichwort, nach dem die Geschichte allen, die sie nicht verstehen wollen, Nachhilfeunterricht erteilt, im besonderen Maße auf Australien zu.

Es scheint, als würden sich die Menschen in aller Welt immer ähnlicher. Sie interessieren sich für die gleichen Melodien, sehen sich die gleichen Filme an, tragen Anzüge nach der gleichen Mode. Was sie unterscheidet, sind nationale Eigenschaften, ihre gesellschaftliche Denkweise und Stellungnahme zu Tagesereignissen. Und so dachte ich, daß es das beste wäre, die Australier selbst über ihr Land sprechen zu lassen und dabei ein Australien zu zeigen, wie es im Alltag lacht und weint.

Es wäre vermessen, nach fünf Aufenthalten in Australien zu behaupten, daß man das Land kenne. Vielmehr würde ich sagen, daß ich das Land gesehen habe; ein riesiger Unterschied. Hinzuzufügen wäre, daß ich ein Australien sah, das ein gewöhnlicher Bewohner in seinem Leben wohl nie sieht. Denn wer besucht schon, sagen wir, die kleine Insel Norfolk, die zu Australien gehört und die mehrere

Flugstunden von Sydney entfernt in der Südsee liegt? Oder wer hat genügend Zeit und Geld, um abseits der großen Straßen kleine, zerfallene Siedlungen aufzusuchen, in denen in den letzten 150 Jahren nicht viel passierte?

Ich verspreche, in meinen Ausführungen nach Möglichkeit objektiv zu bleiben und es nicht jenen Reisenden gleichzutun, die nach einem Streit mit einem Gepäckträger auf dem Bahnhof oder einem Mißverständnis mit einem Taxifahrer zu schwören bereit sind, den Charakter des besuchten Volkes in- und auswendig zu kennen. Ich will mich auch nicht mit subjektiven Deutungen und Einschätzungen von Ereignissen aufhalten, weil das dem Leser wenig gibt.

Dagegen ist es an der Zeit, die einleitenden Worte zu beenden, die – und das war meine Absicht – einen kleinen Einblick in das Thema geben, die Dinge, die anschließend zur Sprache kommen, antippen sollten. Es soll beschrieben werden, wie und wovon die Australier leben, wie sie denken und in welcher Richtung sie sich entwickeln. Dabei spreche ich ausschließlich in meinem eigenen Namen. Ich ging den Spuren der australischen Entwicklung in britischen Bibliotheken nach und stieß auf das Echo von australischen Geschichten in holländischen und amerikanischen Sammlungen. Doch am wichtigsten sind meine Beobachtungen und Erfahrungen: Ich sah und hörte, man berichtete mir, ich las, ich fand im Leben und in historischen Quellen. Das Buch soll kein Reiseführer sein, mit aktuellen Flug- oder Hotelpreisen. Das sind alles Dinge, die sich fast von Woche zu Woche ändern. Nun bitte ich den Leser, mir auf den Flügeln der Phantasie zu folgen.

Wettlauf der Entdecker

Es liegt mir fern, mich an dieser Stelle in Diskussionen einzulassen, die seit Jahren in wissenschaftlichen Kreisen darüber geführt werden, wann denn Australien wirklich entdeckt worden sei. Da gibt es viele Theorien, lebhaften Streit, und es scheint, daß hier das letzte Wort noch nicht gesprochen ist.

George Grey, der im vorigen Jahrhundert Westaustralien erforschte, entdeckte 1838 in den Höhlen am Fluß Glenelg in Kimberley im Nordwesten von Australien erstaunliche Felszeichnungen. Sein Fund stellte die australische Frühgeschichte in einem neuen Licht dar. Wer waren die Schöpfer dieser Zeichnungen? Waren es malaiische Piraten oder der chinesische Admiral Tscheng-Ho, der eine Flotte von 62 Dschunken befehligte. Schon um das Jahr 1420 berichtete der chinesische Seefahrer, daß er im Süden ein unbekanntes Land umsegelt hätte, und belegte seine Ausführungen mit selbst angefertigten Skizzen. Entsprachen seine Worte der Wahrheit, dann hätte der Chinese tatsächlich als erster den großen Kontinent gesehen, den wir heute Australien nennen. Doch die Historiker verwerfen im allgemeinen diese Theorie und halten auch nicht die portugiesischen und spanischen Seefahrer für die Entdecker von Australien. Sie sind vielmehr der Meinung, daß der Holländer Dirk Hartog als erster weißer Mann australischen Boden betreten habe, als er 1616 in der Haifischbucht in Westaustralien anlegte. Nun dürfte aber Greys Entdeckung die Behauptungen des französischen Seefahrers Jean Binot Paulmier de Gonneville glaubhaft erscheinen lassen, der erklärt hatte, im Jahr 1504 – also 112 Jahre vor dem Holländer – in Australien gelandet zu sein und dort sechs Monate gelebt zu haben.

Bei den Felszeichnungen handelt es sich um primitiv gezeichnete, schemenhafte menschliche Figuren mit Andeutungen von Augen und Nasen, während Mund und Ohren fehlen. Alle Figuren tragen »Heiligenscheine« um die Köpfe nach der Manier mittelalterlicher christlicher Bilder. Man findet jedenfalls in ganz Australien keine weiteren Zeichnungen, die diesen auch nur im geringsten ähneln. Es sind insgesamt sechzig Darstellungen, die sich gleichen. Daneben gibt es al-

Die in Höhlen entdeckten Felszeichnungen unterscheiden sich oftmals in Stil und Technik. Noch sind nicht alle Rätsel ihres Entstehens gelöst.

lerdings auch noch Abbildungen, die sich von den ersten stark unterscheiden und zweifellos von australischen Aborigines zur späteren Zeit angefertigt wurden.

Grey selbst war überzeugt, an dieser Stelle als erster weißer Mann aufgetreten zu sein. Wer also waren die geheimnisvollen Künstler, wann und weshalb fertigten sie die Zeichnungen an?

Die Höhlenbilder riefen bei den Historikern die unterschiedlichsten Vermutungen hervor. Zwar hatte sich Grey mit den Ureinwohnern nicht verständigen können, doch spätere wissenschaftliche Untersuchungen ergaben, daß auch die Ureinwohner über die Herkunft der Zeichnungen nichts aussagen konnten. Vielmehr betrachteten und verehrten sie diese mit abergläubischer Furcht. Sie glaubten, diese Malereien rührten von Wesen längst vergangener Epochen her, aus der »Zeit der Träume«. Und da es keine realen Beweise gab, blieb der Phantasie ein breiter Raum vorbehalten. Manche behaupteten, die Zeichnungen hätten Unbekannte aus dem All hinterlassen, andere dichteten sie Menschen eines verschollenen Kontinents an. Historiker suchten das Rätsel mit weniger phantastischen Vermutungen zu lösen. Vielleicht, so sagten sie, waren die Zeichnungen das

Bedeutend sind die sogenannten Röntgenbilder, die nicht nur die Silhouetten der Tiere, sondern auch die inneren Organe darstellen.

Werk von Malaien, die die australischen Küsten schon sehr zeitig aufgesucht hatten, um hier gefangene Seegurken zu räuchern. Andererseits konnten die Gegenargumente nicht übersehen werden. Die Höhlen liegen mehrere Tagesmärsche von der Küste entfernt, an der man die Seegurken fing. Außerdem handelt es sich um ein felsiges und zerklüftetes Gelände, das von einem kriegerischen Stamm bewohnt war, der sein Gebiet bewachte. Dazu kommt, daß die Malaien nach Aussage der Kunsthistoriker einen ganz anderen Stil pflegten.

Desgleichen muß nach Meinungen von Fachleuten die Theorie verneint werden, nach der irgendwelche abenteuerliche spanische, portugiesische oder niederländische Seeleute die Zeichnungen hinterlassen hätten. Die uns bekannten ältesten Berichte über diese Gebiete betonten immer, daß es sich um eine öde, wüste Landschaft handelte. Sollten die geheimnisvollen Künstler eventuell Schiffbrüchige gewesen sein? Doch dann hätten sie die Einheimischen freundlich aufnehmen und mit Ockerfarbe versorgen müssen, was wiederum sehr fraglich ist. Und so wurde auch diese Theorie verworfen, zumal die Thematik der Bilder darauf hinwies, daß diese nicht von Seeleuten angefertigt wurden. Da gibt es weder Namen noch

Schiffe, weder Sirenen noch Wale, die zu der damaligen Zeit auf keinem Seemannsbild fehlen durften. Bei den hier auftretenden Felszeichnungen handelt es sich dagegen eindeutig um religiöse Symbole. Man untersuchte sehr sorgfältig die Register mit den Namen der hier verschollenen Schiffe, fand aber nichts, was Bezug auf diese Gegend verraten hätte. Alle in den Chroniken angeführten Katastrophen vor dem Jahr 1838 ereigneten sich mindestens 1 600 Kilometer von Kimberley entfernt.

Auf der Suche nach der Wahrheit forschten die Wissenschaftler in alten Folianten und stießen dabei auf ein vergessenes Werk, das bereits 1664 in Paris erschienen war. Es handelte sich um eines der ersten Bücher, das sich mit Australien befaßt. Sein Titel »Memorial über die Gründung einer Christlichen Mission im Lande des Südens«, verfaßt von Jean Binot Paulmier de Courtonne, einem Kanonikus der Kathedrale Lisieux der Diözese Honfleur in der Normandie. Das Werk beschreibt die Entdeckung eines Landes des Südens durch einen gewissen Jean Binot Paulmier de Gonneville, der sich bemühte, die Ureinwohner mit »Bild und Wort« zum Christentum zu bekehren. Erwähnter Kanonikus entpuppte sich als der Enkel einer Nichte des Entdeckers, die angeblich einen echten Australier zum Mann hatte.

1503 segelte de Gonneville von Honfleur aus um das Kap der Guten Hoffnung nach Ostindien, und zwar mit der Karavelle »L'Espoir« (Hoffnung). Das Kap der Guten Hoffnung erreichte das Schiff ohne besondere Vorkommnisse, doch dann wurde es von Stürmen fast ein halbes Jahr kreuz und quer durch den grenzenlosen Ozean getrieben. Die Besatzung befand sich am Ende ihrer Kräfte, und auch de Gonneville war dem seelischen Zusammenbruch nahe, als er einen Schwarm Zugvögel erblickte. In der Annahme, daß diese auf ein Land zuflogen, folgte er ihrer Richtung und erreichte tatsächlich die Küste, hier setzte er an einer Flußmündung die Anker. Skeptiker behaupten, der Franzose sei zur Insel Madagaskar verschlagen worden, doch infolge der auftretenden Winde ist das kaum anzunehmen. Außerdem paßt die Beschreibung tatsächlich zu dem Landstrich zwischen den beiden Flüssen, in dem Grey die Höhlenzeichnungen fand.

Gonneville nannte die Ureinwohner Australier, während der Kanonikus von Indianern sprach. Das will aber nichts bedeuten, denn zu jener Zeit nannte man alle Ureinwohner – außer den Afrikanern – so. Gonneville jedenfalls lobte die Australier als gastfreundliche und herzliche Menschen, Eigenschaften, die sie von den Madagassen eindeutig unterschieden. Die Australier beschenkten die Seeleute reichlich mit Lebensmitteln und brachten sie in Rundhütten unter, die aus Holz, Rinde und Gras hergestellt waren. Solche relativ stabilen Hütten traten in Australien ausschließlich in diesen Gegenden auf, im Gegensatz zu den primitiven Hütten, die man sonst auf dem Kontinent baute. Interessant, daß Grey 300 Jahre später die Beschreibung dieser Landschaft der Hütten und der Sprache getreu wiederholte.

Die Mannschaft der französischen Karavelle lebte über ein halbes Jahr »in der Gegend zwischen den beiden Flüssen«. Sicher sahen sich die Seeleute in der näheren Umgebung um, und wahrscheinlich entstanden damals ihre Zeichnungen. Was aber war der Grund für diese Darstellungen? Die Antwort dürfte in der Formulierung liegen, nach der Gonneville die Ureinwohner mit »Wort und Bild« zum Christentum bekehren wollte. Gonneville berichtete auch von Höhlen, die seine Leute »unweit unserer Siedlung« entdeckt hätten. Desgleichen erwähnte er Tiere, »die kaum zu beschreiben und in der christlichen Welt unbekannt sind«.

Nach einem halben Jahr beherrschte Gonneville die Sprache der Ureinwohner so gut, daß er sich mit dem Stammeshäuptling verständigen konnte. Der Häuptling, ein großer, starker Mann, interessierte sich vor allem für die Waffen der weißen Gäste. Nachdem die Karavelle repariert und für die weite Fahrt vorbereitet war, beschloß der Franzose, in seine Heimat zurückzukehren. Der Sohn des Häuptlings, Essomerik, sollte ihn begleiten, um die europäische Kriegskunst zu erlernen. Ein weiterer älterer Ureinwohner schloß sich ihnen an, starb aber nach ein paar Tagen. Essomerik erkrankte unterwegs schwer. In Anbetracht des Todes taufte Gonneville den jungen Mann und gab ihm den Namen Binot. Doch dieser erholte sich wieder und blieb am Leben.

Einige Zeit später wurde die Karavelle von einem englischen Schiff gekapert. Die Engländer raubten das Schiff aus, nahmen auch sämtliche Karten, Skizzen sowie die Chronik des »wundersamen Landes« mit, so daß der tapfere Seemann als Beweis für seine Behauptungen nur noch den mitgebrachten schwarzen Jüngling vorweisen konnte.

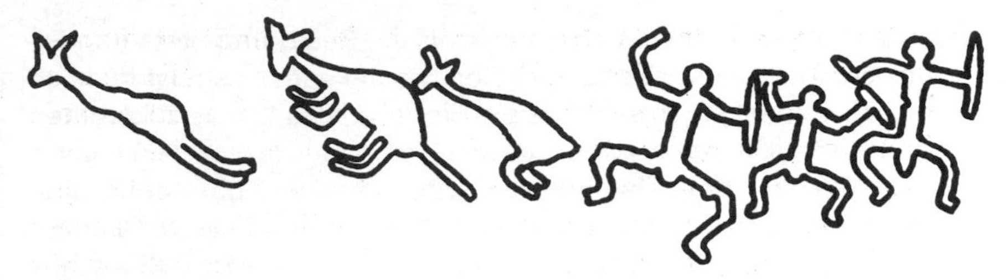

Wann fanden die ersten Känguruhjagden statt? Der Künstler dieser Zeichnungen fertigte diese Jagdszene in längst vergangenen Zeiten in einer der vielen Höhlen an.

In Paris schrieb Gonneville 1505 seine Chronik ein zweites Mal aus dem Gedächtnis, doch Ludwig XII. stellte für weitere Expeditionen nach dem geheimnisvollen Land dort unten im Süden keine Mittel mehr zur Verfügung. Seine Höflinge waren sogar der Meinung, die ganze Geschichte sei nichts als eine dick aufgetragene Lüge. Durch die fruchtlosen Bemühungen entmutigt, kehrte Gonneville in seinen Heimatort zurück. Er besaß kein Vermögen, um eine zweite Expedition selbst auszurichten, nicht einmal, um sein Versprechen zu halten und Essomerik wieder zu seinem Vater zurückzuschicken. Er adoptierte den Knaben. Jener Binot, der sich zu einem echten Gentleman entwickelte, heiratete eine Nichte von Gonneville. Aus den Chroniken geht hervor, daß er 1583 als »hochgeachteter Bürger« starb und acht Kinder hinterließ.

Als Anhang zu der neugeschriebenen Chronik fügte Gonneville eine Petition an den Papst hinzu, mit dem Vorschlag, im Lande des Südens eine Mission zu gründen. Die erstgeschriebene Chronik aber sowie die Skizzen und Karten blieben für immer verschollen. Als einziger Beweis für Gonnevilles Australien-Expedition müssen somit die Höhlenzeichnungen am Fluß Glenelg angesehen werden.

Und da wir uns nun einmal mit Entdeckungen beschäftigen, so muß denjenigen, die im australischen Busch das Skelett eines Lamas fanden, gesagt werden, daß sie daraus nicht schlußfolgern sollten, die Inkas hätten Australien bereits vor Kapitän Cook aufgesucht. Die Skelette der australischen Lamas haben nämlich einen anderen Ursprung. Es war ein Untertan der britischen Krone mit Namen Charles Ledger, der sich in Peru niedergelassen hatte und den man dazu anregte, südamerikanische Lamas in die neu gegründete Kolonie Neusüdwales zu transportieren. Die peruanische Regierung hatte den Export dieser Tiere zwar streng verboten, doch Ledger begeisterte sich für diesen Gedanken so sehr, daß er im Jahr 1848 Lamas zu züchten begann und 1853 seine Hirten anwies, eine Herde von 600 Tieren über die Grenze von Bolivien durch Argentinien und über die Anden zu einem Hafen von Chile am Stillen Ozean zu treiben. Der Bericht über dieses ungewöhnliche Unternehmen blieb in einer Bibliothek von Sydney erhalten. Es war ein anstrengender und gefährlicher Marsch, der fünf Jahre dauerte. Die Hirten mußten sich in Peru und Bolivien vor den Behörden und auch vor Banditen in acht nehmen, bis sie dann Argentinien erreichten, zu dem die Briten damals gute Beziehungen unterhielten, so daß der Gouverneur dem Transport sogar eine Militäreskorte zur Seite stellte.

Anfang 1858 überwand die Herde die 6 000 Meter hohen Pässe in den Anden und gelangte schließlich nach Chile. Den Strapazen und der Kälte fielen viele Tiere zum Opfer, so daß nur noch ein Teil der in Peru aufgebrochenen Herde den Hafen am Stillen Ozean erreichte. In Australien riefen die Lamas bei den Farmern und Züchtern nur mäßiges Interesse hervor. Es gab keinen Grund, die Lamas, die als unzuverlässige Zugtiere bekannt waren, den in genügender Zahl vorhandenen Pferden vorzuziehen. Enttäuscht kehrte Charles Ledger nach Peru zurück.

Der Lauf der Geschichte brachte es mit sich, daß in den folgenden Jahrzehnten und Jahrhunderten Englands Einfluß auf Australien stieg. Doch die Meinung, in Australien spräche man englisch, ist nur bedingt richtig. Sprachwissenschaftler behaupten, in zweihundert Jahren müßten sich die Engländer eines Dolmetschers bedienen, um einen Amerikaner zu verstehen. Gilt das auch für Australien? Es wurde berechnet, daß der Durchschnittsaustralier heute über 5 000 Worte benutzt, die rein australischen Ursprungs, also der Sprache der Ureinwohner entlehnt sind. Das Australische weicht immer merklicher vom Englischen ab. Hinzu kommen Wörter, die die Australier verunstaltet von anderen Sprachen übernahmen. Als Beispiel sei angeführt, daß man in Australien statt Schnaps »plonk« sagt, zurückzuführen auf den französischen Ausdruck »vin blanc«.

Manchmal sind die Wörter den Sprachen der Einwanderer ent-

Vorhergehende Seite: Blick auf das Parlamentsgebäude von Canberra, der Hauptstadt Australiens. Etwa 250 000 Einwohner leben in der erst 1912 gegründeten Stadt. Moderne Bauten und weite Parkanlagen dominieren im Stadtbild. Links: Gebäude der Akademie der Wissenschaften – Gedenkstätte für die Opfer der Kriege (unten). Folgende Seite: Canberra aus der Vogelperspektive

Melbourne – Bundeshauptstadt des Staates Victoria, der selbst nur 3 Prozent der Gesamtfläche des Kontinents einnimmt, aber über 4 Millionen Menschen beherbergt. Davon leben allein fast 3 Millionen in Melbourne.
Folgende Seite: Häusermeer von Melbourne

A·N·Z
SEC

AMP

Kapitän Cook landet in der Botany Bay. (Gemälde von E. P. Fox)

lehnt, beispielsweise der Slawen oder der Romanen, manchmal sind sie Ergebnis der sich weiterentwickelnden lebendigen Sprache. Der jüngst verstorbene Professor Johnston von der Australischen National-Universität erarbeitete ein australisches Wörterbuch, das in Oxford erschien. Es war der erste Versuch, die englische Sprache so zu erfassen, wie sie in Australien und auch im Londoner Stadtviertel Earl's Court gesprochen wird. Dieses Stadtviertel trägt den Beinamen »Tal des Känguruhs«, weil es vorwiegend von Australiern bewohnt wird. Wie in Rezensionen der Zeitung »Times« zum Ausdruck kommt, spiegelt diese Publikation den Wortschatz aller australischen Schichten sehr getreu wider, sowohl der Gegenwart als auch der Kolonialzeit. Nach Meinung des Wissenschaftlers entwickelte sich die australische Sprache erstaunlich gleichförmig, spricht man in allen Gegenden und Winkeln Australiens ohne groß abweichende Dialekte. Professor Johnston unterschied dagegen in Abhängigkeit vom gesellschaftlichen Stand, von Bildung, Vermögen und anderen Faktoren unterschiedliche Ausdrucksweisen.

Das alles nahm am 18. April 1770 seinen Anfang, als sich die Karavelle von Kapitän Cook der Küste an jener Stelle näherte, die heute Botany Bay heißt. Tage später ertönte der Ruf »Land in Sicht«, und man sah zum ersten Mal den australischen Kontinent. Um zwei Uhr mittags gingen die Schiffe an der Südküste vor Anker, und eine Stunde später ließen die Briten ein Beiboot herab und ruderten in dem stillen Wasser der nächsten Landungsstelle, einer flachen Felsplatte, zu. Nach der Überlieferung soll Cook beim Anlegen an den Felsen dem Neffen seiner Frau, einem Jüngling namens Isaac Smith, zugerufen haben: »Spring, Isaac, spring!« Andere Quellen behaupten, er hätte gesagt: »Und jetzt, Isaac, sollst du als erster das Land betreten!« 1788 gründete Kapitän Phillip die erste englische Strafkolonie in der Nähe von Sydney.

Aus alten Chroniken erfahren wir, wie es um 1790, also vor fast 200 Jahren, in Sydney aussah. Damals pries sich jeder glücklich, der ein wildes Tier oder einen Fisch erbeuten konnte. Wem aber das Glück hold war, der lud seinen Nachbarn oder Freund zum Mittagessen ein, wobei er ihn zugleich aufforderte, sein eigenes Brot mitzubringen. Dieser Brauch wurde sogar am Tisch des Gouverneurs streng befolgt, und jeder, der eingeladen war, holte ein Stück Brot aus der Tasche und legte es neben den Teller.

Einer der ersten Gouverneure zog sich mit seiner Meinung den Unwillen der gesamten Elite der damaligen Kolonie zu. Er sagte nämlich: »In Neusüdwales gibt es nur zwei Kategorien von Menschen, solche, die verbannt wurden, und solche, die man verbannen müßte.«

Was also bewegte die Briten zu dieser weiten Reise bis ans Ende der Welt? Um das zu verstehen, muß man sich ein wenig mit Englands gesellschaftlichen Verhältnissen jener Zeit beschäftigen, sich die Bilder des englischen Alltags vor Augen halten, die heute zumeist in Vergessenheit geraten.

Als zu jener Zeit eine Deportationswelle nach der anderen nach Australien rollte, arbeiteten in den englischen Kohlegruben auch sechsjährige Kinder tief unter der Erde. Frauen waren billiger als Pferde. Man sperrte sie vor die Kohlenloren. Das gleiche Schicksal traf auch kleine Mädchen. Eines davon mit Namen – oh, Ironie des Schicksals – Patience, was »Geduld« heißt, sagte im Verlauf eines Verhörs aus: »Ich besitze keine andere Kleidung als die, in der ich arbeite: Höschen und eine zerrissene Bluse. Ich ziehe die Loren eine halbe Meile hin und zurück, elf Stunden am Tag, mit einer Kette, die an meinen Leibriemen gebunden ist. Die Wunden an meinem Kopf stammen von Verletzungen, wenn ich beim Ziehen an die Decke stoße. Die Männer, die in der gleichen Gruppe arbeiten, laufen nackt herum, tragen nur Kappen auf den Köpfen. Manchmal, wenn ich nicht schnell genug ziehe, schlagen sie mich.« Es muß wohl nicht besonders betont werden, daß diese Mädchen und Frauen auf Gedeih und Verderben den Meistern und Steigern ausgeliefert waren. In Oldham brachten die Fabrikbesitzer im Parlament einen Antrag ein, in dem sie untertänigst erklärten, daß »für Existenz und Entwicklung der Baumwollindustrie der Einsatz von elfjährigen Kindern 69 Stunden Arbeit pro Woche absolut unerläßlich« sei. 1834 wurden in der Baumwollindustrie etwa 57 000 Kinder unter 13 Jahren beschäftigt.

Charles Dickens zeigte der Welt die erschreckende Tragödie kleiner Kinder, die kaltherzige Schornsteinfeger in Kamine hinabließen, damit sie die Schornsteine von Schmutz und Ruß reinigten, und dabei nicht selten in Rauch und Staub ums Leben kamen. Die Kinderarbeit war billiger als Bürsten und Ketten. Diese schrecklichen Verhältnisse wandelten sich erst gegen 1875.

Lebten die Menschen in Freiheit eigentlich besser als die Gefangenen?

In einer zeitgenössischen Chronik kann man lesen, daß in London unweit der Oxford-Street halbzerfallene Häuser standen, in denen die Fenster mit Papier oder Pappe verhängt waren und in denen in kleinsten Räumen Menschen zusammengepfercht lebten. In den Kellergewölben priesen Gemüsehändler und in den ebenen Stockwerken Fischhändler ihre Waren lauthals an, rasierten Barbiere ihre Kunden oder zogen ihnen faule Zähne heraus, suchten hungrige Passanten im Abfall nach Eßbarem und trugen kleine Mädchen als einziges Bekleidungsstück nur einen alten zerschlissenen Mantel. Zerlumpte Männer und Frauen zankten böse, kämpften verbissen um einen Laib Brot.

1815 umfaßte das britische Kolonialimperium das ehemalige französische Kanada, mehrere Inseln des Antillen-Archipels, die einstige niederländische Kolonie in Südafrika, riesige Gebiete in Indien, Ceylon (Sri Lanka) sowie Neusüdwales in Australien. Ein gewaltiger, gewinnbringender Besitz.

Wie aber sah es in den fernen Kolonien aus? 1840, als England 110 000 Soldaten unter Waffen hielt, waren vier Fünftel seiner Truppen dort stationiert. Es gab selten ein Jahr, in dem England nicht Krieg führte. Zeichnete sich ein Soldat auf dem Schlachtfeld aus, dann erhielt er eine Medaille, die man ihm allerdings vom Sold abzog. Der einfache Soldat war zum Zölibat verurteilt, der Unteroffizier durfte heiraten.

Tausende Ehefrauen und Kinder wanderten ihren Ehemännern und Vätern, den Unteroffizieren, die von Garnison zu Garnison versetzt wurden, durch die ganze Welt nach.

Wer aber waren die Menschen, die man nach Australien deportierte? Ich möchte an dieser Stelle ein Ereignis anführen, das bis auf den heutigen Tag nicht vergessen wurde.

Es war an einem kalten Morgen des 24. Februar 1834, als der Polizeimeister der Gemeinde Tolpuddle sechs Männer verhaftete, denen illegale Verschwörung vorgeworfen wurde. Bei den Verhafteten handelte es sich um Landarbeiter, die im Jahr 1833 den Freien Bund der Landarbeiter gegründet hatten, wahrscheinlich mit Hilfe von Londoner Gewerkschaftern. Diese Anklage setzte um so mehr in Erstaunen, als Gewerkschaften bereits seit zehn Jahren zugelassen waren und jeder Arbeiter Mitglied sein durfte. Die Landarbeiter hatten von den Gutsbesitzern und Großbauern eine Lohnerhöhung von einem Schilling pro Woche gefordert. Die unmenschlichen Lebensbedingungen, die ungeheure Ausbeutung und eine grausame Armut wurden von George Loveless, dem Hauptangeklagten, vor Gericht geschildert.

Am ersten Lokaltermin nahm auch der hier ansässige Vikar, Doktor Warren, teil und gab später bekannt, daß es zwischen den Arbeitgebern und Arbeitnehmern zur Einigung gekommen wäre. Den guten Willen beider Seiten bekräftigte er mit folgenden Worten: »Hiermit bezeuge ich meine Anwesenheit bei der Auseinandersetzung zwischen euch, Leuten, und eurem Herrn. Und so ihr friedlich zu eurer Arbeit zurückkehret, erhaltet ihr gleichen Lohn, wie er jedem Mann in diesem Distrikt zustehet. Und wenn eure Herren ihr Wort nicht halten, so will ich als Zeuge auftreten und mich darum bemühen, daß das Versprechen mit Gottes Hilfe erfüllet wird.«

In diesem Falle ging man friedlich auseinander. Als die Landarbeiter jedoch merkten, daß sie mit Geduld und Einsicht nichts gewannen, schlossen sie sich zu einem Bund zusammen, um so mehr, als sie erfuhren, daß man an eine Lohnerhöhung gar nicht dachte und im Gegenteil Schritte einleitete, um die Löhne weiter zu senken, was die Lebensbedingungen der Landarbeiterfamilien noch schwieriger gestaltet hätte.

Es schien, als wollte man durch diesen Präzedenzfall den Gesetzen, die durch einen Parlamentsbeschluß aufgehoben worden waren, zu neuem Leben verhelfen. Lord Melbourne, Staatssekretär für innere Angelegenheiten, hatte in einem vertraulichen Schreiben dem Richter, einem Gutsbesitzer, seine Zustimmung erteilt, »zuverlässige Personen zu beschäftigen, um Informationen über illegale Gewerkschaftsverbände zu erlangen, die von Arbeitern gegründet werden«. Um es im Klartext zu sagen: Der Lord empfahl, Polizeispitzel auf die neuen Gewerkschaften anzusetzen. In diesem Zusammenhang muß auch der Name von Edward Legg erwähnt werden, eines bezahlten Provokateurs, der Hauptzeuge der Anklage wurde. Vermutlich lenkte und leitete Lord Melbourne die ganze Sache insgeheim in der Überzeugung, daß »Gewerkschaftsverbände absurd sind und keine Existenzberechtigung haben«. Es hieß sogar, auch König William IV. sei über den Prozeß informiert gewesen, und die Intrige sei von höchsten Regierungsstellen angezettelt.

Es gibt Mitteilungen, daß Lord Melbourne ein Berater zur Seite stand, ein Professor aus Oxford, der durch seine erzreaktionären Ansichten bekannt war. Er wollte den Grundbesitzern zum Recht verhelfen, die eigenen Landarbeiter verhaften zu dürfen, und außerdem Rechtsgrundlagen schaffen, um das Vermögen der Gewerkschaften beschlagnahmen zu können.

Nicht zu übersehen sind die Einflüsse der Französischen Revolution auf die englischen Gutsbesitzer, die überzeugt waren, daß die Parolen der Revolution im Jahr 1830 die Bauernerhebungen im Südosten von England auslösten. Der legendäre Führer der Aufständischen war Kapitän Swing, der nie gefaßt wurde. Damals gingen Höfe der Gutsbesitzer in Flammen auf, wurden Landmaschinen zerstört und

Ernten vernichtet. Die Aufstände wurden niedergeschlagen, viele Teilnehmer gehängt und über 500 Personen verbannt. Und es schien so, als wollten Gutsbesitzer, Großbauern, Staatsbeamte und Geistliche nach Überwindung der Gefahr selbst zum Angriff übergehen. Wenn seit der Französischen Revolution 1789 auch schon einige Jahre ins Land gegangen waren, so muß doch daran erinnert werden, daß die 1679 erlassenen Habeaskorpusakten, die eine Verhaftung von Staatsbürgern ohne richterlichen Befehl ausschlossen, erst bis 1802 und dann noch mal bis 1815 annulliert wurden. Dafür traten Gesetze in Kraft, die »ein Übergreifen des Systems der Unordnung und Anarchie, von dem ganz Frankreich ergriffen war, verhindern sollten«. Wollte man also hier in Dorset, wo wir uns als Zeugen der Verhandlung aufhalten, die absolute Macht der Arbeitgeber über ihre Landarbeiter wieder einführen? Oder gelang es den fortschrittlich denkenden Mitgliedern des Parlaments, die Öffentlichkeit zu alarmieren? Trat vielleicht der bekannte Parlamentsschreiber, Herr Charles Dickens, in Verteidigung der Gerechtigkeit auf? Oder stellte sich der neu aufgehende Stern des politischen Lebens, Herr Gladstone, auf die Seite der sechs inhaftierten Männer?

Die Sache lohnt, eingehender untersucht zu werden. Als ich mich mit der Anklage befaßte, fiel mir auf, daß man sich hierbei auf veraltete Gesetze stützte, mit denen man Meutereien der Soldaten Ihrer Königlichen Majestät verhindern wollte. Vorrangig ging es darum, illegale Verschwörungen zu unterbinden. Jedenfalls berief man sich auch in der bewußten Anklage auf das Gesetz gegen die illegale Verschwörung, bei der man die sechs Männer angeblich ertappt hatte. Andererseits war bekannt, daß sie im Morgengrauen verhaftet worden waren, also kaum Gelegenheit gehabt hatten, eine illegale Verschwörung anzuzetteln.

Im Laufe der Verhandlung wurden den Geschworenen Meldungen zugeschoben, nach denen die Angeklagten Trinker waren, einen unmoralischen Lebenswandel führten und auch schon früher an Aufwiegeleien teilgenommen hatten. Dagegen stand die Aussage ihrer Vorarbeiter, nach der es sich bei den Angeklagten um anständige Männer und Familienväter handelte. Das Gericht befand sich in einer schwierigen Lage. Wie konnte man beweisen, daß einmal eine illegale Verschwörung stattgefunden und zum anderen, daß diese Männer aufrührerische Absichten gehabt hatten? Die Zeugen der Anklage erwiesen sich als unglaubwürdig. Edward Legg behauptete, selbst an der Verschwörung teilgenommen zu haben, verwechselte aber die Namen der Verschwörer, was seine Aussage wertlos machte. Und auch der zweite Zeuge, John Lock, vermochte nicht zu überzeugen.

Der Richter, Baron Williams, betonte zwar, daß auch Mitglieder von Organisationen bei ihren Aussagen dem Eideszwang unterliegen, umging dabei jedoch sehr geschickt die Freimaurerlogen, sicherlich deshalb, weil in den Adern von manchen Mitgliedern königliches Blut floß. Handelte es sich beim Freien Bund der Landarbeiter wirklich um eine Gesellschaft von Verschwörern? Im Punkt 23 seines Statutes hieß es: »Die Ziele des Bundes schließen jegliche Gewalt aus, da ein solches Auftreten dem Bund und seiner Sache nur schadet.« Aus weiteren Punkten geht hervor, daß auch politische oder religiöse Manifestationen der Mitglieder nicht vorgesehen waren. Es ist deshalb unglaubwürdig, daß irgendwelche Schwüre geleistet wurden, wie es die Polizeispitzel behaupteten.

Die Verhandlung fand unter den berüchtigten Bedingungen des Kreises Dorshire statt, der durch wiederholte ungerechte Urteile seines Gerichtes bekannt war. So wurde ein 17jähriger Knabe zu lebenslänglicher Verbannung verurteilt, weil er ein Schaf seines Gutsbesitzers verletzt hatte. Einen 11jährigen Jungen verurteilte man zu öffentlicher Auspeitschung und drei Monaten Gefängnis, weil er ein Stück Tuch gestohlen hatte. Ein 18jähriger Bursche wurde für einen geringfügigen Diebstahl zu 7 Jahren Gefängnis verurteilt. Weil ein anderer junger Mann einen Laib Brot entwendet hatte, wurde er öffentlich ausgepeitscht und danach für zwei Jahre in die Steinbrüche geschickt.

Bei diesem Stand der Dinge sprachen die Geschworenen, die ausschließlich aus Gutsbesitzern dieses Distrikts bestanden, die sechs Angeklagten schuldig. Als der Richter den Angeklagten das letzte Wort erteilte, reichte ihm George Loveless ein Stück beschriebenes Papier. Der Richter mußte es aber so leise und undeutlich gelesen haben, daß es im Saal kaum jemand verstand. Das Papier wurde den Akten beigelegt, und so bin ich in der Lage, den Wortlaut wiederzugeben. George Loveless schrieb: »Euer Ehren, wenn wir die Gesetze verletzt haben sollten, dann taten wir es aus Unkenntnis, ohne deshalb auch nur einen einzigen Menschen zu kränken. Weder haben wir Eigentum zerstört, noch irgendeinem Menschen Leid getan. Wir kamen zusammen in der Sorge um uns selbst, um unsere Frauen und Kinder, um uns vor Ungerechtigkeit und Hunger zu bewahren. Und ich rufe jedermann auf zu beweisen, daß wir in anderer Weise auftraten oder andere Ziele verfolgten, wie hier angeführt.«

Die Geschworenen schienen ungerührt und gingen zur Tagesordnung über. Ihre Beratung dauerte nicht lange, und dann einigten sie sich über ein Urteil, das man von ihnen erwartet hatte. Ich aber bin – nach Konsultationen mit Fachleuten – sicher, daß Richter Williams das in Frage kommende Gesetz entweder überhaupt nicht kannte beziehungsweise ganz bewußt ein falsches Urteil bestätigte. Es stimmt nämlich nicht mit der Wahrheit überein, was er vor der Verkündung des Urteils sagte, nach dem die Angeklagten für sieben Jahre nach Australien verbannt werden sollten. Er behauptete nämlich, an einen entsprechenden Parlamentsbeschluß gebunden zu sein. Vertraute mit dem englischen Gesetz sagten dagegen aus, daß der Richter die Angeklagten nach dem Gesetz nur zu ein paar Tagen, höchstens aber zu zwei Monaten Gefängnis verurteilen durfte. Sie aber wurden in Ketten aus dem Saal geführt. Als sie das Gerichtsgebäude verließen und an dem düster dastehenden Menschenspalier vorbeikamen, warf George Loveless einem Passanten einen Zettel zu, den er im Gerichtssaal beschrieben hatte. Die Wächter fingen den Zettel auf und brachten ihn zum Richter. Der legte ihn zu den Akten. Auf dem Zettel stand: »Gott ist unsere Zuflucht. Wir arbeiten auf dem Feld, säen und ernten, wir stehen in der Schmiede oder in der Tuchfabrik, wir haben das Recht, unser Land zu befreien und den Tyrannen den Untergang zu wünschen. Wir werden frei sein, frei, frei! So helfe uns Gott. Nicht mit Feuer und Schwert wollen wir siegen, sondern mit Verstand, und im Sinn der Gerechtigkeit fordern wir unser Recht. Unsere Losung lautet: Freiheit. Wir werden frei sein, frei, frei!«

Sind das etwa Worte und Taten von Anführern, von Menschen, die dahin zielten, die Soldaten Ihrer Königlichen Majestät zur Meuterei zu bewegen? George Loveless erkrankte ernsthaft und war vorerst nicht transportfähig. Die übrigen aber wurden an Händen und Füßen in Eisen gelegt und vom Schloß Dorchester zu den Strafschiffen in den Flußmündungen getrieben, wo man sie voneinander trennte, bevor sie auf die Schiffe gelangten, die sie nach Übersee bringen sollten. Zu den unmenschlichen Gefängnispraktiken – man hielt die Gefangenen bei eisiger Kälte 14 Stunden angekettet im Hafen – kamen Epidemien, die auf den Gefängnisschiffen üblich waren. Chroniken berichten, daß hier jeder dritte Gefangene an Tuberkulose, Cholera, Dysenterie oder Pocken starb. Die Sträflinge besaßen keine Abwehrkräfte gegen die Epidemien, zumal sie sich in einer feindlichen, unmenschlichen Umgebung befanden, wo innerhalb der strengen Gefängnisordnung sogar die ärztliche Betreuung wie eine Farce anmutete. Überflüssig, hier über die zerschlissene, zerlumpte Gefängniskleidung oder die völlig unzulängliche Verpflegung zu sprechen.

Der Vollständigkeit halber sei berichtet: Als ein Wachsoldat während einer Rast George Loveless, vom Mitleid getrieben, die Fesseln abnehmen wollte, auch in der Meinung, die gaffende Menge würde ihn verhöhnen, sagte George Loveless: »Ich trage meine Fesseln erhobenen Hauptes, weil ich unschuldig bin.«

Das Klirren seiner Ketten klang in den Ohren vieler in der Tat wie Freiheitsmusik. Er aber wußte, daß sich im ganzen Land und sogar im Parlament Proteste gegen den Schauprozeß und auch gegen die ungerechten Urteile erhoben.

Mitfühlende Menschen fragten sich, ob denn die Märtyrer von Tolpuddle überhaupt die Strafkolonie in Südneuwales erreichten. Die Zustände auf den Deportiertenschiffen waren katastrophal. So starben beispielsweise 1790 während der Überfahrt auf dem Schiff »Neptun« von 502 Deportierten 158. 1802 wurden den Kapitänen der Gefängnisschiffe für jede Person, die sie lebend bis nach Australien beförderten, Prämien gezahlt. An Händen und Beinen mit schweren Eisenketten gefesselt, wurden die Gefangenen beim geringsten Widerstand mit stacheligen Halsbändern und Schlägen mit der »neunschwänzigen Katze« bestraft. Die geschundenen Leiber rieb man mit Essig ein, um die Schmerzen zu steigern. Im Laderaum zusammengepfercht, mußten sechs Personen eine Pritsche von fünf Fuß und sechs Zoll teilen, so daß sie sich auf der vierzehnwöchigen Fahrt nach Australien nicht einmal lang ausstrecken konnten.

Welches Schicksal aber erfuhren die sechs verurteilten Männer? Einer wurde 400 Meilen von Sydney entfernt einem Farmer zugeteilt.

Die Gefängnisschiffe waren überfüllt. Eine Verbannung glich einer Gnadenbezeugung, der englische Staat aber dachte nicht allein daran, die Kriminalität zu bekämpfen, sondern auch, die neue Kolonie zu bevölkern.

Der zweite kam zu einem Pferdezüchter, der nächste, ein von der Schwindsucht schwer gezeichneter Mann, mußte in Fesseln auf dem Bau arbeiten. Die Stanfields, Vater und Sohn, sperrte man vorerst für mehrere Monate ins Gefängnis, wo sie mit Wasser und Brot auskommen mußten. Der letzte, nur noch mit Resten von Lumpen bekleidet, schlug ein halbes Jahr auf morastigem Grund Zaunpfähle in den Boden. Um mit den bloßen Füßen auf der schlammigen Erde nicht auszurutschen, band er sich zwei Hufeisen an die Füße, die er irgendwo gefunden hatte.

Nach drei Jahren wurden die Gefangenen wieder aufs Schiff geladen und nach England zurückgeschickt. Es war in Englands Geschichte der erste Fall, daß Demonstrationen und Anträge an das Parlament zur Freilassung von Gefangenen führten, die nur deshalb, weil sie Arbeitervereine gegründet hatten, verurteilt worden waren.

Mit der industriellen Revolution strömten Landarbeiter in die Städte, in der Hoffnung, hier Arbeit und günstigere Lebensbedingungen zu finden. Sie sahen sich schwer enttäuscht, die bittere Not drängte sie in die Reihen der Verzweifelten und Entarteten. Das waren keine kleinen

Gauner und sympathischen Diebe aus der Dreigroschen-Oper, sondern vielmehr zu allem entschlossene Banditen, die London unsicher machten. Es war eine Epoche der Grausamkeiten, in der zehnjährige Mädchen zur Prostitution gezwungen wurden, man sich aus nichtigen Gründen gegenseitig totschlug, in der Schlägereien an der Tagesordnung waren und der Alkohol in Strömen floß.

Die Strafgesetze waren unvorstellbar grausam. Die sogenannte gute Gesellschaft mietete am Henkersplatz Fensterplätze, um die Hinrichtungen zu verfolgen. Und es war nicht selten, daß man an einem Tag zwanzig Verurteilte hängte, Männer, Frauen und Kinder. Die Chronik erwähnt den Fall zweier Kinder, die man für den Diebstahl einer Geldbörse mit ein paar Schilling Inhalt hängte. Wurden Frauen ausgepeitscht, gab es immer viele Zuschauer. Personen, die an den Pranger gefesselt waren, pflegte man mit Abfall zu bewerfen, manchmal auch mit Steinen. Junge Menschen starben in Gefängnissen, wenn sich niemand fand, der für sie bürgte.

Der australische Geschichtswissenschaftler Christopher Sweeney vertritt die Meinung, daß heute kaum noch jemand weiß, wie lange die Deportation von Häftlingen nach Australien dauerte. Die ersten Fälle der Verbannung setzten vor der Zeit der französischen Revolution ein, die letzten ereigneten sich zu Beginn des 20. Jahrhunderts, als in den Straßen australischer Städte längst Autos rollten, man das Telefon benutzte und es den Menschen gelang, sich mit fliegenden Apparaten von der Erde abzuheben.

Anhand der Akten stellte Sweeney fest, daß der letzte Verbannte 1908 in das Gefängnis von Hobart gelangte. Hobart liegt auf der Insel Tasmanien, hier wurde die Übernahme von Deportierten offiziell 1853 eingestellt, während man in Westaustralien Gefangene noch bis 1868 in Empfang nahm. Wer danach in australischen Gefängnissen verblieb, den hatte das Gesetz sicher vergessen.

Australien war in jener Epoche, als die Deportationen in das ferne Land begannen, der Schrecken der britischen Welt. Balladen besangen die »verfluchte Küste«, die Menschen sprachen von der »Hölleninsel«, die viele tausend Male größer war als die französische Teufelsinsel. Wie ein weites Echo gelangten Nachrichten über die grausamen Bedingungen in den Strafkolonien, in denen man Menschen bereits für den Diebstahl von ein paar Scheiben Brot hängte, in das alte England.

Viele Jahrzehnte verrichteten Männer und Frauen nach dem System der Sklaverei schwerste Arbeit. In Tasmanien ließen sich Begüterte in Wagen, die auf Schienen liefen, von Gefangenen befördern. Diese schoben den Wagen im Laufschritt bis zur nächsten Station, wo sie, völlig ausgepumpt, von der nächsten Gefangenengruppe abgelöst wurden. Wer vor einem Beamten versäumte, die Kopfbedekkung abzunehmen, wurde unbarmherzig ausgepeitscht. Ein Gefangener erinnerte sich: »Als ich mit vierzehn Jahren nach Australien verbannt wurde, lebte ich die erste Zeit in einem hohlen Baum. Ich war Zeuge, wie man siebzig Mann an Pfähle band und sie mitleidlos zu Tode peitschte.«

Australien erlebte in den Jahren 1830–1850 die Zeit der häufigsten Deportationen. Damals legte mindestens einmal im Monat ein Schiff mit in Eisen gefesselten Gefangenen an. Als diese nach der Landung in Baracken geführt wurden, taumelten sie in der Sonnenhitze wie trunken und bemühten sich, die monatelang in Fesseln gebeugten Beine gerade zu strecken.

Ihre ersten Eindrücke waren alles andere als gut. Die sie erwartende Gesellschaft war in der überwiegenden Zahl betrunken, außerdem sprach man hier einen Jargon, den sie nur schwer verstanden. Kamen Richter aus England mit, um in Australien Gerechtigkeit zu sprechen, so bedienten sie sich der Dienste von Dolmetschern, um Angeklagte oder Zeugen zu vernehmen. Die Menschen sahen hier auch anders aus. Vor allem die zweite Generation trat selbstsicher auf, sah gesund aus und war braungebrannt. Und wahrscheinlich geht heute der modische Geschmack der Australier, sich bequem zu kleiden, auf die damalige Zeit zurück. So teilte ein neu angekommener Siedler seinen Verwandten im fernen England seine Verwunderung über das Auftreten der Menschen in Australien mit. Es war in einer Kneipe, die Männer trugen Strohhüte, Westen aus ungegerbtem Känguruhleder, verzichteten dagegen auf Schuhwerk und liefen barfuß herum.

Auch die übrigen Sitten und Bräuche der Strafkolonie richteten sich nach dem Geist der Zeit. Die angekommenen Frauenspersonen beispielsweise wurden in einer Reihe aufgestellt, gewöhnlich in den

Ein Verbanntentrupp rückt von der Unterkunft im Hyde Park in Sydney zur Arbeit aus. Bei Strafverschärfung mußten die Gefangenen in Ketten arbeiten.

Lumpen, die sie bei der Abfahrt getragen hatten, bevor sie auf das Strafschiff verladen wurden. Dann ließ man Offiziere, höhere und niedrigere Beamte und freie Siedler in den Hof eintreten, wo sie sich eine sogenannte »Hausfrau« aussuchen konnten. Aus dem Jahr 1803, also in der Frühzeit der Strafkolonie, wurden – was durch amtliche Dokumente festgehalten ist – 40 Frauen dem Militärcorps von Neusüdwales zugeteilt. Übrigens war damals das Gesetz in England gegenüber Frauen viel strenger als gegenüber Männern. So durften Frauen, die in England verurteilt wurden, bis zu ihrem 45. Lebensjahr nach Australien verbannt werden. Männer dagegen wurden in den Anfangszeiten der Strafkolonie nur dann deportiert, wenn sie zu langen Haftzeiten verurteilt waren oder die Gefängnisordnung verletzten.

Nach den Gesetzen sollte eine Deportation eine strengere Strafe sein als die Haft in englischen Gefängnissen. Doch wen interessierten schon solche subtilen Unterschiede!

Zeitweilig durften Verurteilte, wenn sie nach Australien kamen, heiraten. Die Ehen wurden bei solchen Anlässen ganz unzeremoniell geschlossen. Roger Therry, damals Richter am Gericht in Neusüdwales, hielt in seinem Tagebuch fest: »Die Männer bekamen drei freie Tage. Den ersten suchten sie die Fabrik auf, in der verurteilte Frauen arbeiteten. Hier sollten sie ihre Wahl treffen. Der zweite Tag war für die Verlobung und die Trauung bestimmt. Am dritten Tag fuhr der frisch gebackene Ehemann mit seiner neuen Ehefrau zurück zu seinem Herrn, bei dem er arbeitete. Die Frau wählte man nach Geschmack und Gefallen, um ihr gleich darauf den Heiratsantrag zu machen.«

1837 erfuhr eine britische Parlamentskommission, die in der Strafkolonie die Lebensbedingungen der Gefangenen untersuchen sollte, von einem Zeugen, wie die Brautwerbung in Wirklichkeit aussah. »Man heißt die Frauen heraustreten und stellt sie im Hof so auf, wie man Vieh auf dem Markt zum Verkauf feilbietet. Der Heiratskandidat geht an den Frauen vorbei und mustert eine jede. Sobald ihm eine Frau gefällt, nickt er ihr zu, und sie tritt auf ihn zu. Dann fragt er sie aus, und ist er unzufrieden, kehrt sie an ihren Platz zurück. Dann wiederholt sich die Zeremonie, bis er die richtige Frau findet.«

Die aus jenen Zeiten in reichlicher Zahl erhalten gebliebene Tagebuch-Literatur ist sicher damit zu erklären, daß sich unter den Verbannten auch gebildete Menschen befanden. Einer war sogar Abgeordneter des britischen Parlaments. Dann gab es Rechtsanwälte, Ärzte, höhere Beamte und sogar Geistliche. So wurde ein Pfarrer mit 10 Jahren Gefängnis für Bigamie bestraft, ein anderer für die Unterschlagung von Kirchengeldern. Ein Gefangener hatte seinen Onkel erschossen, als dieser ihn an der Universität in Cambridge besuchte. Ein weiterer Gefangener, zu dessen Pflichten in Australien das Hüten einer Ziegenherde gehörte, die den in Fesseln arbeitenden Männern Fleisch und Milch liefern sollte, hatte am englischen Hof zu den Vertrauten der Königin-Mutter gehört. Unter den Verbannten befanden sich Gefangene aus Indien, Frankreich, Kanada, Afrika, der Ukraine, Korsika, Hongkong, Brasilien und Italien.

Einer der Tagebuch-Schreiber teilte mit, daß er auf dem Strafschiff auch einen Deutschen als Schicksalsgenossen kennenlernte sowie einen weiteren Gefangenen, der sechs Sprachen beherrschte, darunter die Hindi-Sprache. 1839 gelangten Franzosen und Amerikaner als politische Gefangene nach Australien. Insgesamt durften es – ohne die irischen Aufständischen – an die 4 000 Menschen gewesen sein, die aus politischen Gründen nach Australien gelangten.

Ein anderer Tagebuch-Verfasser erinnerte sich an die Gefangenenzeit in Australien: »Wir stellten Kalk her, indem wir Muschelschalen zerstampften. Diese Arbeit hielt niemand lange aus, weil sie sehr gesundheitsschädlich war. Der Kalk gelangte in die Atemwege und zersetzte die Lunge oder in die Augen, was zur Erblindung führte. Verübte ein Gefangener, was öfter vorkam, einen Mord, so wurde er zum Tode verurteilt und an der Stelle hingerichtet, wo er selbst getötet hatte.«

Eine lange Zeit wurde die Strafe der Auspeitschung im Zentrum von Sydney vollstreckt. Dabei versuchten die Delinquenten, die Henker zu bestechen, damit diese nicht zu hart zuschlugen. Der Gefangene William Day wurde zu 100 Schlägen verurteilt. »Ich wurde an einen Pfahl gebunden, wobei meine Mitgefangenen sich im Kreis aufstellen mußten. Der Henker trat auf mich zu und fragte lakonisch: ›Hast du etwas zu bieten?‹ ›Ja!‹ sagte ich, in der Hoffnung, milder geschlagen zu werden, worauf er mit seiner Arbeit begann.«

Gebildete Gefangene wurden zumeist in staatlichen Ämtern zur Arbeit eingesetzt, wo sie manchmal Gelegenheit hatten, die Karteikarten und Dokumente ihrer Mitgefangenen zu fälschen. Einige waren übrigens professionelle Fälscher, denen es überhaupt keine Schwierigkeiten bereitete, das Original eines Urteils, das den Gefangenen für sein ganzes Leben ins Gefängnis schickte, in eine Strafe von sieben Jahren umzuwandeln. Ganz klar, daß sie sich diese Arbeit gut bezahlen ließen.

Die Deportation nach Australien galt als zweithöchste Strafe. Den Vorrang hatte nur noch das Hängen. Zur Verbannung allerdings genügten nach unseren heutigen Begriffen lächerliche Kleinigkeiten. In den Akten lesen wir: Elizabeth Mayor stahl eine blaue Schleife, James Dennes entwendete einen Silberring, Elizabeth Joiner stahl vier Pfund Rindfleisch und ein Bettlaken. Alle diese Vergehen genügten, um nach Australien verbannt zu werden. Ein 76jähriger Mann wurde mit seinen beiden Söhnen für den Diebstahl eines Schafes zu lebenslänglicher Deportation verurteilt. Bis 1830 war es allgemein üblich, für ein schwereres Vergehen gehängt zu werden, so daß in die australischen Kolonien nur »Verbrecher gelangten, die Pech hatten«. Fast die Hälfte der Verbannten bestand aus Rückfälligen. Irländer dagegen wurden wegen jeder Kleinigkeit, sogar wenn sie unschuldig waren, nach Australien geschickt.

Es kann gar nicht anders sein, als daß das Schicksal der einzelnen Verbannten in den Statistiken und Zahlen unterging. Wir wollen deshalb aus der australischen Kartei einen Mann herausziehen und ihn näher betrachten. Es ist die Karteikarte des Gefangenen Nr. 12 774 mit Namen William Forster. Er wurde mit siebzehn Jahren für den Diebstahl eines Tisches für zehn Jahre nach Australien verbannt. Forster war Landarbeiter, Protestant, konnte lesen und schreiben und gelangte 1844 auf die Insel, die heute Tasmanien heißt. Es blieben nicht nur genaue Angaben über ihn erhalten, sondern sogar ein Foto, das 30 Jahre nach seiner Ankunft in der Strafkolonie gemacht wurde. Wie war das möglich, daß Forster, der zu 10 Jahren verurteilt worden war, nach 30 Jahren immer noch im Gefängnis saß?

Da befindet sich in seinen Akten erst einmal eine genaue Personenbeschreibung, die im Falle einer Flucht das Ergreifen erleichtern sollte. Aus seiner Aussage vor dem Untersuchungsrichter geht hervor, daß er sich zur Anklage, das heißt zum Diebstahl des Tisches, bekannte. Außerdem hatte er vorher schon für ein unbedeutendes Vergehen zwei Monate im Gefängnis gesessen. Da stand auch, daß er sich auf dem Schiff bei der Überfahrt aufsässig verhielt. Nach fünf Monaten gelang es ihm, in Port Arthur zu fliehen, doch er wurde wieder eingefangen und in Eisen gelegt. Es folgen detaillierte Beschreibungen seiner weiteren Untaten und Bestrafungen. Einzelzelle für Ungehorsam, und zwar lehnte er es ab, Gefängniskleidung anzulegen. 24 Peitschenhiebe wegen Mißachtung der Kleidungsordnung. Einzelzelle wegen Vergehen gegen die Anstaltsordnung, und zwar sah man, wie er Tanzbewegungen ausführte. Zwangsarbeit wegen Bedrohung eines Mitgefangenen. Und so geht es über Jahre weiter, und alle Strafen wurden von Mitgefangenen, die in der Schreibstube beschäftigt waren, fein säuberlich in den Akten festgehalten.

Wenn die Prügelstrafe ab 1840 auch offiziell abgeschafft wurde, so schlug man die Gefangenen in den Gefängnissen auch später noch in grausamster Weise. Wer sich ungebührend benahm, kam in eine Einzelzelle, das heißt, der Gefangene mußte den ganzen Tag in einer Höhle verbringen. Diese war in einen Felsen geschlagen und so klein, daß er in ihr nur hocken konnte. Dabei erhielt er nur halbe Verpflegungsrationen und hatte strenges Redeverbot. Auf dem Weg zur Strafzelle mußte er eine vogelartige Maske aufsetzen, um von den anderen Gefangenen nicht erkannt zu werden. Die Lebensbedingungen waren so furchtbar, daß viele Gefangene ernsthafte psychische

Störungen erlitten. Im Gefängnis von Port Arthur errichtete man eine Anstalt für Geistesgestörte – es mutete wie beabsichtigter Hohn an – in nächster Nachbarschaft zu dem Teil des Gefängnisses, in dem die Zellen für Einzelhaft untergebracht waren.

Forster wollte sich nicht beugen. Aus weiteren Aktennotizen geht hervor, daß er vierzehn Tage wegen Ungehorsams und sieben Tage wegen mürrischen Verhaltens gegenüber seinem Religionslehrer in Einzelhaft verbringen mußte. Drei Monate wurde er in eine Einzelzelle gesperrt, weil er die Schuhe eines Mitgefangenen vertauscht hatte. Eine strenge Strafe nahm er für das Einschlagen eines Fensters in der Kapelle hin. 1849 floh er abermals und wurde beim Überfall auf ein Haus wieder eingefangen. Darauf verurteilte man ihn zur Arbeit unter Tage. In Eisen gekettet, mußte er in einem Bergwerk Kohle fördern. Auch hier gelang es ihm zu fliehen, doch er kam nicht weit. Das nächste Urteil lautete: lebenslänglich. Diese Strafe sollte aber erst nach Verbüßung der ersten Maßnahme in Kraft treten. 1850 brachte man ihn in die berüchtigte Strafkolonie auf der Norfolk-Insel. Dort verbüßte er noch weitere Strafen: für vulgäre Ausdrücke, für das Beschimpfen eines Wachmanns. 1856 floh er ein drittes Mal, wurde wieder gefaßt und zum zweiten Mal lebenslänglich verurteilt. Achtzehn Jahre später befand er sich immer noch im Gefängnis. Aus dieser Zeit stammt auch seine Fotografie.

Aus dem Jahr 1803 blieb die makabre Geschichte des Taschendiebes Joseph Samuels erhalten, und zwar unter der Überschrift »Der Mann, den man nicht hängen konnte«. Dreimal knüpfte man ihn auf, und dreimal riß der Strick. Darauf wurde Samuels nach dem damaligen Gesetz der Begnadigung – man glaubte an einen Fingerzeig Gottes – in Freiheit entlassen, aber Samuels war nicht mehr in der Lage, sich an der allgemeinen Freude zu beteiligen. Ein Augenzeuge berichtete: »Es sah aus, als hätte Samuels' Geist durch den Vorgang stark gelitten. Als er wieder zu sich kam, murmelte er etwas vor sich hin, was niemand verstand. Er war sich auch nicht bewußt, Held des Tages zu sein.« Man redete ihm ein, sich dieses Ereignis als Warnung für die Zukunft hinter die Ohren zu schreiben, doch er schien, wie aus weiteren Berichten hervorgeht, sich die gutgemeinten Worte nicht zu Herzen genommen zu haben. Die Akten erwähnen ihn 1806 zum letzten Mal, als er sich einer Gruppe von Gefangenen anschloß, die ein Boot stahl und aufs weite Meer hinausruderte. Danach verscholl jegliche Spur der Flüchtlinge.

Der Gouverneur berichtete 1798 dem Herzog von Portland, daß viele Gefangene, vor allem Irländer, die Flucht nach China und dabei den Marsch durch den australischen Kontinent riskierten. Es ging unter den Deportierten das Gerücht um, daß sich irgendwo hinter den blauen Bergen das Paradies auf Erden befände, wo entlaufene Sträflinge in Glück und Freude bis an das Ende ihrer Tage leben könnten. Wie nicht anders zu erwarten, kamen sie in den endlosen Wüsten des Landes ausnahmslos ums Leben.

In die Geschichte ging ein ehrwürdiger Kaplan ein, und zwar Samuel Marsden, den man auch den »peitschenden Pfaffen« nannte. Er stand einer großen Gemeinde in Neusüdwales vor und übte hier zugleich das staatliche Amt des Richters aus. Marsden war gegen jedermann, der das Pech hatte, vor dem Antlitz der Gerechtigkeit erscheinen zu müssen, als grausam und unnachgiebig bekannt. Es schien ihm jedenfalls nicht schwergefallen zu sein, neben seinem geistlichen Amt auch noch die – wie es damals in Australien oft praktiziert wurde – Aufgaben des Richters zu übernehmen. Dabei benahm er sich durchaus nicht zimperlich, so auch im Falle eines Schafhirten, der kurz seine Herde verlassen hatte, um – wie er vor Gericht aussagte – in den Bergen etwas Eßbares zu suchen. Kaplan Marsden verurteilte ihn dafür zu einer Prügelstrafe, die dem Verurteilten zu hoch erschien. Er murmelte Worte der Verwünschung und Rache vor sich hin, was genügte, um das Urteil in 500 Peitschenschläge und lebenslänglichen Kerker umzuändern. Diese Entscheidung hielt sogar die lokale Presse für unmenschlich und führte weiter aus, daß Urteile dieser Art eine »Fabrizierung von Straßenbanditen begünstigte, die ein Leben außerhalb des Gesetzes vorzogen, als von diesem für das ganze Leben gebrochen zu werden«. Die Einwohner der Kolonie waren sogar der Überzeugung, daß die von Geistlichen ausgesprochenen Urteile viel strenger waren als die von amtlichen Richtern. Und es blieb das geflügelte Wort erhalten: »Es sei Gott dir gnädig, denn Hochwürden kennt kein Mitleid.«

Studiert man die Chroniken dieser im Namen des Gesetzes ausgesprochenen Gesetzlosigkeiten, dann wird man an die Worte von Lord Chesterson erinnert, der sagte, daß »die Geschichte der viktorianischen Zeit wohl nie geschrieben wird, weil wir viel zu gut über sie informiert sind«.

Vorsicht ist geboten, wenn man den Ursprung der australischen Städte- und Ortsnamen untersucht. Viele gehen auf die Legenden der Ureinwohner zurück, doch manchmal stehen sie auch mit lokalen Ereignissen in Verbindung, die bei falscher Auslegung zu überaus komischen Vorstellungen führen. So erzählte mir eine Dame, die in Sydney im Stadtviertel Darling Point wohnte, daß sie von ihrer Brieffreundin im fernen Europa gefragt wurde, ob man Darling Point wohl mit »Punkt des Geliebten« übersetzen könne. Die Freundin irrte hier grundsätzlich, weil dieser Name auf den ersten australischen Gouverneur Darling Bezug nahm, den man ganz sicher nicht mit dem Begriff »Liebster, Geliebter« in Verbindung setzen kann. Ganz im Gegenteil. Dieser Gouverneur ging in die Geschichte Australiens als der »Darling-Henker« ein.

Zwei gemeine Soldaten des 57. Schützenregiments wurden in Sydney beim Diebstahl von irgendwelchen Sachen aus dem Militärmagazin ertappt, den sie in der irrigen Hoffnung begangen hatten, für dieses Vergehen aus dem Regiment entlassen und nach Hause geschickt zu werden. Doch Gouverneur Darling setzte sich persönlich dafür ein, daß sie verurteilt und ins Gefängnis gesteckt wurden. Als Sträflinge arbeiteten sie, in Eisen geschlagen, am Bau einer Straße, die in die Blauen Berge führte. In den Nächten schloß man sie in Zellen ein, wo sie mit Arm-, Bein- und Halsreifen so gefesselt wurden, daß sie sich nicht einen Augenblick gerade ausstrecken konnten. Auch hinlegen konnten sie sich nicht, weil zwei Eisenspitzen des Halsreifens sie daran hinderten. Der eine der beiden Soldaten hielt diese Tortur nicht aus und starb im Gefängnis.

Die Sache wurde ruchbar und löste in der Öffentlichkeit einen Sturm der Entrüstung aus. Der Gouverneur wurde sogar beschuldigt, die Ergebnisse der Leichensektion gefälscht zu haben. Auf einer Verhandlung zeigte man Fesseln, die fünf Kilogramm schwer waren. Der zweite Sträfling wurde infolge dieses Skandals befreit und kehrte zum Regiment zurück. Später erfuhr man, daß die bei der Verhandlung gezeigten Fesseln nicht fünf, sondern fünfzehn Kilogramm wogen. Es kam zu abermaligen Empörungen, und in einem Memorial, das an das Kolonialministerium nach London geschickt wurde, hieß es: »Zweifellos handelte es sich um einen Mord, der im Namen des Gesetzes verübt wurde.«

Gouverneur Darling war nie beliebt. Man nennt eine giftige Pflanze, die in den westlichen Gebieten von Neusüdwales auftritt, bis auf den heutigen Tag »Darling-Erbse«.

Die Stelle, an der sich das berühmte Operngebäude von Sydney erhebt, heißt heute, nachdem der Name wiederholt geändert wurde, Bennelong Point. Bennelong war der Name eines Ureinwohners, der an dieser Stelle mit Genehmigung des Gouverneurs seine Hütte aufgebaut hatte. Auf Befehl desselben Gouverneurs wurde Bennelong veranlaßt, als Dolmetscher und Mittler zwischen den weißen Siedlern und den Ureinwohnern aufzutreten. Damit wurde seine Hütte zur Verhandlungsstelle zwischen den verängstigten und beunruhigten Eingeborenen und den Briten. Bennelong aber erhielt für seine Verdienste ein paar Lebensmittel aus dem Armeemagazin der Briten. Seine Diensteifrigkeit wurde sprichwörtlich. Als Gouverneur Phillip nach England zurückkehrte, nahm er den »edlen Wilden« mit, und stellte ihn König Georg III. vor. Bennelong rief das Interesse der vornehmen Londoner Gesellschaft hervor, die ihn zu einem »seltsamen Indianer« degradierte. Die Begriffe jener Epoche waren in der Tat sehr frei, man machte in bezug auf Länder und Völker keine besonderen Unterschiede. Bennelong wurde schließlich wieder nach Australien zurückgeschickt, wo er langsam, aber sicher moralisch verkam. Schuld daran war der Alkohol. Es war die traditionelle Krankheit der dunkelhäutigen Menschen, denen das Gift der Weißen eingeflößt wurde. 1798 erlitt er bei einer Schlägerei in einer Kneipe schwere Verletzungen, an denen er kurz darauf starb.

Auch weitere Ortsnamen gehen auf bezeichnende Ereignisse zurück. So zum Beispiel Blackfellows Bone, wörtlich übersetzt: Knochen des schwarzen Mannes. In diesem Fall handelt es sich um ein hügeliges Gelände im Nordterritorium. Hier lebte einst der mächtige Stamm der Arunta. Unter dem Ansturm der weißen Siedler zog sich der Stamm immer weiter in das Land zurück. Die Weißen hatten mit ihren Feuerwaffen das jagdbare Getier dieses Gebietes, die Ernährungsgrundlage der Arunta, fast ausgerottet. Darauf begannen die hungernden Einheimischen, Jagd auf die am leichtesten zu erbeuten-

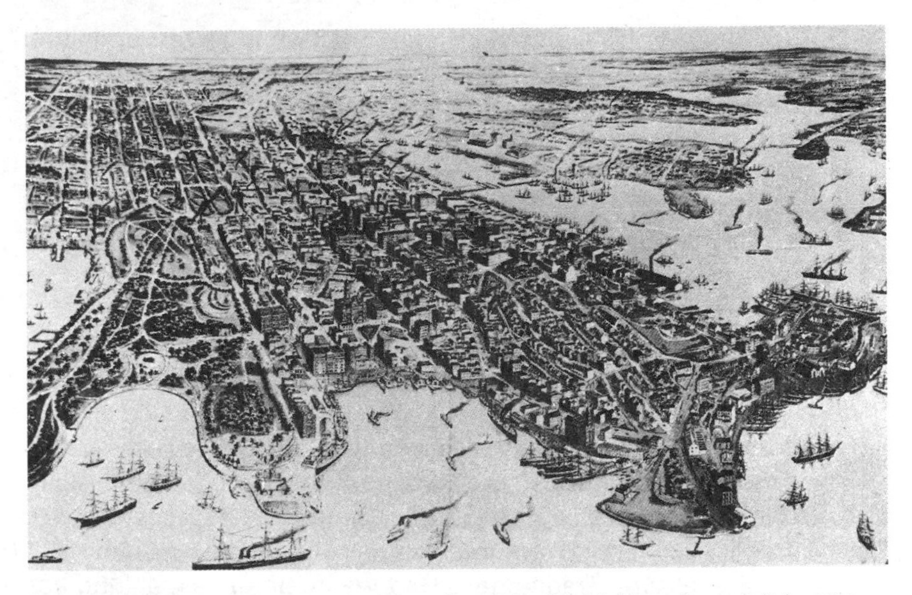

Sydney – hundert Jahre nach seiner Gründung. Die Stadt bildete das natürliche Hinterland des Hafens, aus dem Wolle und andere Waren in alle Länder der Welt ausgeführt wurden.

den Tiere zu machen, und zwar auf die Rinder und Schafe der Farmer. In der Folge bildeten die Siedler Schutztruppen, die die ausschließlich mit Spießen und Stöcken bewaffneten Stämme erbarmungslos ausrotteten. Man tötete sie bis auf den letzten Mann, die letzte Frau und das letzte Kind. Ihre Skelette wurden zur Abschrekkung der anderen Stämme zu hohen Bergen aufgeschichtet. Die Farmer begründeten dieses Vorgehen sogar mit Gesetzen, allerdings ohne schwarze Zeugen zur Aussage zuzulassen.

Man braucht übrigens gar nicht auf abgelegene, unbekannte Städte und Siedlungen hinzuweisen, sogar der hauptstädtische Name des Australischen Bundesstaates ruft bei Fachleuten interessante Vermutungen hervor. Die einen meinen, Canberra bedeute eine Stelle, an der nach der Sprache der Einheimischen heftige Winde wehen. Andere erinnern daran, daß hier einst Robert Campbell wohnte und daß die Ureinwohner den Namen höchstwahrscheinlich in Canberra verunstalteten. Es könnte auch, heißt es, der in der Sprache der Aborigines geläufige Ausdruck »Canbura«, zu deutsch Schlangenrükken, Ursprung des Namens der Hauptstadt sein. Mißverständnisse solcher Art treten in Australien bei der Auslegung von Ortsnamen auf Schritt und Tritt auf. So gibt es in Neusüdwales einen Ort, der Kissing Point heißt und auf einen Kuß zurückgehen soll, mit dem ein paar junge Mädchen den Gouverneur weckten, als dieser bei einem Picknick kurz eingenickt war. Weniger romantisch ist die Erklärung der Seeleute, die behaupten, die Brandung sei an dieser Stelle so stark, daß sie hier anlegende Boote unsanft die Felsen »küssen« läßt.

Die verschiedentlich auftretende Abneigung der Australier gegen die Briten ist um so verwunderlicher, als bereits die kleinen Australier in den Schulen Englischunterricht erhalten. Alle sprechen und schreiben hier englisch. Der Literaturunterricht widmet sich vor allem der englischen Literatur. Es werden englische Bücher, Zeitschriften und Kunst aller Art importiert, um die Verbindung zur englischen Kultur nicht abreißen zu lassen. Auch die australische Rechtsprechung beruft sich auf englische Traditionen. Und wenn eine Ausstrahlung australischer Sitten und Bräuche auch nicht zu übersehen ist, so sind diese doch tief in den englischen Bräuchen verwurzelt.

Überaus kompliziert sind die australischen juristischen Debatten im Zusammenhang mit den unterschiedlichen Kompetenzen von Bundesstaaten und Bundesregierung. So kam es beispielsweise in Sydney zu einer heftigen Auseinandersetzung, als sich die Bundesregierung auf einen Paragraphen berief, nach dem die Grenzen der Bundesstaaten mit der Küstenlinie abschließen. Diese Tatsache gewinnt vor allem dann an Bedeutung, wenn im Meer kurz vor der Küste Erdöl entdeckt wird. Der Regierungsvertreter jedenfalls führte als Zeugen der Krone den Höfling von König Heinrich VIII., Sir Thomas Wroth, an, der zwar bereits 1570 gestorben war, die Aufmerksamkeit der sieben Richter in Sydney aber trotzdem voll in Anspruch nahm. Und achtzehn Rechtsanwälte in schwarzen Roben und weißen Perükken stritten heftig über die historische Bedeutung des Begriffs »Souveränität«.

Der imaginäre Zeuge wurde höchstpersönlich vom Generalstaatsanwalt aufgerufen. Dabei kam folgendes zur Sprache: Thomas Wroth bezog auf Anweisung von König Heinrich VIII. im Jahr 20 Pfund Sterling Unterstützung. Im fünfzehnten Regierungsjahr von Königin Elisabeth beschwerte sich jener Thomas Wroth bitter darüber, daß man ihm die vom König angewiesenen Gelder nicht mehr zahlen wolle. Es kam zu einem Prozeß, der zugunsten von Sir Wroth endete. Und dieser Umstand veranlaßte den Generalstaatsanwalt, der die Interessen der Bundesregierung vertrat, zu der Behauptung, daß Gesetze, die von einem König beschlossen werden, auch von seinem Nachfolger einzuhalten sind, weil die Krone ewig währt.

Australien macht gegenwärtig mit einem großen Aufwand eine Entwicklung durch, die im Ergebnis das neue metrische System durchsetzen soll. Die Australier selbst meinen, das metrische System erinnere sie an die Steuerpflicht. Niemand liebt Steuern, trotzdem sind sie notwendig. Australien jedenfalls möchte nicht für eine alte Bastion des britischen Imperiums gelten und in diesen Breiten das letzte Land mit dem britischen System bleiben. Ein Sonderdezernat, das mit dieser Angelegenheit beauftragt wurde, gab bisher allein für administrative Vorarbeiten mehrere Millionen Dollar aus. Nämlich, die Australier – so hörte ich es wiederholt – besitzen einen angeborenen Sinn für Ordnung und Disziplin, in dem sie vielleicht nur noch von den Japanern übertroffen werden.

Heute hat sich Australien buchstäblich in unzähligen Kilometern vom britischen System entfernt, wurden die Zahlen auf jedem einzelnen Meilenstein entlang von vielen Tausenden Straßenkilometern fein säuberlich überpinselt. Diese Reform machte auch vor einem ehrwürdigen britischen »Heiligtum«, dem Krickettspiel, nicht halt. Heute berechnet man in Australien alles nach Meter und Zentimeter. Der Übergang zum metrischen System beginnt – ohne Übertreibung – mit der Stunde Null. So erhalten zum Beispiel die jungen Mütter in den Kliniken eine kleine Broschüre mit dem schrecklichen Titel »Unser metrisches Kind«, in dem von Windelgröße bis Kinderwagen alles in neuen Maßen umgerechnet ist. Geht heute eine Australierin in den Laden, um ein Kleid zu kaufen, dann nimmt sie die Tabelle »Ich und das metrische System« mit, auf der sie ablesen kann, wie ihre Maße im metrischen System aussehen.

Als das australische Parlament 1970 die Übernahme des metrischen Systems beschloß, gab es kaum Proteste, weil man überzeugt war, daß auch Großbritannien in Kürze diesen Weg einschlug. Und mit der Vorliebe zur Präzision, die diesem Volk eigen ist, stritt man sogar über die Betonung des Wortes »Kilometer«. Bis schließlich der damalige Premier, Mr. Whitlam, vorschlug, das »o« zu betonen, als wollte man »Oh, boy!« sagen. Man gründete sogar einen »Metrischen Rat«, dessen Mitglieder sich »Wächter der Reinheit des metrischen Systems« nannten. Und sie gaben sich alle Mühe, dem metrischen System in jeder australischen Hütte Zugang zu verschaffen.

Und wie sieht der Durchschnittsaustralier die Dinge? Wie immer, verhält er sich gegenüber Maßnahmen »von oben« erst einmal mißtrauisch und oppositionell. So bildete sich in Melbourne sogar eine Gesellschaft mit dem Namen »Antimetrische Vereinigung«. Doch der weitaus größte Teil der Bewohner stimmte schließlich dieser Umstellung im Namen des Fortschritts zu.

Englische Traditionen – das sind aber nicht nur Meßsysteme, sondern vor allem – wie schon erwähnt – die Übernahme des englischen Rechts- und Gerichtswesens. Dabei entstehen aber auch Probleme, die uns vielleicht spaßig erscheinen, in Australien jedoch sehr ernst genommen werden. Wie beispielsweise der Fall des Majors Blitherington, der vor Gericht verlangt hatte, im Jahr 18 Dollar Friseurkosten von den Steuern absetzen zu dürfen.

Der Antrag des Majors durchlief mehrere Instanzen, wobei man die Forderungen des tapferen Kriegers anfangs energisch zurückwies. »Wohin sollte das wohl führen, wenn jeder Steuerzahler auf den Gedanken käme, die Kosten für Haarschneiden absetzen zu wollen?«

Doch nicht unser Richter, der, wie er selbst betonte, glücklich darüber war, in der weißen Perücke amtieren zu dürfen. »Unter normalen Bedingungen«, so sagte er, »könnte man diesen Fall vielleicht wegen Nichtigkeit zurückstellen. Doch Major Blitherington ist Offizier und Gentleman, und es besteht kein Grund, den Fall auszusetzen.« Jedenfalls berief sich der Richter auf entsprechende Paragraphen, nach denen man alle Kosten von der Steuer absetzen konnte, die im Zusammenhang mit dem ausgeübten Beruf standen. Er führte eine lange Liste mit Verordnungen und Weisungen an, wies ihre Verbindung mit dem vorliegenden Fall nach und meinte: »Nach Aussage von Major Blitherington, der den Beruf eines Soldaten ausübt, gehört das alles zum militärischen Handwerk, also zum Schutz des Staates Ihrer Königlichen Majestät. Er läßt sich sechsmal im Jahr die Haare schneiden, nicht nur, weil er das seinem Stand als Offizier schuldig ist, sondern auch deshalb, weil Punkt 102 der Heeresdienstvorschrift des Jahres 1972 einen anständigen Haarschnitt verlangt. Bei einer Mißachtung dieser Vorschrift droht dem Major eine Strafe. Der Antrag von Major Blitherington wird übrigens auch durch entsprechende Paragraphen des Steuerrechts zu seinen Gunsten entschieden, und ich wundere mich, daß die Finanzbeamten Fälle dieser Art noch nicht bearbeiten. Ich für meine Person würde sogar beantragen, die Kosten für Haarschneiden jedem Soldaten, Matrosen und Piloten ihrer Königlichen Majestät von der Steuer abzusetzen. Weshalb wir Major Blitherington für seinen Antrag eigentlich dankbar sein sollten. Allerdings kann ich der Gesamtforderung des Majors nicht zustimmen, weil er von den beantragten 18 Dollar einen Teil, und zwar 2 Dollar, für das Stutzen seines Schnurrbarts ausgab. Nach dem Gesetz aber dürfen Steuervergünstigungen nicht erfolgen, wenn es sich um Grundkapitalien handelt, und ganz entschieden muß der Schnurrbart für das Kapital eines Offiziers angesehen werden. Das Urteil ist noch nicht rechtsgültig, es darf Berufung eingelegt werden.«

Doch wir wollen es damit bewenden lassen und uns einem anderen Fall zuwenden, der im Jahr 1978 unter der Schlagzeile »Krone gegen Angus Dour« laut wurde. In diesem Fall verkündete Richter Wigg in Canberra das Urteil mit nachfolgender Begründung: »Nach dem im Territorium der Hauptstadt geltenden Recht könnte ich, was mir widerstrebt, den Angeklagten dazu verurteilen, auf daß man ihm ein Ohr abschneide. Das aus folgenden Gründen: Der Angeklagte ist einfacher Soldat und heißt Angus Dour. Er gehörte einer Paradeabteilung an, die voriges Jahr anläßlich einer Hochzeit in der St. Andreas-Kirche angetreten war. Nach Abschluß der Zeremonie kam es zwischen dem Soldaten Dour und einem anwesenden Gast zu einer Auseinandersetzung, wobei Dour voller Zorn seinen Säbel zog und dem Gegner mit der Flachseite einen Hieb versetzte. Er wurde von anwesenden Personen überwältigt und der Polizei übergeben, die gegen ihn wegen öffentlicher Ruhestörung Anklage erhob. Im Laufe des Prozesses berief man sich auf ein Gesetz, das 1551, also zur Zeit König Eduards VI., erlassen wurde. Und wenn die Qualifikation der Polizei in der Metropole auch ständig zunahm, so gilt – wie man mir versicherte – erwähntes Gesetz hier auch heute noch. Das britische

Parlament hatte es nämlich nicht abgeschafft, nachdem es der Staat Neusüdwales 1820 übernommen hatte und es auf diese Weise auch 1911 in das Gesetzblatt der Hauptstadt gelangt war. Und da die Generalstaatsanwaltschaft dieses Gesetz ganz einfach übersehen und es bis auf den heutigen Tag nicht abgeschafft hatte, müssen wir uns auch heute noch nach diesem längst überfälligen Paragraphen richten, der vor über 200 Jahren ins Leben gerufen worden war, lange bevor es die Kolonie Neusüdwales gegeben und man in Australien an eine australische Hauptstadt gedacht hatte. Es ist ein rücksichtsloses und brutales Gesetz. Wörtlich heißt es darin: ›Da es in letzter Zeit von gottlosen und unwürdigen Individuen zu verschiedenen abscheulichen Ausschreitungen kam, die auf dem Boden von Gotteshäusern und Gottesackern randalierten, prügelten, lästerten und sich an fremdem Eigentum vergingen, wird festgelegt, daß jeder Person, die in der Kirche oder auf dem Kirchhof Hand erhebt gegen eine andere Person, nach richterlichem Urteil ein Ohr abgeschnitten wird.‹

Nach diesem Gesetz heißt es weiter: ›Besitzt der Delinquent keine Ohren mehr, soll ihm mit einem glühenden Eisen ein Mal auf die Wange gebrannt werden.‹ Dabei blieb unklar, ob Richter oder Verurteilter bestimmen durften, welches Ohr abgeschnitten oder welche Wange eingebrannt werden sollten. Da aber in unserem Fall diese Streitfrage bedeutungslos ist, soll vielmehr auf die Argumente des Verteidigers eingegangen werden. Seiner Meinung nach bezog sich das Wort ›Kirche‹ in diesem Gesetz auf ein Gebäude aus der Zeit von vor mehr als 430 Jahren, als König Eduard VI. regierte und es sich in England ausschließlich um anglikanische Kirchen handelte. Mr. Dour aber hatte, so meinte der Verteidiger, seinen Gegner in einer katholischen Kirche angegriffen, durfte also nicht nach diesem Gesetz verurteilt werden. Der Richter jedoch wollte sich dieser Meinung nicht anschließen. ›Kirche ist Kirche‹, sagte er, und in unserer Zeit ist es unangebracht, zwischen den einzelnen christlichen Religionen Unterschiede zu machen. Wenn auch der Herr Verteidiger daran zweifelt, so bin ich mir nicht ganz sicher, ob das innerhalb des Hauptstadtterritoriums geltende Gesetz alle körperlichen Strafen ausschließt. Vielmehr glaube ich, daß wir uns immer noch nach dem Gesetz von 1551 richten müssen. Was mir allerdings unklar ist, ist das Strafausmaß. Und deshalb verurteile ich – was Laien vielleicht sonderbar vorkommen mag, was aber aus der Absicht einer Gesetzesreform erfolgt – Mr. Angus Dour, auf daß man ihm das linke Ohr abschneide. Das wird die Generalstaatsanwaltschaft munter machen, und sicher wird man sich endlich darum bemühen, das veraltete, anachronistische Gesetz abzuschaffen. Mr. Dour aber möge beruhigt sein, das Ohr wird man ganz sicher nicht abschneiden.«

Warwick, ein kleines verschlafenes Städtchen im Staate Queensland, befand sich im Jahre 1917 plötzlich in aller Munde. Etwas Unerhörtes war geschehen. Mr. Hughes, Premierminister der Bundesregierung, reiste in der Kriegszeit im Land umher und rief die Australier dazu auf, der allgemeinen Wehrpflicht zuzustimmen. Wenn Australien seine Soldaten auch auf alle Schlachtfelder der Welt schickte, wo sie für Königin und Imperium kämpfen sollten, so bestand in Australien keine Wehrpflicht, und in den einzelnen Truppenteilen der Armee dienten ausschließlich Freiwillige. Im Staate Queensland stieß Mr. Hughes auf eine starke Opposition. Hier regierte nämlich die Arbeiterpartei, die eine allgemeine Wehrpflicht ablehnte.

Als Premier Billy Hughes auf dem Bahnhof in Warwick aus dem Sonderzug ausstieg, um vor der hier versammelten Bevölkerung zu sprechen, empfingen ihn Schimpfworte und Pfiffe. Ein Demonstrant warf sogar ein faules Ei nach ihm, verfehlte ihn jedoch. Ein zweiter zielte mit, wie Augenzeugen berichteten, »einem noch antikeren« Ei nach dem Premier und traf seine Hutkrempe, worauf der Inhalt der stark riechenden Hühnerfrucht über sein Gesicht bis auf den Kragen rutschte. Darauf kam es zwischen den Befürwortern und den Gegnern der allgemeinen Wehrpflicht zu einem zünftigen Handgemenge, in das auch der Premier verwickelt wurde. Der Schlägerei entronnen, an Händen und im Gesicht blutend, verlangte er vom diensthabenden Polizisten, den eierwerfenden Demonstranten zu verhaften. Sergeant Kenny jedoch weigerte sich, dieser Weisung nachzukommen, worauf der Premier seine Forderung diesmal als Generalstaatsanwalt und Premier der Australischen Bundesregierung wiederholte. Damals mußten Politiker nämlich noch hart ihrer Pension entgegenarbeiten, weshalb sie mehrere Funktionen ausübten. Doch der hartnäckige Sergeant Kenny machte ihn darauf aufmerksam, daß nach den im Staate Queensland bestehenden Gesetzen keine strafbare Handlung erfolgt war, widersetzte sich abermals dem Wunsch des Premiers und ließ den Demonstranten ungeschoren. Billy Hughes schickte ein Protesttelegramm an den Premier des Staates Queensland. Inzwischen amüsierte sich bereits ganz Australien über das faule Ei. Und auch der Premier des Staates Queensland meinte, daß der Zwischenfall zwar sehr bedauerlich, aber ganz unnötig so stark aufgebläht worden sei.

Der Premier des Bundesstaates gab sich mit dieser Entscheidung nicht zufrieden und setzte es durch, daß Australien eine eigene Bundespolizei erhielt. Und so führte das faule Ei zur Gründung der australischen Bundespolizei, die heute Sonderaufgaben erfüllt und unter anderem Schutz- und Kontrolldienste auf den Flugplätzen ausübt.

Lebt die Krone in Australien – wie es der Staatsanwalt in der angeführten Verhandlung ausdrückte – wirklich ewig? Es lohnt, darüber nachzudenken, in welchem Verhältnis die britischen Traditionen zum australischen Leben stehen.

Die am 3. Dezember 1854 in Eureka stattgefundene blutige Auseinandersetzung zwischen Goldsuchern, Armee und Polizei ging für immer in die australische Geschichte ein.

Die Bergleute protestierten gegen die hohen Lizenzkosten für ihre Goldclaims, worauf der Gouverneur von Victoria Soldaten und Polizei einsetzte, um ihren Widerstand zu brechen und zu beweisen, daß jedermann das Gesetz zu achten hat. In der Straßenschlacht kamen dreißig Bergleute und vier Soldaten ums Leben. Zeitungen und viele historische Abhandlungen berichteten darüber. Man sieht heute in Australien in dieser Auseinandersetzung die Tragödie von Menschen, die von der Richtigkeit ihrer Sache fest überzeugt waren, sich mit ganzem Herzen für ihre Republik Victoria einsetzten und die Monarchie ablehnten.

Es gehört zu den Traditionen der Australier, daß sie Gesetzesüberschreitungen in Vergessenheit geraten ließen, wenn es dabei um höhere menschliche Ziele ging. Nehmen wir beispielsweise den Fall des Irländers Peter Lalor. Als Führer der Aufständischen im Kampf schwer verwundet, wurde er längere Zeit von Freunden vor der Polizei versteckt. Es folgte eine Amnestie, man verzieh ihm und wählte ihn sogar zum Abgeordneten ins Bundesparlament. Peter Lalor, auf dessen Kopf eine Belohnung von 440 Pfund ausgesetzt gewesen war – eine für die damalige Zeit riesige Summe – fand nach gefährlichen Abenteuern schließlich Zuflucht in einer Kirche. Dort wurde er auch von zwei Ärzten operiert, die bei dem weit fortgeschrittenen Wundbrand keine andere Möglichkeit sahen, als ihm die Hand zu amputieren.

Eine ganze Kette von Menschen guten Willens pflegte den verwundeten Irländer, so daß er in den einzelnen Häusern immer nur kurze Zeit verblieb. Die Versuchung, den Kopflohn zu ergattern, war zu groß, man befürchtete, er könnte von habgierigen Nachbarn denunziert werden. Das letzte Versteck fand Peter Lalor in der Wohnung der Lehrerin Mrs. Dunn, die er später heiratete. Nach der Amnestie kehrte er zu seinen Freunden in den Goldbergwerken zurück, wo man ihm einen enthusiastischen Empfang bereitete. Die Goldgräber legten sogar zusammen und übergaben ihm 1 000 Pfund, um dem körperbehinderten Arbeiterführer einen neuen Start zu erleichtern.

Verschiedene Australier befürchten, Peter Lalor könnte sich im Grab herumdrehen, wenn er erführe, daß sich sein Urenkel und Namensträger auf die Gegenseite schlug. Der junge Peter Lalor jedoch, der am 8. Juni 1977 Polizist des Bundesstaates Victoria wurde, wehrt sich gegen diese Meinung. Er zeigt seinen Gästen gern den Säbel seines berühmten Urgroßvaters und behauptet: »Der Alte hätte nichts dagegen gehabt. Sicher, es ist schon eine Ironie des Schicksals, wenn der alte Peter Lalor in Eureka einst das System bekämpfte, das ich heute verteidige. Doch man muß wissen, daß das damalige System von Korruption und Vetternwirtschaft durchsetzt war, was man von der heutigen Regierung nicht behaupten kann.«

Auch die Besuche der königlichen Familie waren für die Australier nicht immer Anlaß, ihre Loyalität zur britischen Krone zu manifestieren. Als der Herzog von Edinburgh 1868 in Sydney an einem Empfang teilnahm, kam es zu einem mißglückten Anschlag auf sein Leben, und zwar durch einen Irländer, der dafür gehenkt wurde. Dieser Anschlag führte zu außerordentlichen Rechten der Polizei, die Privatwohnungen betreten und Verdächtige untersuchen durfte, ohne einen Gerichtsbeschluß vorweisen zu müssen. Man war empört. Ein ähnliches Gesetz hatte es in Australien nie gegeben.

Der australische Nationaldichter Henry Lawsen schrieb 1901 anläßlich eines königlichen Besuches bittere Zeilen: »Und wieder werden Fahnen im Winde flattern, werden Zeitungen, Poeten und Beamte Loblieder singen auf die Krone. Doch es werden bei den Feierlichkeiten jene Menschen fehlen, die Australien wirklich aufbauten.«

Demonstrationen gegen die Monarchie gab es nicht nur bei Besuchen von hohen Persönlichkeiten. Am 17. Februar 1976 blieb Sir John Kerr, Generalgouverneur von Australien, auf dem roten Teppich im Parlamentsgebäude von Canberra stehen, rückte die Krawatte zurecht, nahm dem Diener den Zylinder ab und verließ das Haus. Eine laut lärmende Menge empfing ihn, man rief ihm Schimpfworte zu und fuchtelte mit Transparenten herum.

Der Generalgouverneur hatte vorher bereits im Parlament vor den Abgeordneten gesprochen, wobei ihm die Mitglieder der Arbeiterpartei heftige Vorwürfe gemacht hatten. Er begrüßte die Politiker der Nationalliberalen Partei mit Handschlag und schritt die Front der Ehrenkompanie ab. Die Schmährufe nicht achtend, blieb er ab und zu stehen, um Soldaten und Fahnen mit erhobenem Zylinder zu grüßen. Ihm folgte mit einem erstarrten Lächeln auf den Lippen seine Ehefrau, Lady Kerr, und auch sie tat, als hörte sie das Geschimpfe der Menge nicht. Der Gouverneur schritt betont langsam, als wollte er damit beweisen, daß ihn die Schmährufe nicht erreichten. Sein Gesicht war weiß wie Schnee. Dann kehrte er wieder zum Parlamentsgebäude zurück und winkte den lärmenden Menschen zu. Ein Rolls Royce fuhr vor, der Gouverneur nahm den Zylinder vom Kopf, stieg ein und fuhr davon. Es war die Eröffnung des 30. Parlaments des Australischen Bundesstaates, ein Tag voller Dramatik, an den die Historiker noch lange denken werden. Als der Generalgouverneur die Parlamentssitzung eröffnete, sagte er: »Meine Regierung kam kraft der Entscheidung, die das australische Volk durch seine Wahl zu beiden Parlamentskammern traf, zu der Erkenntnis, daß das australische Volk nichts sehnlicher wünscht, als die in der australischen Geschichte größte Inflation und seit den vierziger Jahren empfindlichste Arbeitslosigkeit abzubauen.« Seine Worte bedeuteten in der Praxis nichts anderes als die Ablösung der Arbeiterpartei.

In Melbourne wurde von der Königlichen Commonwealth-Gesellschaft zu Ehren des Generalgouverneurs ein festlicher Empfang veranstaltet. Als der Gouverneur vorfuhr, mußte man ihn durch die Hintertür ins Haus führen, weil sich vor dem Portal Gewerkschafter und Studenten versammelt hatten, um den Wagen des Gouverneurs mit faulen Eiern und Farbbomben zu bewerfen. Die Scheiben des Autos gingen in die Brüche, ein Polizeipferd stürzte und blockierte den Weg.

Die Australier waren sich seit eh und je über die Form von Beförderungen und Auszeichnungen uneinig, die generell auf Antrag des Premiers von der britischen Königin verliehen wurden. Heute gibt es in diesem Bundesstaat eine Auszeichnung, Australienorden genannt. Auf der Medaille prangt eine Akazienart, die in Australien Wattle heißt. Die Farben der Medaille sind Dunkelblau und Gold. Blau soll daran erinnern, daß Australien rundum vom Meer umgeben ist und daß jeder Australier oder sein Vorfahre einst aus fernen Ländern über den großen Teich herkam. Das Tapferkeitskreuz dagegen weist viel Rot auf, womit vergossenes Blut symbolisiert wird. Dann gibt es noch den Stern des Helden und schließlich die Nationalmedaille, auf der als dekoratives Element Australiens Wappen eingraviert ist und die Aufschrift »Nationalmedaille für Verdienste«. Zu bemerken ist, daß die von der Königin verliehenen Auszeichnungen der australischen Linken schon immer ein Dorn im Auge waren. Als typisches Beispiel sei der Fall von John Egerton angeführt, der mit dem Adelstitel »Sir« ausgezeichnet wurde. Seinen erstaunten Mitstreitern teilte er mit, daß sie ihn nach wie vor mit dem Vornamen Jack anreden sollten. Dieser ansehnliche Mann mit 114 Kilogramm Lebendgewicht, dessen rauhe, laute Stimme und breite Schultern ihm den Ruhm eines Haudegens einbrachten, war Vorsitzender der Gewerkschaften im Staate Queensland und stellvertretender Vorsitzender der Arbeiterpartei im gleichen Staat. Egerton rief einen Sturm von Protesten hervor, als er den Titel annahm. Er aber verkündete, daß der Titel keinerlei Einfluß auf sein Auftreten ausübte. Als man ihn in der Zentrale der Gewerkschaften scharf angriff, betonte er: »Ich war Schlosser, bin Schlosser und werde als Schlosser sterben.« Anfangs glaubten seine Freunde, es handele sich um einen üblichen Scherz, doch der frisch ernannte »Sir« sah die Dinge anders und erklärte, die Gewerkschaften seien nun einmal untrennbarer Bestandteil der Gesellschaft, auch wenn seine Erhebung in den Adelsstand vielerorts Unverständnis hervorriefe.

Bagger in der »Zeit der Träume«

Der australische Nationalfeiertag gestaltete sich für Burnam-Burnam zum Trauertag. Nochmals erlebte er jenen Tag, an dem das Dorf seiner Vorfahren in den Besitz des weißen Mannes überging. Ein großes Spektakulum erinnerte an diese denkwürdige Zeit, da das heutige Melbourne entstand.

Ein Vorfahre von Burnam-Burnam soll an dem historischen Akt teilgenommen haben, als der Stammesälteste und Batman einen Vertrag unterschrieben, in dem der Stamm dieses Gebiet den Fremden überließ. Burnam-Burnam gehörte dem Yarra-Yarra-Stamm an.

Burnam-Burnam verfolgte die Festreden über die Kraft und das Engagement der weißen Pioniere und meinte traurig: »Ich höre kein einziges Wort über den Mut und die Tüchtigkeit meiner Stammesbrüder. Die weißen Männer erwarben auf dem Land meiner Ahnen große Reichtümer. Aber heute wollen sie nichts mehr mit uns teilen. Sie preisen die Schönheit der Berge und Wälder, der Steppen und Weiden, sehen es jedoch nicht gern, wenn ich durch die City von Melbourne spaziere.« Burnam-Burnam heißt soviel wie »Großer Krieger«. Erinnerungsstücke an seinen Stamm sind heute nur noch im Museum zu besichtigen.

Ich will versuchen, das schwierige und komplizierte Problem der dunkelhäutigen Ureinwohner zu behandeln, denen das Land gehörte, bevor in diesen Breiten weiße Männer erschienen.

Die Wissenschaft weiß bis auf den heutigen Tag nicht zu erklären, woher die australischen Ureinwohner kamen, und gibt dafür verschiedene Erklärungen. Ohne mich in die Diskussionen der Fachleute einzulassen, scheint mir die Theorie wahrscheinlich, daß die australoide Rasse, der die Ureinwohner angehören, von den Inseln nördlich von Australien abstammt. Diese Menschen lebten als Jäger und Sammler. Sie wanderten nach Norden, nach Malaysia und Indien, wo man noch heute in unzugänglichen Gebieten auf ihre Nachkommen stößt. Diejenigen, die sich nach dem Süden wandten, nach Neuguinea und anderen südlichen Inseln, verschmolzen ethnolo-

Vorhergehende Seite: Am Hafen von Sydney grüßt das berühmte Operngebäude. Sydney, Bundeshauptstadt des Staates Neusüdwales, ist mit etwa 3,5 Millionen Einwohnern die bevölkerungsreichste Stadt Australiens. 1788 als Sträflingskolonie gegründet – 200 Jahre später eine der modernsten Metropolen.

flinders gate
1290.000
CULTURAL
CENTRE
$2.000.000
APPEAL
SEND YOUR DONATION
ST. KILDA ROAD
FLINDERS STREET STATION
FRANKSTON LINE
PLATFORMS 8&9
WILLIAMSTOWN ALTONA
LINES
PLATFORMS 6&7
DANDENONG
PAKENHAM LINE
PLATFORMS 6&7
SANDRINGHAM LINE
BROADMEADOWS
LINE
PLATFORMS 8&9
PORT MELBOURNE
LINE
PLATFORM 10
ST KILDA LINE
PLATFORM 11
The Sun
MEMO
IN JUNE
STORM
NIGHT TRO
TRAI
THIS WA
BP b
the b

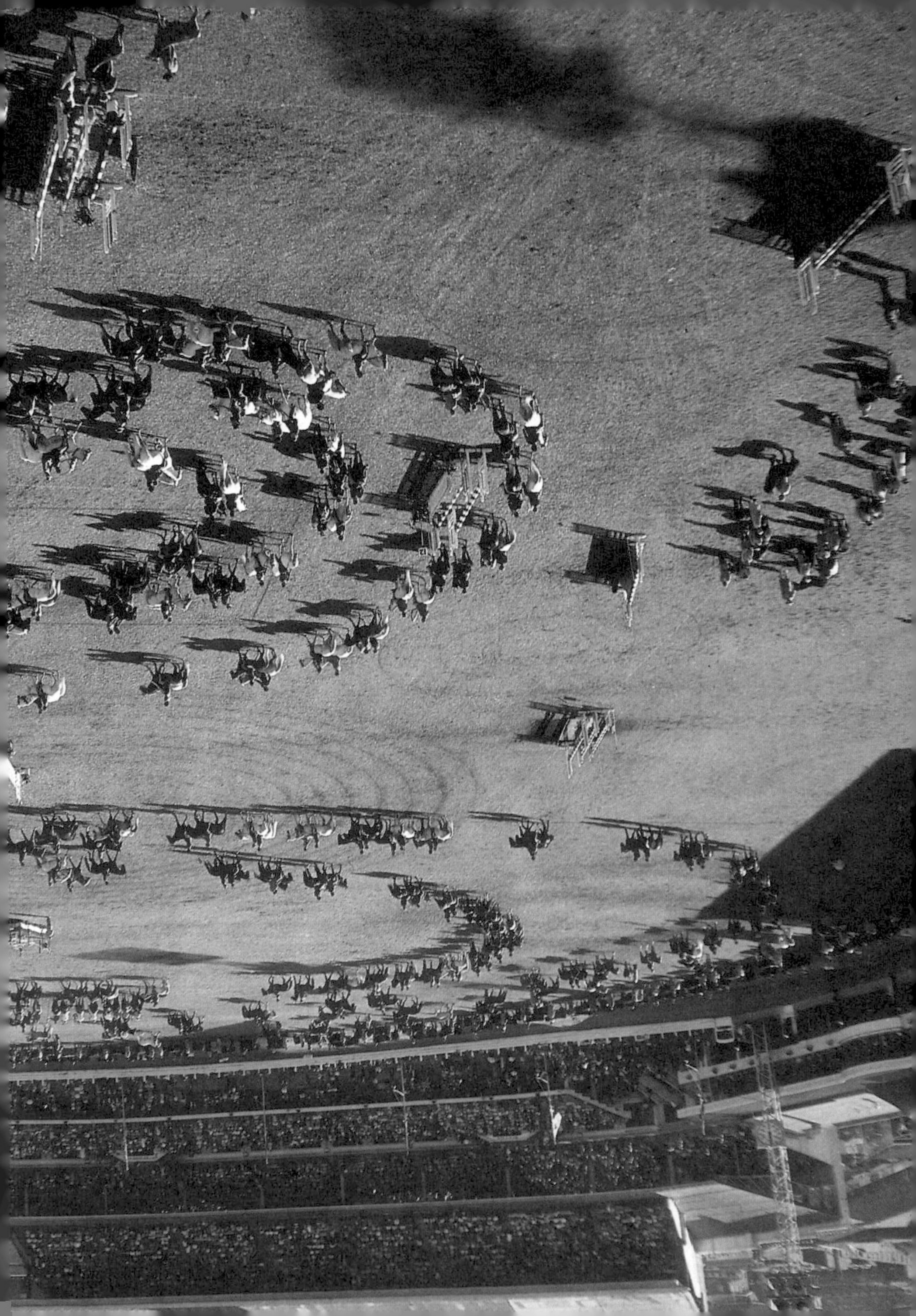

COMMONWEALTH BANKING CORPORATION
BOARD
62

Drei Dinge sind den Australiern besonders lieb und teuer: Spiele, Wetten und Aufmärsche.
Vorhergehende Seite: Große Tierschau
Frühlingsfest und Parade der Rettungsschwimmer
Rechts: Botanischer Garten in Sydney
Folgende Seite: Silhouette der Stadt am Abend

gisch mit den hier bereits Ansässigen. So gelangten sie auch nach Australien. Jahrhundertelang lebten sie hier ungestört, behielten ihre ursprünglichen Lebensgewohnheiten bei. Vorerst besiedelten sie das Küstenland, folgten dann später dem Lauf der Flüsse, die ins Innere des Landes führten. Es scheint, daß die Uraustralier das Land ohne die primitivsten Kenntnisse und Erfahrungen betraten. Sie verfügten nicht über Pfeil und Bogen, konnten weder Tonschalen noch Tonkrüge herstellen und besaßen auch keine Haustiere mit Ausnahme des Dingo-Hundes. Das Land selbst empfing die Ankömmlinge nicht gerade üppig.

Die Zahl der australischen Aborigines war nie besonders groß. Es wird angenommen, daß vor 200 Jahren, als auf dem australischen Festland die ersten europäischen Siedlungen gegründet wurden, nicht mehr als 300 000 Ureinwohner lebten. Sicher aber ist, es waren Menschen auf einer niederen Entwicklungsstufe, von ihrer natürlichen Umgebung voll und ganz abhängig. Sie töteten ihre Kinder und unterbrachen Schwangerschaften, um die Zahl der Menschen im entsprechenden Verhältnis zum Nahrungs- und Wasserangebot zu halten. Die Australier bauten nie feste Siedlungen. Sie nächtigten unter freiem Himmel und unterhielten nur in kalten Nächten kleine Feuerstellen, um sich zu wärmen. Sie sammelten Reisig und bauten einfache Unterkünfte, um sich vor Unwetter zu schützen. Es heißt, diese Behausungen waren primitiver als die Verstecke der Tiere, denen die schwarzen Jäger nachstellten.

Die einzelnen Stämme – und man schätzt, daß es etwa fünfhundert gab – achteten die Grenzen der anderen. Sie unterschieden auch streng Jagd- und Sammelgebiete. Hatten sie in einer Gegend das Wild dezimiert, beschränkten sie sich darauf, hier nur noch eßbare Früchte zu sammeln. Die Tiere konnten sich hier also wieder vermehren, bis sie schließlich die Aufmerksamkeit der Jäger auf sich lenkten. Die Australier führten ein Nomadenleben und zogen auf der Suche nach Nahrung im Land umher. Der Sinn ihres Lebens bestand im Überleben. Mit der Zeit erwarben sie bei der Jagd sowie beim Sammeln von eßbaren Früchten, Pflanzen, Wurzeln und beim Finden von Wasserstellen unglaubliche Fähigkeiten. Sie fanden in diesen armen, ungastlichen Breiten jedenfalls alles, was sie zum Leben brauchten. Doch die karge Umwelt ließ sie zu keinerlei materiellen Reichtümern gelangen. Es war vor allem der ständige Ortswechsel, der sie veranlaßte, auf Hausrat zu verzichten. Kleidung war unbekannt, nur manchmal bedeckten sie sich mit Tierfellen. Die Gegenstände, die sie mit sich führten, besaßen entweder praktische Bedeutung oder dienten religiösen Praktiken. Ihre Werkzeuge und Waffen entsprachen den Bedingungen ihrer Lebensräume, also Lederbeutel für Wasser, Körbe für Früchte und Wurzeln, Bumerangs und Spieße, Steinäxte und Knüppel zur Jagd, Netze zum Fischen und angespitzte Harthölzer zum Wurzelgraben.

Die Waffen besaßen für die Aborigines auch religiöse Bedeutung, und sie widmeten ihnen vor allem deshalb bei der Bearbeitung sehr viel Sorgfalt. Die auf Bumerangs und Spießen angebrachten Verzierungen bestanden aus den gleichen heiligen Symbolen, die sie bei ihren religiösen Bräuchen benutzten. Die Herstellung der Waffen blieb den Männern vorbehalten. Nur sie waren in Magie und Zauber eingeweiht. Die Waffe, so glaubten sie, traf nur deshalb das Ziel, weil der Jäger mit geheimen Kräften ausgestattet war. Und auch nur die mit der Zeremonie der Einweihung vertrauten Männer durften das erlegte Wild verspeisen. Frauen nahmen an rituellen Bräuchen, in denen um Jagdglück und gutes Wetter gefleht wurde, und auch an den meisten anderen Zeremonien nicht teil.

Bei der Ausübung der rituellen Praktiken, die sich bei den einzelnen Stämmen stark unterschieden, standen im Mittelpunkt unsichtbare Wesen. Die Stammesältesten, die über die Stammesordnung wachten, hüteten wachsam die Geheimnisse. Wenn es auch scheint, daß die Ureinwohner frei und unbelastet durch Steppen und Wüsten zogen und keine Grenzen kannten, so darf nicht übersehen werden, daß ihr Leben in Wirklichkeit durch verschiedene verwandtschaftliche Beziehungen und durch Abhängigkeitsformen innerhalb des Stammes streng reglementiert war.

Junge und starke Menschen waren immer verpflichtet, für Alte und Schwache Eßbares und Lebensnotwendiges zu beschaffen, wie Früchte, Wasser, Brennholz. Größte Bedeutung maß man dem Tod zu. Starb ein Stammesmitglied, so trauerte die gesamte Gemeinschaft. Die Begräbniszeremonien zogen sich manchmal über Monate hin. Wer nicht im Kampf sein Leben ließ, war – so glaubte man – Opfer geheimer Intrigen. Um die Täter zu entlarven, bediente man sich magischer Mit-

Zeitgenössische Darstellung einer Jagdszene der Aborigines.

tel. So wandten die Ureinwohner im Südwesten von Australien ganz bestimmte Methoden an, den »Mörder« zu ermitteln. Der Leichnam wurde nach verschiedenen Riten auf eine Art Plattform gelegt, die auf einer Steinpyramide ruhte. Die unterschiedlich bemalten Steine erhielten die Namen der unter Verdacht stehenden Personen. Nach ein paar Tagen begann sich der Leichnam zu zersetzen, und diejenigen Steine, auf die die Flüssigkeit tropfte, wiesen auf den Schuldigen hin. Doch nicht nur Magie und religiöse Praktiken zeichneten die schwarzen Australier aus, auch Gesang und Tanz gehörten zu ihrem Leben, an nächtlichen Lagerfeuern oder auf festgestampften Tennen, und es beteiligten sich Männer und Frauen. Teils war es Ausdruck von Lebensfreude, teils demonstrierten sie Sehnsuchtswünsche.

Eine Ausnahme stellten die rituellen Tänze dar, die ausschließlich von Männern ausgeübt wurden. Bekannt ist eine wunderliche Stammeszeremonie, deren Ursprung im Dunkel der Geschichte Australiens liegt und die man heute kaum mehr zu Gesicht bekommt. Es ist die Zeremonie der »Krokodilerschaffung«, sicherlich einer der ältesten Bräuche der Welt.

So behaupten die Ureinwohner am Fluß Kendall, Krokodile »erschaffen« zu können. Wird ein Knabe des Stammes sechzehn Jahre alt, dann erfährt er die Aufnahme in den Kreis der Krieger und zugleich das Geheimnis der Blutsbruderschaft mit dem Krokodil. Die Zeremonie besteht darin, daß ein Mitglied der Stammesältesten eine kleine Eidechse mit dem Blut des Jünglings betupft und sie dann in den Fluß wirft. Nach dem Glauben der Aborigines wächst eine solche mit Blut behandelte Eidechse im Fluß bis zu der Größe eines normalen Krokodils, das dann mit dem betroffenen jungen Mann blutsverwandt ist.

Tatsache ist, daß im Fluß Kendall seit undenklichen Zeiten massenhaft Krokodile auftreten, manche werden bis zu acht Metern lang. Die hier lebenden Ureinwohner wiederum behaupten steif und fest, Freunde, ja Verwandte dieser Tiere zu sein, und fürchteten sie nicht. Es ist auch nicht bekannt, daß ein Mitglied dieses Stammes je von einem Krokodil angegriffen und verletzt wurde. Die Kinder baden nicht nur sorglos im Fluß, sie pflegen sogar mit den am Ufer in der Sonne liegenden großen Reptilien zu spielen.

Zu einer bisher ungeklärten Zeremonie gehört auch das sogenannte »Knochenwerfen«. Der präparierte Knochen stammt meist von einer menschlichen Leiche, weil – so heißt es – dieses Ritual mit dem Tod verbunden sei. Es gibt aber auch Stämme, die Känguruhknochen und sogar angespitzte Stöcke benutzen, wobei diese unter Beibehaltung einer bestimmten Vorschrift angefertigt werden. Wer einen solchen Zauberknochen herstellt, muß alle Vorsichtsmaßnahmen beachten, um nicht in den Bannkreis der bösen Mächte zu geraten. So müssen beispielsweise die Knochenwerfer im nordwestlichen Teil von Südaustralien die Sonne oder den Mond immer im Rücken haben, sonst würde sie der sichere Tod erwarten. Auch Quellen und

Wasser dürfen sich nicht in ihrem Sichtkreis befinden. Wird jemand nach Schluß der Zeremonie von einem Schüttelfrost befallen, dann ist der Zauber wirkungslos, und es bleibt dem Knochenwerfer nichts anderes übrig, als mit dem Knochen in der Hand in eine Quelle zu springen, um den bösen Geist zu vertreiben.

Der Knochenwerfer muß – so sieht es das Ritual vor – unter tanzenden Schritten ein Lied singen und plötzlich mit dem Knochen in irgendeine Richtung zielen. Dabei kann das Opfer unsichtbar bleiben und sogar jemand aus einem ganz anderen Stamm sein. Es heißt jedoch, diese Zeremonie führe immer zum Erfolg. Der Tod ist besiegelt, so stark ist die Überzeugungskraft, der Glaube an den Erfolg dieses Rituals. Es gibt immer noch viele ungeklärte Erscheinungen, die wahrscheinlich nie ergründet werden, weil die Stammesältesten ihre Geheimnisse nicht preisgeben. Als eines dieser Rätsel ist der Kadaitscha zu nennen, eine Gestalt, deren Funktion noch nicht vollständig ergründet ist, obgleich sie real existiert. Man glaubt, es handelt sich um eine Art Stammeshenker oder die Reinkarnation einer mythischen Gottheit der Rache. Manche sagen, es ist ein Gott des Bösen, doch viele behaupten, der Kadaitscha sei nichts anderes als ein gemeiner Mörder.

Als 1978 im Staate Queensland ein Stamm auf die Nachricht eines anrückenden Kadaitscha in Todesfurcht und großer Hast sein Lager verließ, gab es viele Fragen, aber nur wenige Antworten. Man sprach auch von einem Stammeshenker. Machte er sich auf den Weg, um zu töten, dann zöge er ganz besondere Schuhe an, die aus Emufedern und Menschenblut hergestellt seien. Angeblich hinterließen diese Schuhe keine Spuren. Doch wenn man in einem solchen Schuhwerk auch sehr weich und leise auftrat, so konnte man nach Meinung von Sachkennern trotzdem keine Spuren verhindern, zumal wenn diese in der Wüste von eingeborenen Fährtensuchern verfolgt wurden. Es gab Behauptungen, nach denen die Spurensucher durch die symmetrische Form der Federschuhe getäuscht werden sollten, doch es stellte sich heraus, daß auch diese Theorie nicht stimmte.

Ich hatte selbst Gelegenheit, eingeborene Spurensucher bei ihrer Arbeit zu beobachten, und weiß, daß sie sich weniger nach der Schuhform als nach umgeknickten Grashalmen und angestoßenen Steinchen richten, die ihnen zeigen, wohin sich der Verfolgte wandte. Wahrscheinlich sollen diese Schuhe absichtlich eine deutliche Spur hinterlassen, um die verängstigten Ureinwohner davon abzuhalten, einen Menschen zu verfolgen, dem der eigene Stamm den Befehl zum Töten gab. Die Federschuhe verhindern dagegen den Abdruck der bloßen Fußsohlen und lassen den Henker anonym bleiben.

Eine weitere Frage: Wer darf solche Schuhe tragen? Nach den spärlichen Mitteilungen über die Stammesgeheimnisse sind es die Stammesältesten, die einen Mann oder eine Gruppe von Männern beauftragen, worauf diese aufbrechen, um zu töten. Unbekannt sind allerdings die Anlässe, die zu solchen Unternehmen führen. Das heißt, sie sind nur den Weißen unbekannt, doch es müssen schon schwerwiegende Vergehen sein, wie zum Beispiel die Preisgabe eines Tabus. Es konnte jedenfalls wiederholt festgestellt werden, daß die Nachricht eines anrückenden Kadaitscha ganze Stämme in Panik geraten ließ. Es heißt, nachts umgebe ihn ein goldener Lichtschein, der von einem Stein käme, welcher immer stärker zu leuchten beginnt, je mehr er sich seinem Opfer nähert. Manche Stämme behaupten, der Kadaitscha töte sein Opfer, um es gleich danach wieder zum Leben zu erwecken. Allerdings begönne das Opfer zu kränkeln und stürbe bald darauf, ohne daß man einen Grund bemerke.

Von einem australischen Polizisten, der viele Jahre Ureinwohner betreute, hörte ich, daß ein Anrücken eines Kadaitscha immer mit einem Mord ende. Professor Spencer, der zu Beginn unseres Jahrhunderts als bekannter Fachmann auf dem Gebiet der australischen Bräuche galt, erklärte, die Ureinwohner Mittelaustraliens kennen keine natürlichen Todesgründe. Für sie ist es unwichtig, wie alt oder krank ein Mensch ist, sein Tod hängt nach ihrem Glauben immer von den magischen Einflüssen seiner Feinde ab. Und es kann gar nicht anders sein, als daß der Tote gerächt werden muß. Sobald jedenfalls der Schuldige bekannt ist, macht sich ein Mann oder eine Gruppe auf den Weg, um den Tod zu rächen.

Die in den Wüsten lebenden Ureinwohner können es sich nicht erlauben, in bezug auf ihre Speisen wählerisch zu sein. Sie ernähren sich von Känguruhs, kleinen Beuteltieren, Emus, Eidechsen sowie allen Schlangenarten. Sehr beliebt ist bei ihnen eine besondere Regenwurmart, die sie in der Erde oder in alten Baumstämmen finden. In heißer Asche geröstet, sollen sie wie eine Eierspeise schmecken, nur süßer. Verschiedentlich überlebten Expeditionen, die die australischen Wüsten durchmaßen, nur deshalb, weil sie von eingeborenen Stämmen mit diesen Leckerbissen bewirtet wurden. Die Ureinwohner Mittelaustraliens kennen auch bestimmte Straucharten, aus deren Blättern und Trieben sie einen Sud kochen, der narkotische Eigenschaften hat. In geringen Mengen genossen, besitzt er eine anregende Wirkung, läßt er die Strapazen langer Wanderungen, Hunger und Müdigkeit besser ertragen. In größerer Konzentration führt er zur Betäubung und zu Halluzinationen.

Die dunkelhäutigen Australier sind hervorragende Fischer. Mit ihren Fangmethoden erreichen sie weitaus mehr Beute als mit der Angel. Sie benutzen lange Speere und bewegen sich so vorsichtig im Wasser, daß dieses sich kaum bewegt. Entdecken sie die Fische, bleiben die Fischer gleich Bronzestatuen bewegungslos stehen, den Speer in der Hand, und stechen plötzlich und blitzschnell zu. Stämme, die an Flußmündungen leben, kennen noch eine andere Art des Fischfanges. Steigt das Wasser bei einsetzender Flut, dann bauen sie aus vorbereiteten Steinen schnell einen Damm. Folgt die Ebbe, so fließt das Wasser durch die Hohlräume zwischen den Steinen wieder ab, während die größeren Fische auf dem Strand zappelnd liegenbleiben. Diese Methode wird vor allem im Norden Australiens angewandt, wo Ebbe und Flut in den Küstenstreifen schnell wechseln.

Bekannt ist auch, daß die dunkelhäutigen Jäger in den Lagunen lange unter Wasser tauchen können und dabei Wildenten und Wildgänse ins Wasser ziehen, um ihnen unter Wasser die Hälse umzudrehen. Ebenso erfolgreich lauern sie den Wildvögeln auf dem Wasser auf, indem sie sich mit Wasserpflanzen tarnen, an die Vogelschwärme heranschwimmen und die besten Exemplare aussuchen und erbeuten.

Unter den bemerkenswerten Menschen des ungewöhnlichen Landes nahm einst der Häuptlingssohn Yagan einen Ehrenplatz ein. Und sogar die Geschichte Westaustraliens, die in der zweiten Hälfte des 19. Jahrhunderts geschrieben wurde, widmete ihm anerkennende Worte. Dabei darf man nicht vergessen, daß es eine Zeit war, in der die Weißen in Australien zur absoluten Macht gelangten und die Ureinwohner weniger als Menschen, sondern vielmehr als jagdbares Getier ansahen.

Der Sohn des Stammeshäuptlings wurde zum Schrecken der weißen Siedler. Er verriet außergewöhnliche Intelligenz, Tapferkeit und Ausdauer, überragte seine Stammesgenossen sowohl in Körpergröße als auch an Geist, und wenn man ihn einerseits allgemein fürchtete, so brachte man ihm andererseits doch große Hochachtung entgegen. Sehr wahrscheinlich war es auch Yagan, der 1833 den Aufstand gegen die Weißen vorbereitete.

Frühzeitig schon hatte der dunkelhäutige Held Demütigungen hinnehmen müssen. Wegen eines nicht bewiesenen Vergehens brachte man ihn ins Gefängnis, doch er floh und tötete bei der Flucht einen Soldaten. Es kam zu bewaffneten Auseinandersetzungen, die Konflikte verschärften sich immer mehr. Die dunkelhäutigen Krieger griffen mit ihren Speeren Rinder- und Schafherden der Siedler an, Farmer erschlugen brutal Ureinwohner. Ein unsinniger Kreis erbarmungsloser Racheakte begann.

Man hielt Yagan für den Anführer der Aufständischen. Auf seinen Kopf wurde eine hohe Belohnung ausgesetzt. Siedler und Soldaten durchkämmten das Gelände und hofften, Yagan zu ergreifen, sobald er im Busch Frau und Kinder aufsuchte. Yagan jedoch verstand es, über viele Monate der Verfolgung zu entgehen, obgleich er die Gebiete, in denen die Strafexpeditionen nach ihm suchten, nie verließ.

Ein Chronist berichtete, wie der Suchtrupp einmal sehr nahe an das Versteck der dunkelhäutigen Männer herangekommen war, »als gefiederte Wachen des australischen Busches die Eingeborenen vor der herannahenden Gefahr warnten. Ein Schwarm aufgescheuchter Kakadus erhob sich mit lautem Geschrei von den Sträuchern und suchte das Weite. Auf dieses Zeichen verließen die schwarzen Australier ihr Versteck und schüttelten die Verfolger ab, die unverrichtetersache zurückkehren mußten«.

Einer Verfolgergruppe gelang es, einen Stammesältesten zu ergreifen, der jedoch vollkommen ahnungslos vom Geschehen war. Vor Gericht gestellt, lautete die Anklage: Teilnahme am Überfall auf weiße Siedler. Bereits nach ein paar Tagen wurde der Mann zum Tod durch Erschießen verurteilt und das Urteil vollstreckt.

Die Witwen und Kinder des getöteten Häuptlings bemalten ihre

Gesichter zum Zeichen der Trauer mit weißer und roter Farbe und zogen klagend durch den Busch. Manche glaubten, Yagan bei der Hinrichtung unter den Zuschauern gesehen zu haben. Jedenfalls war der Anführer der Aufständischen über den Tod des Stammesältesten bald informiert, und man war sicher, daß er alles unternehmen würde, um diesen zu rächen.

Zwei junge Briten, die Brüder Keats, beschlossen, Yagan umzubringen. William war 18 und James gerade erst 13 Jahre alt, als sie hofften, die ausgeschriebene Belohnung zu erhalten. Es ergab sich, daß Yagan die Siedlung, in der die Brüder Keats arbeiteten, aufsuchte, um Lebensmittel zu erwerben. Als sich die Ureinwohner um das zubereitete Mahl setzten, forderte Yagan die Brüder auf, sich zu ihnen zu gesellen und am bescheidenen Essen teilzunehmen. William aber legte, als er sich im Kreis der Ureinwohner befand, an und schoß Yagan aus nächster Nähe in den Kopf. Dieser war auf der Stelle tot.

Die allgemeine Verwirrung ausnutzend, ergriffen die Brüder die Flucht. James gelang es, den Fluß zu überqueren, doch als er sich umblickte, sah er, wie die Ureinwohner seinen Bruder William umringten und ihn mit ihren Speeren durchbohrten. Der Knabe rannte fort, um Hilfe zu holen. Als er mit ein paar Siedlern an die Stelle des Überfalls zurückkehrte, waren die Aborigines verschwunden, und am Boden lagen die Leichen von Yagan und William. Unweit im Busch stöhnte ein am Kopf verletzter Eingeborener ganz schrecklich. Die Chronik umschreibt mit harmlosen Worten, wie dieser Ureinwohner von einem Siedler von seinem Leiden »befreit« wurde. Ein anderer Siedler trennte Yagans Kopf vom Körper ab und schnitt auch noch Hautfetzen aus, auf denen Stammeszeichen tätowiert waren. James Keats erhielt die versprochene Belohnung, verließ aber die Kolonie aus Furcht vor Racheakten.

Man nannte ihn den »Schwarzen Napoleon« und auch »Schwarzen Spartakus«, allgemein bekannt war er jedoch unter dem Namen Mosquito. Es hieß, er stammte aus Tasmanien, wenn auch wahrscheinlicher ist, daß er – wie oft behauptet wurde – in der Gegend von Sydney zur Welt gekommen war. Als jungen Mann verbannte man ihn auf die Insel Tasmanien, wo er zunächst der Polizei half, entlaufene Sträflinge aufzuspüren, was ihm den Haß der Gefangenen ein-

Mit fortschreitender Kolonisierung erfolgte der Zerfall der Stammesgemeinschaften. Trunksucht und Prostitution, den Australiern bisher fremd, führten zur Vernichtung ganzer Stämme.

brachte. Später zog er sich in den Busch zurück und stand als Häuptling einem Stamm vor. Sicher hätte er hier sein Leben in Ruhe und Frieden beschlossen, wenn der Stamm nicht immer wieder von weißen Siedlern überfallen worden wäre, die vor allem die jungen Frauen entführten. Der Stamm wehrte sich, wobei Mosquitos Leben wiederholt bedroht wurde. 1824 wurde er schließlich in einem Gefecht überwältigt und vor Gericht gestellt. Mit ihm angeklagt war ein Tasmanier, den man den Schwarzen Jack nannte. Die Chronisten berichten, daß Mosquito zwar ein wenig Englisch konnte, doch nicht so viel, um die englischen Bräuche und vor allem die Gesetze zu verstehen. Der Schwarze Jack kannte überhaupt kein Englisch außer ein paar gemeinen Flüchen.

Obwohl beide während des sogenannten »Schwarzen Krieges« in Gefangenschaft gerieten, stellte man sie – was die Chronisten in Erstaunen setzte – als Kriegsgefangene vor ein Zivilgericht. Beide verstanden absolut nicht, worin ihr Verbrechen bestehen sollte, sie verstanden auch nicht die Bedeutung des Beweismaterials und auch nicht, weshalb man sie täglich zweimal im Gerichtssaal auf die Anklagebank setzte, wo sie die vielen fremden Menschen wie wilde Tiere betrachteten. Der Prozeß zog sich in die Länge, und schließlich wurde Mosquito am 24. Februar 1825 hingerichtet.

Ein weiterer Chronist notierte Mosquitos Unterhaltung mit dem Gefängniswärter, dem der dunkelhäutige Gefangene zu verstehen gab: »Hängen ist für schwarzen Kerl nicht gut.« Darauf soll der Wärter gesagt haben: »Wie das, warum soll Hängen für einen weißen Mann gut und für einen schwarzen Mann schlecht sein?« Mosquitos Antwort lautete: »Hängen sein gut für weißen Kerl, weil er daran gewöhnt.«

Diese Worte wurden als Beweis für die angebliche Dummheit der Ureinwohner zitiert. Dabei enthalten sie eine ganz natürliche Logik. Nach englischem Gesetz sollte die Strafe abschrecken und nicht als Rache aufgefaßt werden. Doch wie sollte sie hier abschrecken, wo doch die Ureinwohner eine ganz andere Auffassung der Gerechtigkeit hatten und überhaupt nicht verstehen konnten, wofür sie verurteilt und hingerichtet werden sollten?

Es war in den frühen Zeiten der australischen Kolonie üblich, die Aborigines für geringste Vergehen, deren Sinn sie überhaupt nicht begriffen, unmenschlich zu bestrafen. In einem zeitgenössischen Bericht heißt es: Entsprechend dem Brauch der Zeit begleitete ein Geistlicher den Delinquenten zum Ort der Auspeitschung, um den verstockten Sünder zu bekehren. Der Verurteilte, der wußte, welche schreckliche Strafe ihn erwartete, sagte in gebrochenem Englisch zum Pater: »Ich werde geschlagen und muß auch noch Strafpredigt hören. Beides zusammen sein zu viel.«

Oenpella blieb mir bei meiner Reise durch Australien als ein kleines Missionsdorf in Erinnerung, weitab verloren in den Nordterritorien. Die paar hundert dunkelhäutigen Einheimischen und einige weiße Australier empfingen hier nur selten Gäste, denn es entschlossen sich nur wenige, von Darwin über 500 Kilometer durch die Wüste bis nach Oenpella zu fahren. Bekannt war diese Gegend durch die berühmten »Röntgen-Bilder« in großen Felsenhöhlen. Einheimische Künstler hatten hier vor Jahrtausenden Känguruhs und andere Tiere dargestellt, als wären sie durchleuchtet, mit angedeuteten Herzen, Nieren, Leber und anderen inneren Organen.

Nun fand das erste Mal in der Geschichte von Oenpella eine Gerichtsverhandlung statt. Ein heftiger Wüstenwind dämpfte die traditionelle Formel, mit der der Polizist Allan Keyes die Anwesenden aufrief, der Majestät des Gerichtes Achtung und Ehre zu erweisen. Richter Lawrence Kirkman nahm unter einem Mangobaum Platz, neben ihn setzten sich die Geschworenen, Angehörige des hier lebenden Stammes, die mit ihrem Rat dienen sollten. Vor dem Richter hockten 32 angeklagte Ureinwohner, hinter ihnen plazierten sich die Zuschauer, um der Verhandlung beizuwohnen.

Als erster trat Ronald Dirdi vor den Richter. Der Polizeisergeant Hack Nichol las mit wohlklingender Stimme und irischem Akzent die Anklage vor: Dirdi hatte Schnaps in das Ureinwohner-Reservat eingeschleppt. Rechtsanwalt Dyson Lacey vom Amt der Rechtshilfe für Aborigines plädierte für mildernde Umstände. Richter Kirkman verurteilte Dirdi zu 30 Dollar Bußgeld und meinte: »Für dieses Vergehen eine viel zu geringe Strafe als sonst üblich, aber es sind die besonderen Bedingungen, die das Gericht dazu bewegen.«

Die weiteren Fälle betrafen Schlägereien und böswillige Beschädigungen von fremdem Eigentum, und Rechtsanwalt Lacey kommentierte: »Es wird hier kaum ein Fall behandelt, der nicht mit Trunksucht in Verbindung steht.« Richter Kirkman meinte nach dem Gerichtstag philosophisch: »Ich wünschte mir, daß mich die Umstände nicht wieder veranlaßten, diese Gegend aufzusuchen, auch wenn sie landschaftlich sehr schön ist.«

Unklar blieb, wie weit die Angeklagten und das Publikum den Buchstaben des Gesetzes verstanden, das unter dem bewölkten Himmel der fernen britischen Insel geboren wurde. Konnte man den dunkelhäutigen Mann für Vergehen bestrafen, die nach dem Verständnis der Stammestraditionen gar keine waren?

1977 wurden 400 Ureinwohner des Stammes Yalata im Staat Südaustralien und insbesondere der Ältestenrat völlig überrascht, als man diesem auftrug, einen der ihren, dem ein Mord nachgewiesen worden war, selbst zu bestrafen.

Und das war der Vorgang: Der Täter hatte sich bekannt, eine Frau desselben Stammes getötet zu haben, als diese über geheime Zeremonien laut geschimpft habe, die nur von Männern betrieben werden durften. Das Stammesgericht beschloß, den Mann mit drei Lanzenstichen in die Waden zu bestrafen.

Ein Verwandter der getöteten Frau vollstreckte das Urteil des Stammes, worauf der Verletzte in die Ambulanz der nächsten Mission gebracht wurde. Die Wade war mit einer nur dünnen Lanzenspitze durchgestoßen, die Wunde verheilte schnell. Trotzdem führte dieser Fall zu einer Interpellation im australischen Parlament. Hier ergriff unter anderem der bekannte Professor Strehlow das Wort und unterstrich, daß sich ein Land nur nach einem Gesetz richten dürfe. Im heutigen Australien herrsche das britische Gesetz der weißen Bewohner. Die Stammesgesetze dagegen traten in Kraft, als die Stammesältesten alle Macht ausübten. Die eingewanderten Siedler zerstörten die Lebensweise der Ureinwohner, viele Traditionen gerieten in Vergessenheit. Es gibt heute nur noch wenige Aborigines, die ausschließlich von den Stammesältesten erzogen werden und über traditionelle Bräuche und Gebote Bescheid wissen.

Prof. Strehlow vertrat die Meinung, daß es falsch sei, Gesetzesbrechern eine kleine Pforte zur Flucht aus der Verantwortung zu öffnen und sie ihren Stammesältesten zur Bestrafung zu übergeben. Damit würde man zwischen der schwarzen und weißen Gesellschaft in Australien ein gesetzliches »Niemandsland« schaffen, das wohl kein vernünftig denkender Mensch begrüßen dürfte.

Wer war dieser Mann, der 1978 starb und sich in einer so autoritären Weise über die komplizierten gesellschaftlichen und sozialen Probleme äußerte?

Vor etwa hundert Jahren erschienen in Australien neben Siedlern auch Missionare. Die aus Deutschland kommenden Missionare Schwarz und Kempe beispielsweise begannen 1875 ihren Marsch durch Australien sehr bescheiden, indem sie einen kleinen Handwagen mit ihrer geringen Habe selbst hinter sich herzogen. Nachdem sie zwanzig Monate durch die Wüsten gewandert waren, gründeten sie die Mission Hermannsburg in Erinnerung an ihr eigenes Priesterseminar in Norddeutschland. In Hermannsburg kam auch Theodor Strehlow zur Welt. Sein Vater hatte hier als Missionar gewirkt. In der Missionsstation traf Theodor als einziges weißes Kind viel mit den Kindern des Arunta-Stammes zusammen. Manche Nacht verbrachte er am Lagerfeuer seiner Freunde und erlebte auch, wie seine Spielkameraden durch die schmerzhafte Zeremonie des Beschneidens in den Kreis der Erwachsenen und Krieger aufgenommen wurden. Um ihren Mut und ihre Ausdauer zu beweisen, legten die jungen Arunta glühende Kohlestücke auf Arme und Beine und warteten, ohne eine Miene zu verziehen, bis die Glut erkaltete. Unter den weißen Siedlern pflegte man zu sagen: »Theodor hat zwar eine weiße Haut, aber er denkt wie ein Arunta.« Nach kurzer Zeit beherrschte er die Sprache des Stammes. In Adelaide besuchte er das Gymnasium und wurde nach neun Jahren Dozent für englische Literatur. Theodor Strehlow war nie ein Bücherwurm, der sich in verstaubten Bibliotheken einschloß. Im Gegenteil, es hielt ihn nicht in der Stadt, er kehrte zu den Arunta in die Wüste zurück. Bald galt er als bester Sachverständiger und zugleich einziger Experte, der über das Leben und die Bräuche der Arunta Bescheid wußte. Im Verlauf von 45 Jahren suchte er immer wieder die Wüste auf, um noch genauer die Sitten seiner schwarzen Freunde kennenzulernen, die weitab von der Zivilisation noch immer im Steinzeitalter lebten. Nach und nach gewann er ihr Vertrauen. Der Pastorensohn legte in den Jahren 1932 bis 1935 auf dem Rücken von Kamelen 7 500 Kilometer durch die australischen Wüsten zurück. Man hielt ihn wiederholt für verschollen.

Die Arunta leben in der trockenen Zentralwüste um Alice Springs. Wie viele dieses Stammes heute noch ihr Nomadenleben führen, ist ungewiß. Schätzungen aus der jüngsten Zeit sprechen von einigen Hundert.

Strehlow schrieb: »Die Stammesgeheimnisse waren nur den Stammesältesten bekannt. Als ich wieder beim Stamm war, überlegten die Ältesten wochenlang, ob sie mir vertrauen und mich in die Geheimnisse ihrer Väter einweihen durften. Schließlich einigten sie sich in dem Glauben, ich sei die Stimme des Stammes, die auch nach ihrem Tod weitersprechen, der Nachwelt die ungewöhnliche Kultur der Arunta mitteilen würde. Dabei befand sich diese Kultur damals schon im Sterben, und heute ist sie ganz tot.«

20 dicke Bände mit Aufzeichnungen, Dutzende von Tonbändern, über 10 000 Fotos und 9 000 Meter Farbfilm stellen einen einzigartigen Schatz dar, in dem über 100 verschiedene Bräuche und über 4 000 Lieder und Balladen enthalten sind. Verschiedene Materialien dürfen allerdings erst – und das war die Bedingung der Stammesältesten – dann veröffentlicht werden, »wenn sich von uns niemand mehr am Leben befindet«.

Strehlow interessierte sich auch eingehend für das Verhältnis der Arunta zu ihren Göttern. Dabei stellte er fest, daß die Ureinwohner so viele Götter kannten, daß ein gewöhnliches Stammesmitglied nicht alle aufzählen konnte. Die Arunta bedienten sich verschiedener Zauber, um die Natur zu veranlassen, ihnen Nahrung und Wasser zu besorgen. So glaubten sie, daß sie durch Beschwörungen und Opfer die Götter bewegen konnten, ihnen frisches, saftiges Gras an Stelle der ausgedörrten Steppenpflanzen und junges, gesundes Vieh als Ersatz für eingegangene Haustiere zu geben. Professor Strehlow schrieb: »Mit dem Mondkult verbinden die Arunta die Vorstellung, den Mond durch Opfer bei ihrer Jagd in den Nächten heller leuchten zu lassen. Im Winter betreiben sie den Feuerkult, damit das Feuer sie wärmt, wenn sie nachts unbekleidet unter freiem Himmel schlafen.«

Die Ahnen der Arunta lebten nach ihrem Glauben in der »Zeit der Träume«. Starben sie, dann umhüllte sich die Seele mit dem Fell eines Känguruhs oder den Federn eines Emus, und wenn sie auch unsichtbar blieb, so zweifelten die Arunta nicht an ihrer Existenz. Die Seele konnte sich auch in einen Baum oder in eine Pflanze, in einen Felsen oder einen Speer umwandeln. Deshalb sahen die Arunta in der sie umgebenden Natur auch so viele göttliche Verkörperungen ihrer Ahnen. Bei ihren Zeremonien flehten sie ihre Totems, magischen Zeichen, in denen sie die Seele ihrer Ahnen eingeschlossen wähnten, um Hilfe an. An diesen Veranstaltungen nahmen ausschließlich Männer teil. Alles war bis auf das kleinste Detail vorbereitet, die Beschwörungen dauerten manchmal mehrere Tage.

Theodor Strehlow berichtete: »Als die Ureinwohner Australiens durch die Weißen aus ihren Jagdgebieten verdrängt wurden, verloren sie mit ihrem Land auch ihren Glauben an ihre göttlichen Vorfahren und die magischen Zeremonien und damit auch ihren Lebenswillen. Und das deshalb, weil sie sich tagtäglich davon überzeugten, daß der weiße Mann immer zu essen und trinken hatte, ohne grausame Zeremonien zu betreiben. Er brauchte auch den Göttern nichts zu geben, um etwas zu bekommen.«

Wie wichtig und ernst die Arunta diese Bräuche und Zeremonien nahmen, ersieht man daraus, daß sie für leichte Verfehlungen strengste Strafen aussprachen. »Wer das Ritual mißachtete, es verunstaltete oder sich zu bestimmten Zeremonien verspätete, wurde zum Tode durch den Speer verurteilt. Ebenso erging es Frauen und Kindern, die Götterbeschwörungen heimlich belauschten. Sein Leben verwirkte ebenfalls, wer das Geheimnis des Verstecks verriet, in dem die Kultgeräte aufbewahrt wurden«, erklärte der Professor.

Die Arunta kannten weder die Kunst der Eisenherstellung noch die Webkunst oder die Feldbestellung. Die Männer beschäftigten sich ausschließlich mit der Jagd und kümmerten sich um die Gunst der Götter. Die Frauen suchten nach Beeren, Wurzeln, eßbaren Pflanzen und erzogen die Kinder. In Zeiten langanhaltender Dürren zogen die Stämme in die Berge, wo sie Wasserquellen fanden. Der Sohn des deutschen Pastors war nicht der erste weiße Mensch, den die Not der dunkelhäutigen Australier bewegte.

Fast ein halbes Jahrhundert lebte Mrs. Daisy Bates in den wasserarmen australischen Steppen des Niemals-Niemals-Landes. Sie hatte sich die Mission, unter den australischen Ureinwohnern zu wirken, selbst auferlegt und galt als Beispiel der selbstlosen Aufopferung für die dunklen Australier, die in ihrer gesellschaftlichen Entwicklung immer noch in der Epoche der Steinzeit lebten. Daisy Bates kämpfte gegen Lepra und Tuberkulose, gegen Alkoholismus und damals noch bestehende Erscheinungen des Kannibalismus. Sie speiste Hungrige, bestattete Tote, verhinderte Totschlag, Blutvergießen und Stammesfehden. Die sämtlicher Skrupel baren Siedler suchten fortan nur noch dort ihre Opfer, wo sie der Schutz von Mrs. Bates nicht erreichte.

Einst war sie ein anmutiges Mädchen, das in Dublin und London so manchem jungen Mann den Kopf verdrehte. Dann verwandelte sich Daisy Bates in ein »Kabbarli«, wie sie vom dankbaren Stamm in grenzenloser Verehrung genannt wurde und was etwa dem Begriff »Mädchen« entsprach. Die Ureinwohner hielten sie für einen »Schutzgeist«, der aus der »Zeit der Träume«, in der einst alle Menschen lebten, gekommen war, um ihnen zu helfen.

Diese kleine, schmächtige Person lebte in ihrem eigenen Zelt, das ein kleiner Zaun umgab. Für die Ureinwohner war die Umzäunung tabu, sie unternahmen nie den Versuch, in diese einzudringen. Zeigte sich Mrs. Bates außerhalb ihres Zeltes, dann trat sie immer untadelig gekleidet auf, als entstamme sie einem viktorianischen Roman.

Daisy Bates wurde 1860 geboren. Sie verlor sehr zeitig ihre Eltern und wuchs bei Pflegeeltern, einer wohlhabenden englischen Familie, auf. Sie erhielt eine gute Ausbildung, besuchte wiederholt das europäische Festland, hielt sich in bester Gesellschaft auf. Daisy entwikkelte sich zu einer reizenden und intelligenten Person. Mit 23 Jahren, als der Verdacht bestand, sie sei an Tuberkulose erkrankt, beschlossen ihre Zieheltern, sie nach dem sonnigen Australien zu schicken. Bald besserte sich ihr Gesundheitszustand. Und hier fand sie außerdem im reichen Farmer Jack Bates auch ihren Ehemann.

Es war keine glückliche Ehe. Das Leben auf der großen Farm, die riesigen Viehherden langweilten die intelligente, an ein kurzweiliges Leben gewöhnte junge Frau. Mit 34 Jahren verließ sie ihren Mann und kehrte nach England zurück. In London stand sie mittellos da, doch es gelang ihr, an einer bekannten Wochenschrift als Korrespondentin Anstellung zu finden. Nach kurzer Zeit gehörte sie dank ihres lebhaften, bildreichen Stils zu den bestbezahlten Reportern jener Epoche. Nach weiteren fünf Jahren suchte die Redaktion der Londoner »Times« einen Reporter, der sich nach Australien begeben sollte, um an Ort und Stelle die beunruhigenden Nachrichten über die üble Behandlung der dunkelhäutigen Menschen zu untersuchen.

Mrs. Bates wurde mit dieser Aufgabe betraut, eine 39jährige gepflegte Frau. Ihre Reportagen bestätigten zwar nicht die Grausamkeiten der weißen Siedler, unterstrichen aber die Schwierigkeiten, denen die Ureinwohner mit der Anpassung an die sie umgebende neue Zivilisation ausgesetzt waren. Mrs. Bates' Interesse für die Probleme dieser Menschen wuchs von Tag zu Tag. Sie mietete Kutsche und Pferd und drang immer tiefer in das wegelose weite Land ein. In einem halben Jahr legte sie etwa dreitausend Kilometer durch die dünn besiedelten Steppen und Wüsten zurück und eignete sich mehrere Dialekte der Ureinwohner an. Bald verständigte sie sich ohne Schwierigkeiten. In dieser Zeit setzte sich Daisy Bates die Sorge um die Ureinwohner zum Ziel ihres Lebens. Ihre australischen Reportagen fanden allgemeine Anerkennung. 1904 schlug Mrs. Bates ihr Zeltlager in Nullarbor, im Herzen der Wüste, auf. Sie war damals bei den Ureinwohnern schon so gut bekannt, daß diese oftmals riesige Wegstrecken zurücklegten, um sie zu sehen. Sie wurde vorbehaltlos in die geheimsten Stammesriten eingeweiht und war auch die erste Frau, die man als »Blutsbruder« anerkannte. Es war bekannt, daß Daisy Bates die aggressivsten Krieger besänftigen konnte, ganz so, als wären sie kleine ungezogene Kinder. Missionsarbeit leistete sie nie, weil sie überzeugt war, daß die Ureinwohner den Sinn des Christentums nicht begreifen konnten.

Sie sorgte als erste für kranke und alte Ureinwohner, die sich selbst nicht mehr ernähren konnten. Doch um Medikamente und Verpflegung zu kaufen, brauchte man finanzielle Mittel. Mrs. Bates begann wieder Reportagen zu schreiben, um Geld zu verdienen, außerdem ging sie auf Jagd und speiste die Bedürftigen.

1919 befand sich Mrs. Bates in Coldea. Ihr gesamter Besitz bestand aus einem primitiven Zelt, einer alten Petroleumlampe und einem Holzbottich. Sie aß das gleiche wie ihre Schützlinge, trank aber ihren geliebten Tee dazu. 1935 kehrte sie in die Zivilisation zurück, voll beladen mit Kisten und Kästen, in denen sich wertvolle Aufzeichnungen, Notizen und Exponate befanden. Es war die Ernte ihrer fünfzig Jahre währenden Studien über Sitten und Bräuche der aussterbenden australischen Aborigines. Einen Teil dieser Studien veröffentlichte sie in einem Buch, das kurz vor dem zweiten Weltkrieg in London herauskam.

1940, als sie bereits über 80 Jahre alt war, richtete Mrs. Bates ein neues Zeltlager ein. Dabei erfuhr sie eine staatliche Unterstützung, die sie in die Lage versetzte, ihre Aufzeichnungen und Notizen bis ans Lebensende fortsetzen zu können und zu ordnen. Sie füllten 94 Bände, die heute in der Australischen Nationalbibliothek als unversiegbarer Quell für Ethnologen und Anthropologen aufbewahrt werden. Mrs. Bates starb im Jahr 1951, und sie kritisierte die Regierung bis zum letzten Tag wegen ihrer ungenügenden Sorge um die dunkelhäutigen Australier.

Daisy Bates widmete ihr Leben den australischen Ureinwohnern.

Das Leben der australischen Aborigines gestaltet sich heute äußerst kompliziert. Es gibt viele Stämme mit ebenso vielen verschiedenen Problemen. Groß war das Unrecht, das die Ureinwohner in der Vergangenheit erfuhren. Im Staate Tasmanien erlebte nicht ein einziger das 20. Jahrhundert. Und wie geht es weiter?

Die australischen Ureinwohner halten die Versuche einer Familienplanung für einen neuen Anschlag der Weißen auf ihr Leben. Diese Meinung vertrat auch Doktor Max Kamien, Mediziner und Dozent an der Westaustralischen Universität, in einer medizinischen Fachzeitschrift. Seine Behauptungen beruhten auf den Erfahrungen, die er in seinem dreijährigen praktischen Arbeitseinsatz im Nordwesten des Staates Neusüdwales machte. Die Australier glaubten – so seine Worte –, das alles sollte dazu führen, die Rasse der dunkelhäutigen Menschen in Australien auszurotten. Nach den Traditionen der australischen Aborigines zeugt die Zahl der Kinder von den männlichen Potenzen des Vaters. Männer, die nur wenige Kinder besitzen, werden verhöhnt und verlacht.

Nach Berichten anderer Fachleute sind die dunkelhäutigen Australier viel anfälliger gegen Krankheiten als die weißen Einwohner in diesen Gebieten. Jedes dritte dunkelhäutige Kind leidet an ernsthaften gesundheitlichen Störungen. Über die Hälfte der Männer sind Alkoholiker. Aus der Statistik geht weiter hervor, daß die Mittel für die soziale und gesundheitliche Betreuung der Ureinwohner, der zweifellos benachteiligtsten Gruppe der australischen Gesellschaft, außerordentlich niedrig sind. Über 55 Prozent leben in Armut, die meisten davon am Rande ihrer physischen Existenz. Es breiten sich unter ihnen gefährliche Augen- und Darmkrankheiten aus, viele leiden unter psychischen Depressionen.

Der Alkoholismus unter den Ureinwohnern war wiederholter Gegenstand von Parlamentsdebatten in Canberra. Sachverständige brachten zum Ausdruck, daß man das Problem sehr wohl lösen könnte. Man brauchte diese Menschen nur als gleichberechtigte menschliche Wesen zu behandeln. Der Alkohol dient ihnen als Betäubungsmittel. Lebten sie alle unter anständigen Bedingungen, mit dem Gefühl des eigenen Leistungsvermögens, dann würden viele auf das Narkotikum verzichten. Der Alkoholismus stellt sich als gesellschaftliches Problem dar.

Auf ein weiteres Problem machte Professor Harry Messel von der Universität in Sydney aufmerksam. Früher seien die Ureinwohner nur mit dem Speer ausgerüstet zur Jagd gegangen und hätten die Tierwelt als Gesamtheit nicht gefährdet. Heute stellen sie beispielsweise im Arnhem-Land mit Hilfe der Weißen den Tieren mit schnellen Geländewagen und hochwirksamen Feuerwaffen nach. Der Tierbestand wird dadurch stark dezimiert und teilweise auch bedrohlich gefährdet. Arnhem-Land gehört zu den größten Naturgebieten der Welt, in denen seltene und geschützte Tiere leben. Beim jetzigen Stand jedoch könnten ein paar tausend Ureinwohner, die als ausgezeichnete Jäger gelten und mit modernsten Jagdwaffen und Geländewagen ausgerüstet sind, die gesamte hiesige Tierwelt vernichten.

Professor Messel meint, und dabei stützt er sich auf seine langjährigen Studien in diesen Gebieten, daß dieser Zustand sehr bald eintreten könnte. Die Krokodile beispielsweise würden wegen ihrer wertvollen Häute schon fast gänzlich ausgerottet. Gab es früher in Australien Millionen dieser Tiere, so leben heute nur noch ein paar Tausend. Die Gattung Crocodylus porsus hält sich ausschließlich in salzhaltigen Meeresgewässern auf und gehört zu einer fossilen Art, die in den letzten 200 Millionen Jahren Habitus und Lebensart kaum änderte. Lebewesen, die aus der Zeit der Dinosaurier stammen, dürfen nicht vernichtet werden, ohne daß sich jemand rührt. Sollen die »lebenden Fossilien« der Ausrottung preisgegeben werden? Die veränderten Lebensbedingungen der Aborigines haben auch ihren früheren angeborenen Sinn für den Naturschutz in Frage gestellt. Früher gehörte der Speer zu ihrer traditionellen Waffe, marschierte der Jäger zu Fuß oder ruderte auf dem Fluß im Einboot. Früher wanderten die Stämme von Ort zu Ort, lebten sie im Einklang mit der Natur und stellten selbst einen unzertrennlichen Teil der Umwelt dar, trugen sie zum natürlichen Gleichgewicht bei.

Doch heute überredet der weiße Mann ihn, viele Tiere zu erlegen, mit denen er dann Handel treibt. Er bringt ihm bei, daß man alles verkaufen kann, ganz gleich, ob Fisch, Schildkröte oder Emu, alles, ohne jede Schwierigkeit. Man schießt auf alles, was da kreucht und fleucht. Einst lebten in diesen Breiten die verschiedensten Tiere, jetzt ist das Land fast tot und leer. Früher war es eine Freude, die fischreichen Flüsse, die zahlreichen Wasservögeln gute Lebensbedingungen boten, entlangzurudern. Heute gehen die Fischvorräte rasch zur Neige, und trotzdem bringt man den Ureinwohnern immer noch bei, wie man Laichplätze ausbeuten kann, auch wenn dabei alles ausgerottet wird. Natürlich werden kurzzeitig große Gewinne erzielt, die aber auf längere Dauer teuer bezahlt werden müssen.

Und was geschah, als die Bagger in die »Zeit der Träume« eindrangen? Durch die Fenster des Flugzeuges wird einem die riesige Weite der Halbinsel York im Norden des Landes bewußt. Weipa, eine kleine Siedlung, ist in dieser verlassenen Einöde, die an Umfang manchen europäischen Staat übertrifft, wohl die einzige menschliche Spur. Ein Europäer empfindet diesen von der Sonne ausgedörrten, von Insekten gequälten und vom übrigen Land und der Welt abgeschnittenen Teil Australiens nur vom Flugzeug aus als attraktiv und exotisch. Hier zu leben ist dagegen sehr, sehr schwer. Und doch hielten sich die Ureinwohner des Aurukunstammes schon vor 30 000 Jahren in diesen Gebieten auf.

60 Meilen von Weipa entfernt, bilden drei kleinere Flüsse an der Südküste eine Art Delta. In der Aurukunsprache heißt dieser Winkel »Stelle mit viel stehendem Wasser«. Die zu diesem Stamm gehörenden Menschen sind hochgewachsen und gutaussehend. Sie bewohnen Gebiete, die sich 150 Kilometer entlang der Küste tief ins Land hineinziehen.

Die Mythen, Bräuche und religiösen Vorstellungen, die noch heute, zu Beginn der 80er Jahre, in diesen Gegenden bestehen, gehen auf Zeiten frühester Erinnerungen zurück. Auch wenn die Kontakte mit den Weißen schon seit langem aktuell sind, so scheint trotzdem, daß Stammeshierarchie und Familientraditionen sowie Sprache und Bräuche bis auf den heutigen Tag erhalten blieben. Geht diese Kultur zugrunde?

Als portugiesische Seefahrer 1623 zum ersten Mal in diesen Gegenden erschienen, fielen ihnen die roten Felsen auf. Doch man erfuhr erst in unserem Jahrhundert, daß es sich um Bauxit handelt, den Rohstoff zur Gewinnung von Aluminium. Die Aurukun saßen buchstäblich auf Bauxit.

In Weipa, einst ein winziger Punkt auf der Landkarte, leben heute 10 000 Menschen. Es werden hier im Jahr 10 Millionen Tonnen Bauxit gefördert, und die Geologen berechneten, daß die Vorräte noch 200 Jahre reichen werden. Französische, amerikanische und niederländische Konzerne setzten riesige Bulldozer und Greifer in Bewegung, die das Gelände der Aurukun aufrissen. In Kürze wird das gesamte Land einem einzigen Bau- und Bergwerksgebiet gleichen. Der Stammesälteste klagt: »Wir haben ein Recht auf dieses Land, wir sind hier geboren und groß geworden. Unsere Großväter und die Großväter unserer Großväter wanderten durch dieses Land. Alles, was es hier gibt, gehört uns.«

Inzwischen verließ der Aurukunstamm seine Jagd- und Fischgründe. Man macht sich Sorgen um die Zukunft, die durch den Bergbau gezeichnet ist. Nur noch 800 Aurukun, die einst in einem paradiesischen, von einer üppigen tropischen Pflanzenwelt bedeckten Land lebten, zogen ins Landesinnere. Der Stamm verwaltet sich selbst, und seine einzige Verbindung mit der Außenwelt besteht in den Rundfunkübertragungen von der Donnerstaginsel. Es gibt zwar eine primitive, unbefestigte Straße nach Weipa, doch diese wird kaum benutzt. Es scheint, daß diese Isolation die traditionelle Lebensweise des Aurukunstammes begünstigte. Ganz zweifellos wurde dadurch ein Zustrom von weißen Siedlern erschwert, denen es große Mühen bereitete, sich unter den primitiven Bedingungen und in diesem beschwerlichen Klima zu behaupten.

Der einsetzende Bergbau mußte sich zwangsläufig auf diese Lebensweise auswirken. So war es in Weipa, so entwickelte sich die Situation in den anderen Gegenden. Weipa beispielsweise veränderte sich in den letzten zwanzig Jahren grundsätzlich. Dort, wo sich einst ein dichter tropischer Urwald ausbreitete, steht heute eine moderne Stadt mit breiten Straßen, Eisenbahn, großen Industriewerken, Halden, aufgewühlter Erde. Die Ureinwohner, denen diese Gebiete einst gehörten, leben jetzt am Rande der Stadt in Fertighäusern, die ihnen die Weißen errichteten, in einem modernen Reservat. Die Industrie- und Bergwerke legen keinen Wert auf ihre Arbeitskraft. Ihrer natürlichen Lebensgrundlage beraubt, auf eigenem Land nur geduldet, so breiten sich Verzweiflung und Alkoholismus aus. Zur Vergangenheit gehört jetzt auch das stolze Auftreten, das die australischen Ureinwohner immer auszeichnete.

Die Angehörigen des Aurukunstammes sind voller Unruhe. Was wird mit ihren heiligen Opferstellen? Bringt die neue Entwicklung den dunkelhäutigen Menschen die erwarteten Vorteile?

Petitionen an die Bundesregierung, von den meisten Stammesmitgliedern oftmals nur durch einen Fingerabdruck gekennzeichnet, weil viele Analphabeten sind, sollten eine Wende bringen. Die Bundesregierung reagierte schnell und bestimmte, daß die Ureinwohner in ihren Reservaten das Recht besäßen, über ihr eigenes Schicksal zu entscheiden. Queensland war noch zu Beginn der 80er Jahre der einzige Bundesstaat, der den Aborigines das Recht verweigerte, über ihren Grund und Boden zu bestimmen. Die Regierung dieses Bundesstaates hält noch viele Ureinwohner in Reservaten fest, und ihre Gesetze und formalen Verordnungen beschränken in einem nicht zu übersehenden Maß deren Bewegungsfreiheit. So gibt es besondere Polizeistunden und das Recht der Behörde, zu jeder Tages- und Nachtzeit die Häuser der Reservatbewohner zu kontrollieren. Es gibt sogar Vorschriften, die den Bierkonsum regulieren. Geistiger Vater dieser diskriminierenden Politik ist der Premier des Bundesstaates Queensland, Johannes Bjelke Petersen, ein Däne von Geburt, der allgemein »Premier Joh« genannt wird und sich mit der Bundesregierung nicht nur wegen der Ureinwohner, sondern auch wegen anderer brisanter Probleme in ständigem Streit befindet.

Man hört oft die Meinung, daß die Ureinwohner durch die industrielle Entwicklung nur gewinnen könnten, daß man allerdings sehr vorsichtig vorgehen müsse und nicht nur an die materiellen Vorteile denken dürfe. Reißt ein Baggerfahrer einen alten Baum aus dem Boden, so hat er keine Ahnung, daß er nach dem Glauben der Aborigines ein Wesen mit eigener Seele vernichtet. Mit anderen Worten: Wenn er den Baum umstößt, tötet er auch seine Seele. Die hier wirkenden Missionare wissen das sehr genau. Und so sagte einer – übrigens der erste schwarzhäutige australische katholische Geistliche – folgendes dazu: »Die Stammesgebiete für eine gewöhnliche Wüste zu halten wäre dasselbe, als würde man den Katholiken sagen, die Peterskirche in Rom sei eine einfache Scheune. Die Stammesgebiete müssen als Existenzgrundlage dieser Menschen angesehen werden. Es ist das Land, in dem man lebt, das aus Himmel, Wolken, Flüssen, Bäumen, Wind, Sand besteht. Und natürlich gehören die Geister dazu, die all diese Dinge schufen, einschließlich des Menschen. Ich und meine Stammesbrüder empfinden die Bedeutung des Landes in gleicher Weise. Die Erde sicherte nicht allein die physische Existenz, sie ist für uns auch die geistige Kraft unseres Daseins. Und immer wieder gibt es neue Geschichten im Zusammenhang mit diesem Land, Geschichten, die von Generation zu Generation überliefert werden.«

Eine dieser Geschichten, eine sehr traurige, wollen wir vernehmen. Da lebten einst ein Mann und eine Frau viele Jahre in absoluter Einsamkeit und unter den schwierigsten Bedingungen in der Gibson-Wüste im Staat Westaustralien. Sie waren die letzten Überlebenden ihres Stammes. Als eine dreijährige Dürreperiode ihr Leben bedrohte, rettete eine Expedition sie im letzten Augenblick vor dem sicheren Tod. Und so erfuhr man die traurige, wenn auch romantische Geschichte der beiden schwarzhäutigen Einsiedler.

Als erstes erblickten die Expeditionsteilnehmer eine einzelne Gestalt, die sich langsam in östlicher Richtung bewegte, einen älteren, völlig nackten Mann, der in einer Hand einen Speer und in der anderen ein Stück Holz hielt, das seit Jahrtausenden zum Entfachen des Feuers benutzt wurde. Als sie sich ihm näherten, war der Ureinwohner gerade dabei, trockene Grasbüschel anzuzünden, und so sehr beschäftigt, daß er die Ankommenden nicht bemerkte. Vor ihm und hinter ihm stiegen Rauchsäulen in den Himmel, und immer wieder blitzte ein Feuerschein auf, wenn er die dürren Büschel entzündete: Der letzte Angehörige des Mandjildjara-Stammes, der seinem Stammesgebiet treu geblieben war. Vielleicht war es nach 30 000 Jahren überhaupt der letzte schwarze Australier, der nach der Weise seiner Urahnen lebte, abseits von weißen Siedlungen, abseits von Reservaten und Lagern, der letzte echte australische Nomade. Alles das geschah zu Beginn des Jahres 1978. Diesem schwarzen Mann war die Welt des Weißen völlig fremd. Er kannte weder die Probleme des Alkoholismus noch die düsteren Slums der Ureinwohner in den Vororten der großen Städte oder die Konfliktsituationen, denen seine dunkelhäutigen Landsleute ausgesetzt waren, wenn sie entweder mit den Weißen lebten oder durch Ghettos von ihnen getrennt waren. Die Welt und das Leben dieses schwarzen Mannes bestand aus einem ununterbrochenen Kampf gegen Dürre und Hunger.

Die australische Expedition bewegte sich seit Tagen durch ein hügeliges, monotones Wüstengebiet und verfolgte voller Staunen die Ausdauer des schwarzen Mannes, sein Geschick zu jagen und selbst in diesem Gelände Nahrung zu finden. Nach einiger Zeit bemerkte man, daß auch noch eine Frau zu ihm gehörte. Waren die beiden, der Mann und die Frau, in dieser öden, grenzenlosen Weite wirklich die letzten Anwesenden ihres Stammes? Weshalb zogen sie es vor, im Herzen der Gibson-Wüste zu leben und sich nicht dem Stamm anzuschließen, als dieser beschloß, in lebensfreundlichere Gebiete zu ziehen?

In den unwirtlichen Breiten Westaustraliens, die durch die ausgetrockneten Seen, die Große Sandwüste und die riesige Victoria-Wüste gekennzeichnet sind, reichen die Sanddünen bis zum Horizont. Einst lebten hier verschiedene ethnische Gruppen, die sich alle einer gemeinsamen Sprache bedienten, der Sprache der Westwüste.

Heute ist dieses Land ausgestorben, leer. Rauchsäulen steigen nicht mehr zum Himmel wie früher, als die Ahnen in der »Zeit der Träume« mit trockenen Grasbüscheln Feuer entfachten. Niemand sorgt sich mehr darum, die kleinen Wasserstellen und primitiven Brunnen vor einer Versandung oder einem Einsturz zu schützen und sie für Mensch und Tier zu erhalten. Das alles ist längst vorbei. Oberflächlichen Beobachtern fällt überhaupt nicht mehr auf, daß in diesen Gebieten einst Menschen lebten. Sie hinterließen auch keine geschriebenen Geschichten ihrer Stämme, weil sie sich ausschließlich des gesprochenen Wortes bedienten und eine Schrift nicht kannten. Erzählungen über die Vorfahren, ihre Mythen und Legenden, über ihre heiligen Kultstätten, ihre überaus komplizierten gesellschaftlichen Stammesbeziehungen sind nur noch den Stammesältesten bekannt, die am Rande der Siedlungen leben. Sie sind die Historiker ihres Volkes, und wenn sie für immer in das »Land der Träume« abtreten, geht mit ihnen auch der reiche Folkloreschatz der Ureinwohner dieser Wüstengebiete verloren.

Nachdem die weißen Siedler fast das ganze Land für sich in Anspruch genommen hatten, blieben nur noch wenige Gebiete übrig, in denen man das Leben in traditioneller Weise ungestört weiterführen konnte. Zu einem dieser Gebiete gehörte auch die Gibson-Wüste. Bis in die Mitte unseres Jahrhunderts war sie nahezu unberührt und ein idealer Siedlungsplatz für die Aborigines. Doch nach dem zweiten Weltkrieg bahnte sich die Veränderung an. Die Ureinwohner verließen ihr angestammtes Gebiet. Nur eine kleine ethnische Gruppe blieb im Land ihrer Vorfahren zurück und lebte nach den traditionellen sozialen Prinzipien. Es waren aber zu wenige Menschen, um die alte Lebensweise auch dann beizubehalten, wenn man in Zeiten langanhaltender Dürren den Regen beschwören mußte oder wenn das jagdbare Getier ausblieb und man in den Jagdgebieten durch entsprechenden Zauber für eine Vermehrung der Tiere sorgen mußte.

Das ohnehin schwere Leben in der Gibson-Wüste wurde unerträglich. In den letzten Jahren verließen schließlich die letzten schwarzen Australier den westlichen Teil der Gibson-Wüste. Zurück blieben nur zwei Menschen: Warri Kyangu und seine Frau Aatungka aus dem Stamm der Mandjildjara. Sie weigerten sich, mit den anderen zu gehen und das Land ihrer Ahnen zu verlassen, das Land, mit dem sie sich so stark verbunden fühlten. Dazu kam, daß der Mann und die Frau früher einmal das Stammesgesetz verletzt hatten, was ihnen die Stammesältesten nie verziehen. Wären sie mit dem Stamm gezogen, hätten sie wegen ihrer Zuneigung, die sie seit ihrer Jugend zueinander hegten, in der Nähe der Weißen im fremden Land abseits von ihrem Stamm leben müssen. Warri Kyangu und Aatungka beschlossen deshalb, auch zukünftig durch das Wüstenland ihrer Ahnen zu ziehen, hier zu jagen und ihre Lager an Wasserstellen aufzuschlagen. Doch dann setzte die Zeit einer langen tödlichen Dürre ein. Die kleinen Wasserstellen trockneten total aus, Vögel und Tiere verließen die Wüste oder starben. Das Leben wurde immer schwerer. Man mußte dem Boden jeden Wassertropfen abringen, sehr tief graben und bei der Suche nach eßbaren Wurzeln, Beeren und Insekten immer weitere Wanderungen unternehmen. Drei Jahre hindurch fiel kein Regen, und man sorgte sich immer mehr um das Schicksal des einsamen Paares, das in der Wüste zurückgeblieben war. Jahre waren vergangen, seit man es das letzte Mal gesehen hatte.

1976 machte sich eine australische Expedition in die Gibson-Wüste auf und drang bis zum erwähnten Stammesgebiet vor. Als sie nach Wilun zurückkehrte, berichtete sie dem Ältestenrat des Stammes, von weitem am Horizont Rauchsignale gesehen zu haben. 1977 brach eine weitere Expedition auf. Man hatte zwar vor, erst in nördlicher Richtung zu marschieren und erst danach die Stammesgebiete aufzusuchen, ließ sich aber umstimmen, als die Stammesvertreter meinten, es würde dann zu spät sein. Und so verzichtete man auf den seit langem vorbereiteten Expeditionsplan und brach in Richtung des vermißten Paares auf. Als Spurensucher nahm man das Stammesmitglied Mudjon mit. Mudjon gehörte dem Stamm Mandjildjara an, kannte sich in den Stammesbräuchen gut aus und galt als Chronist der Stammestraditionen. Früher einmal waren Warri und er als junge Männer gemeinsam durch die Wüste gezogen. Deshalb hatten die Stammesältesten auch Mudjon beauftragt, Warri und die junge Frau zu verfolgen, als sie das Stammesrecht verletzt und die Flucht ergriffen hatten. Jetzt sollte er sie abermals aufspüren, aber nicht, um ein Stammesurteil zu vollstrecken, sondern um ihr Leben zu retten.

Die Expedition zog zwei Wochen lang durch die Wüste, bevor sie das hügelige Gelände Kata-Kata erreichte, wo man die beiden Gesuchten vermutete. Niedergebranntes Gras erwies sich als untrügliches Zeichen, daß sich hier vor kurzem Menschen befunden hatten.

An der Quelle von Wallogoobal entdeckte Mudjon das erste Mal Abdrücke von menschlichen Füßen. Sie gehörten zweifellos Warri und Aatungka. Sie hatten hier gelagert und Spuren einer Feuerstätte sowie einen primitiven Windschutz aus Gras und Zweigen hinterlassen. Auch einen Grabestock, mit dem sie in der Erde nach Wurzeln gesucht hatten, fand Mudjon. Ihre Spuren führten über Sanddünen in nördliche Richtung weiter. Der schwarze Pfadfinder erfuhr aus den Zeichen, daß sowohl die beiden Einsiedler als auch ihre Hunde – sie hatten Dingo-Hunde gezähmt – am Ende ihrer Kräfte waren und sich in einer ganz schlechten körperlichen Verfassung befanden.

Das alles kann man nur entdecken, wenn man über die tausendjährigen Erfahrungen der Ureinwohner verfügt. Ich war bei meiner Reise durch Australien selbst einmal Gegenstand einer speziell organisierten Verfolgung. Der dunkelhäutige Polizist konnte aus den im Sand hinterlassenen Spuren nicht allein mein Gewicht und meine Größe, sondern auch die Geschwindigkeit, mit der ich mich bewegte, und meinen physischen Zustand feststellen. Das sind für uns vielleicht unglaubwürdige Dinge, doch die Ureinwohner, wenigstens jene, die noch die alten Tugenden der Jäger und Sammler bewahrt haben, sind wirklich ganz hervorragende Spurensucher.

Die Expedition wanderte indessen von einer Wasserstelle zur anderen, und die Spuren deuteten immer auf das gleiche hin: das Graben nach Wasser und der Aufbruch in nordwestliche Richtung, wenn die Quelle versiegt war. Auf die Frage, ob sich denn in diesen Gegenden eine unversiegbare Quelle befände, meinte Mudjon, daß es früher, als die Stämme noch mächtige Götter beschwören konnten, in Notzeiten Regen vom Himmel zu schicken, tatsächlich eine solche Wasserstelle gegeben hätte. Doch heute dürfte die Quelle von Karinarri ausgetrocknet sein, da es ja niemanden mehr gab, der Regen machen konnte.

Bis Karinarri war es ein weiter Weg. Viele Sanddünen und Täler mußten überwunden werden, und Mudjon zweifelte, ob das Einsiedlerpaar in seinem beklagenswerten Zustand in der Lage war, eine so lange Wanderung zu überstehen.

Wenn Mudjon auch noch weitere Grasbüschel verbrannte und Rauch zum Himmel schickte, so tat er es doch ohne große Hoffnung. Sicherlich hatte er sich damit abgefunden, seinen Jugendfreund nicht mehr zu sehen. Trotzdem hielt er immer wieder von den Hügeln Ausschau und erblickte eines Tages am Horizont eine schmale Rauchsäule. Also mußte jemand die lange Dürrezeit und den weiten Weg nach Karinarri überlebt haben. Jedermann war gespannt und hoffte, die Vermißten am Leben zu finden. Zugleich erhob sich die Frage, ob die Einsiedler auch weiterhin die Einsamkeit vorzogen oder sich entschlossen, mit der Expedition zivilisierte Gegenden aufzusuchen.

Nach Tagen entdeckte der Suchtrupp eine einsame Gestalt in der Wüste: Warri. Er befand sich in einem beklagenswerten Zustand, erschöpft, abgemagert und am ganzen Körper mit Wunden, Schorf und Narben bedeckt. Am Schädel sah man die Spur eines starken Schlages. Sein rechtes Bein mußte ihn sehr schmerzen, denn er humpelte und stützte sich auf einen Speer. Warri hatte die lange Trockenzeit, das Ausbleiben von Wasser und eßbaren Dingen mit einem hohen Preis bezahlen müssen. Er teilte Mudjon mit, daß auch seine Frau noch lebte. Ihr Lager bestand aus einer Feuerstelle und einem primitiven, aus Zweigen und Gras hergestellten Zaun, der sie vor kalten Winden schützte. Und alles, was sie besaßen, waren: ein paar Holzspeere, ein Messer, ein kleines Beil, zwei hölzerne Schüsseln, ein langer Grabestock und eine verrostete Konservendose. Sie waren völlig unbekleidet und wärmten sich nachts an einem kleinen Feuer, in das sie sparsamst Holzstückchen legten. Auch Aatungka befand sich in einem schlechten gesundheitlichen Zustand, war aber noch jünger und kräftiger als ihr Mann. Deshalb suchte sie auch meist allein nach Nahrung oder stieg in die ausgetrockneten Wasserstellen hinab, um auf dem Grund abgestandenes, übel riechendes Wasser zu sammeln. Ganz sicherlich überlebte Warri nur durch die Hilfe seiner Frau. Doch beide waren sich darüber im klaren, daß sie hier nicht länger leben konnten, wenn kein Regen fiel. Sie hatten zwar die Wasserstelle erreicht, doch auch diese Quelle war fast ausgetrocknet. Und von Karinarri gab es keinen Weg mehr zu einer anderen Wasserstelle und damit auch keine Hoffnung auf ein Überleben.

Ob sie in der Wüste bleiben wollten? Sie antworteten, ohne zu überlegen: Nein, lieber kehrten sie zu ihrem Stamm zurück. Sie waren beide zu alt und zu schwach, um in der Wüste ohne die Hilfe ihres Volkes leben zu können.

Als die Expedition wieder in Wilun eintraf, wurden Warri und Aatungka von ihren Freunden und Verwandten mit großer Freude empfangen. Nach den Wochen der Genesung aber befiel die beiden Unruhe und Trauer. Sie verstanden die seltsame Welt nicht mehr, in der sie sich am Ende ihres Lebens plötzlich befanden. Sie erkannten ihren eigenen Stamm nicht mehr, in dem die alten Bräuche verschwunden waren. Da gab es keine Achtung mehr vor den Gesetzen, die früher von den Stammesältesten so streng gehütet und von den Jungen anstandslos befolgt wurden. Sie erschraken vor der vernichtenden Wirkung des Alkohols, vor dem Verlust der Würde und Selbstsicherheit der einst so stolzen Menschen. Und sie trauerten der Wüste nach, durch die sie ihr ganzes Leben gezogen waren. Die Wüste war ihre Heimat, ihr Körper und ihre Seele, denn sie stammten aus dem Land der Seelen, die die Stammesgebiete beherrschten, und sie kehrten nach dem Tode in das Land dieser Seelen zurück. Warri und Aatungka wußten, daß sie ihr altes Leben nicht mehr weiterführen konnten, weil alte und kranke Menschen auf die Hilfe von jungen, starken und gesunden Menschen angewiesen waren. Eine Rückkehr zur Einsamkeit in der Wüste aber würde den sicheren Tod bedeuten.

Die Ureinwohner müssen ein Gefühl der Schwäche und Hoffnungslosigkeit erleben. Tatenlos müssen sie den Verfall ihrer uralten Gesetze akzeptieren, dem Zerfall der Stammesgemeinschaft zuschauen. Das Leben ihrer Ahnen ist nur noch ein Traum, ein unerfüllbarer.

Die geschrumpfte Landkarte

Der Chef eines Londoner Taxiunternehmens begab sich gerade zum Lunch, als das Telefon klingelte: »Mister, da ist jemand, der nach Australien fahren will. Was kostet die Fahrt?«

»Bist du betrunken? Steig sofort aus dem Wagen, ich komme selbst. Wo stehst du?«

Der Taxifahrer aber war nüchtern, und wirklich und wahrhaftig saß im Wagen eine Dame, die nach Australien fahren wollte. Ihr Sohn, der seit vielen Jahren dort wohnte, hatte sie eingeladen, und sie meinte nun, daß man eine solche Reise nur einmal im Leben unternehme und sich deshalb unterwegs alles genau ansehen müsse. Beim Flug mit einem Düsenklipper war das natürlich nicht möglich.

Tatsächlich übernahm das Londoner Taxi diese Fahrt. Setzte mit der Fähre auf den Kontinent über, fuhr quer durch Europa bis in die Türkei, dann einige Tausende Kilometer durch Asien bis nach Singapur. Hier war die Straße zu Ende, nun wartete das Meer. Sehr zufrieden mit der bisherigen Reise, begab sich die englische Lady auf ein Schiff mit Ziel Australien. Der Fahrer aber verkaufte das Taxi und kehrte mit einem Flugzeug nach London zurück. Eine so weite Tour machte er so bald nicht wieder.

Man muß sich die »Tyrannei der Entfernung« einmal ganz eingehend bewußt machen. Das Land dort unten auf dem Globus liegt weiter als weit, und so führt manches eben auch zu außergewöhnlichen Situationen.

Das australische Telefonamt bietet seinen Kunden einen breit gefächerten Service an. So registrierte man in Melbourne in nur einem Jahr eine halbe Million Verbindungen mit dem automatischen Märchenerzähler. Es war der größte finanzielle Erfolg des Amtes. Daneben können auf Bändern auch noch Kochrezepte, Gebete, Börsenkurse und Bibelgeschichten gehört werden. Am meisten aber ist die Zeitansage gefragt. Als sie 1954 eingeführt wurde, rief man sie allein in Melbourne in einem Jahr 76 Millionen Mal an. Für den Historiker unserer Zeit ist vielleicht auch von Interesse, daß die meisten Anfragen nach der Uhrzeit aus den Büros kurz vor Dienstschluß erfolgten. Informationen über Börsenkurse holte man vor allem in der Zeit der Entdeckung von neuen Erzvorkommen ein, als auf den Börsen phantastische Transaktionen, oftmals mit spekulativen Absichten, getätigt wurden. Stammkunden der Telefonauskunft sind die Wettliebhaber auf den Rennplätzen. Sie erkundigen sich nach dem Zustand der Rennbahnen, der Gesundheit der Pferde, um erst danach ihren Einsatz zu bieten. Über das Telefon erfahren sie auch die Ergebnisse der Rennen und die Höhe der Gewinne.

Von jeder Telefonzelle und fast von jedem Telefonapparat aus kann man eine Direktverbindung mit den Ländern im pazifischen Bereich und auch mit beinahe ganz Europa herstellen. So kann also folgende Story passieren, die sich im Jahre 1976 ereignete und bei der Polizei und Krankendienst das Leben einer Frau in einem kleinen englischen Städtchen retteten. Ihr Sohn, der in Australien lebte, hatte in England die Alarmnummer 999 angerufen. Der Leiter des Rettungsdienstes in Basingstoke berichtete: »Als der Teilnehmer sich vorstellte und mitteilte, daß er aus Australien telefonierte, dachte ich im ersten Augenblick, es sei ein dummer Scherz. Doch wir müssen allen Hilferufen nachgehen, sie ernst nehmen.« Wie es sich erwies, hatte der Mann aus Australien seine Mutter in einem Augenblick angerufen, als diese sich mit Tabletten das Leben nehmen wollte. Und während er mit ihr auf einem Apparat sprach, ließ er sich auf einem anderen mit der Polizei und dem Rettungsdienst verbinden. Der Rettungswagen fuhr sofort los. Man brach die Tür auf und fand die Frau bewußtlos im Bett, den Telefonhörer in der Hand. Der Sohn war noch am Apparat, er fragte aus dem weiten Australien nach dem Befinden seiner Mutter. Der Leiter des Rettungsdienstes sagte: »Ich fühlte mich erleichtert, als wir ihm die Rettung seiner Mutter mitteilen konnten. Er war sehr dankbar.«

Ein Fachmann des australischen Postamtes meinte, daß das australische Direktsystem die Nummer 999 in England zwar nicht verbände, daß im vorliegenden Fall aber die Zentrale für Ferngespräche die Verbindung unbürokratisch hergestellt hätte.

1976 stellten Spezialisten des Königlichen Hospitals von Melbourne eine Diagnose nach einem Elektrokardiogramm, das aus Moskau übermittelt wurde. Man bediente sich dabei eines neuen Gerä-

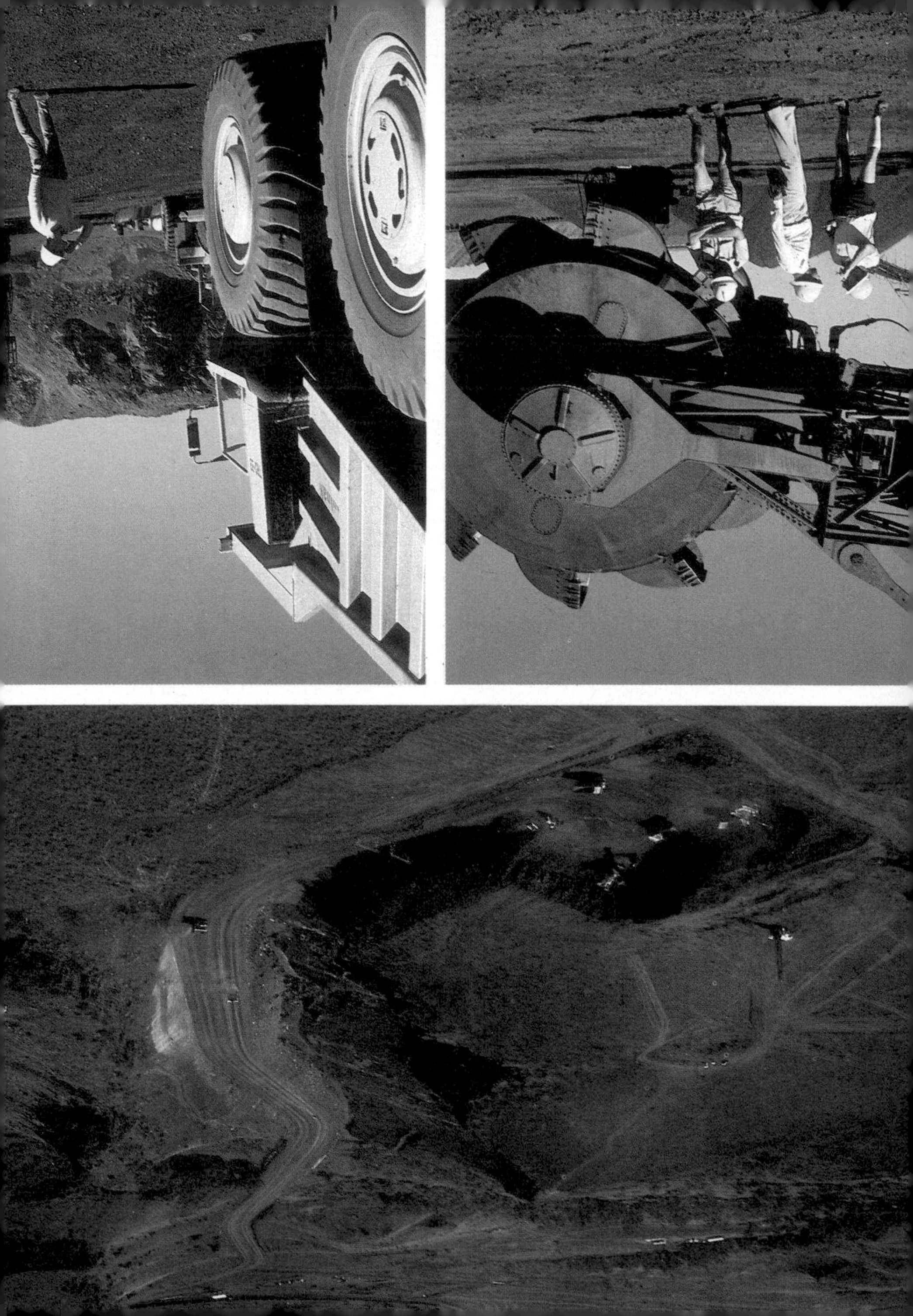

Vorhergehende Seite: Eisenerztagebau in Mount Newman
Riesige Eisenerzfunde im Bundesstaat Westaustralien machten diese ansonsten unwirtliche Pilbara-Region zu einem der wirtschaftlich wichtigsten Gebiete. Rechts: Die Hamersley-Kette, das Gebiet mit den reichsten Vorkommen an Eisenerz

Vorhergehende Seite: Siedlungen und Straßen sind Voraussetzungen für die Erschließung der natürlichen Ressourcen.
Goldwäsche ist heute vor allem eine Attraktion für Touristen. Die Silbergewinnung jedoch wird industriell betrieben.
Rechts: Broken Hill, die legendäre Goldgräberstadt

tes, das den Herzrhythmus so umwandelte, daß dieser durch das Telefon mitgeteilt werden konnte. Ein zweites Gerät, das an der Empfangsstelle installiert war, verwandelte die telefonischen Daten in ein gewöhnliches Elektrokardiogramm. Diese Versuchssendung dauerte eineinhalb Minuten und wurde von einer medizin-technischen Ausstellung in Moskau übertragen.

Heute gibt es in Australien schon mehrere Hundert dieser Geräte, vor allem in kleinen Ortschaften, in denen Spezialisten auf diesem Gebiet fehlen. Aus den modernen Hospitälern teilen Ärzte ihren Kollegen in den abgelegenen Gebieten telefonisch die gewünschte Diagnose mit. Teilweise besitzen Patienten selbst schon solche Geräte, die einen direkten Kontakt zum behandelnden Arzt haben.

Australiens Landkarte schrumpfte merklich zusammen, als die ersten Flugzeuge mit lautem Gedröhn über dem Land erschienen. Diese Entdeckung schien wie eigens für Australien gemacht, jedenfalls dauert die Liaison der Australier mit den Flugzeugen bis zum heutigen Tag an. Was wäre Australien ohne den Flugdienst, ohne Luftpost und ohne Flugverbindung mit der übrigen Welt?

Der internationale Flughafen Kingsford Smith bei Sydney ist wirklich ein bemerkenswertes Unternehmen. Die Flugabfertigung wird zwar von 23 Uhr bis 6 Uhr lahmgelegt, denn die Nachtruhe der Anlieger soll durch die Düsenmaschinen nicht gestört werden, doch am Tag ruft man hier in kurzen Folgen Flüge nach allen größeren Städten der Welt auf. Die Maschinen stellen sich artig in Reih und Glied auf und machen sich zum Sprung über sieben Meere und sieben Länder fertig.

Auch für mich begann mein Australienabenteuer mit diesem Flugplatz. Eine Maschine der Air France brachte mich von Neukaledonien nach Sydney, und damals kannte ich in ganz Australien keinen einzigen Menschen.

Ein wenig verwirrt stand ich vor einem braungebrannten Herrn, der unter einer Tafel mit der Aufschrift »Zoll Ihrer Königlichen Majestät« amtierte. Ohne ein Wort zu sagen, griff er in meine Reisetasche und zog einen französischen Kriminalroman hervor, den ich in einer Buchhandlung von Papeete auf Tahiti gekauft hatte. Zum Lesen hatte ich keine Zeit gefunden, denn erst wurde im Flugzeug ein Film gezeigt, dann folgten Mittagessen und ein Nickerchen und kaum aufgewacht, gab es bereits wieder Attraktionen auf der Leinwand und auf dem Tablett. Ich weiß bis heute nicht, wie der Roman ausging, wer der Mörder war, denn das Buch bekam ich nie wieder zu Gesicht.

Der Zollbeamte ergriff den Band voller Abscheu mit zwei Fingern.

»Hören Sie, es ist doch nur ein gewöhnlicher Kriminalroman.«

»Für Sie vielleicht, für mich ist es Porno! Der Nächste bitte!«

Inzwischen haben sich die Zeiten geändert, und die Moral hat sich gelockert. Heute kann man in Australien Literatur kaufen, die vor einigen Jahren noch streng verboten war.

Auf dem Flugplatz Kingsford Smith suchen die Zollbeamten auch nach Rauschgift, Lebensmitteln, Pflanzen und anderen verbotenen Dingen.

Doch wie auch immer, die Franzosen beförderten mich von Warschau bis nach Sydney und auch wieder zurück auf der Route über Südostasien. Bei diesem Flug um die Welt »verlor« ich, als wir die internationale Zeitgrenze passierten, einen Tag meines Lebens. Als ich mich darüber scherzhaft bei der Direktion beschwerte und den verlorenen Tag reklamierte, gab mir ein freundlicher Beamter der Air France, ebenfalls lächelnd, zu verstehen, daß ich den Tag wiederfinden könne, wenn ich mich entschlösse, nicht über die USA und Ozeanien, sondern in umgekehrter Richtung zu fliegen.

Man sollte den alten Brauch ehren, der da sagt, daß man bei der Wanderung auf alten Pfaden jener gedenken sollte, die diese Pfade als erste beschritten.

Es fällt beim Studium von australischen Sitten und Bräuchen auf, daß die Australier nie die Neigung verspürten, ihren Helden Denkmäler zu setzen.

Typisches Beispiel dafür ist Harry George Hawker, ein Rennfahrer, Segler, Flugzeugkonstrukteur, Pilot, Inhaber vieler Rekorde, Begründer einer bekannten Flugzeugfabrik. Doch in Australien erwähnt man ihn kaum, wiederholt man nicht die ausgefahrenen Phrasen: Ein Mensch, der vor seiner Zeit geboren wurde! Ein Mensch, der in die Zukunft blicken konnte! Und trotzdem, der Mann ist wert, nicht vergessen zu werden, vor allem wegen seines ungewöhnlichen Mutes, der manchmal an Wahnsinn grenzte.

Hawker war Sohn eines Schmieds. Er wurde im Staat Victoria geboren und machte sich als junger Mann nur deshalb nach England auf, weil er seit seiner Kindheit von der Fliegerei träumte. Er nahm verschiedene Arbeiten an, auch die primitivsten, die ihm einen Stundenlohn von 7 Pence einbrachten. Mit 12 Jahren schuftete er in einer kleinen Mechanikerwerkstatt für Flugzeugteile. Arbeitete aber dann in einer größeren Flugzeugwerft. 1912 wurde er Instrukteur einer Luftfahrtschule, und einer seiner Schüler war der spätere Lord Trenchard, der als der Begründer der Königlichen Luftstreitkräfte, der RAF, gilt. Sein Höhenrekord von 3 245 Metern mag uns heute lächerlich erscheinen, doch es waren damals andere Maschinen und andere Helden.

Hawker startete in vielen Wettbewerben und auch als Versuchspilot. Einmal stürzte er ins Meer ab, doch vorher überflog er noch eine Yacht, auf der sich der damalige Erste Lord der Admiralität, Winston Churchill, befand. Churchill beobachtete den Flug und schrieb anschließend an die Redaktion: »Mister Hawker vollführte eine bemerkenswerte Tat. Der unglückliche Ausgang schmälert in keinem Fall seine Verdienste.«

In England hielt man Hawker für einen typischen Australier. In einem Feuilleton hieß es: »Die Australier mögen es nicht, daß der Erzbischof von Canterbury vor ihrem Start eine Messe für ihr Seelenheil abhält. Sie denken auch nicht daran zu sterben, bevor sie nicht alles getan haben, was in der Macht des Menschen steht, um diesen Zustand abzuwenden. Doch wenn es zu sterben gilt, dann halten sie es für eine genauso natürliche Sache wie eine Geburt. Doch anstatt die Zeit für die Sammlung von Maskottchen und das Ausknobeln von originellen Namen für ihre Maschinen zu vergeuden, spezialisieren sie sich in der Weiterentwicklung ihrer Flugzeuge und bemühen sich um die notwendigen Finanzen.«

Hawker unternahm unter anderem mit einem englischen Freund den Versuch, den Atlantischen Ozean zu überfliegen. Technische Mängel zwangen sie bei hohem Wellengang zu einer Notlandung auf der See. Ein dänischer Frachter nahm die Verunglückten auf. Das Schiff besaß jedoch keine Funkverbindung, und so galten die beiden Männer als verschollen. Ihr Schicksal erregte die Gemüter der Menschen, schreckte sie aber zugleich von der Möglichkeit eines regelmäßigen Luftverkehrs ab. Nach sechs Tagen erhielt Hawkers Frau aus dem Königlichen Palais in London ein Telegramm: »In der Annahme, daß man in bezug auf das Leben Ihres Gatten mit dem Schlimmsten rechnen muß, möchte der König angesichts des plötzlichen und tragischen Ereignisses sein tiefempfundenes Beileid zum Ausdruck bringen. Mit Mr. Hawker verliert das Volk einen der fähigsten und kühnsten Piloten, die ihr Leben für Ehre und Ruhm der britischen Luftwaffe einsetzten.«

Inzwischen erreichte der dänische Frachter Vanuatu und meldete, daß sich die beiden Männer an Bord befanden. Ein britischer Zerstörer übernahm die verunglückten Piloten und übergab sie einem Kreuzer, der sie nach Schottland brachte. Hier konnten die beiden in den Zeitungen ihre eigenen Todesanzeigen lesen.

Hawker aber ging mit der Konstruktion seiner Flugzeuge in die Geschichte der internationalen Luftfahrt ein. Die bekannteste war wohl die »Hawker-Hurricane«, die im zweiten Weltkrieg eine nicht unwesentliche Rolle spielte. Hawker erlebte diese Zeiten nicht mehr, er kam 1921 bei einem Versuchsflug mit einer neuen Maschine ums Leben.

Unsere Geschichte darüber, wie die Landkarte durch den Flugverkehr zusammenschrumpfte, bliebe unvollständig, wollten wir die australischen Überseebesitze übergehen. Die Liste ist lang, obwohl das riesengroße Territorium Papua-Neuguinea und die phosphatreiche kleine Insel Nauru bereits gestrichen wurden. Die Inseln sind erwachsen und können allein durchs Leben gehen, behauptet die australische Regierung.

Doch das, was übrigblieb, ist immer noch sehr groß. Es sollen an dieser Stelle nur zwei Gebiete erwähnt werden, die wirklich sehr weit voneinander entfernt sind und in denen es zum einen sehr kalt und zum anderen sehr heiß ist. Beim ersten Gebiet handelt es sich um die Antarktis, auf der seit vielen Jahren viele Menschen verschiedener Nationalitäten und Sprachen in friedlicher Absicht zusammenarbeiten und sich gegenseitig unterstützen, ohne miteinander zu konkurrieren. Hier ein Beispiel:

An einem kalten Wintermorgen landete ein sowjetischer Hubschrauber mit zwei Ärzten an Bord auf der australischen Station Davis, um einen Mitarbeiter, der einen vereiterten Zwölffingerdarm hatte, von hier aus in die 700 Kilometer entfernte Station Mirny zu bringen. Von Mirny brachte eine amerikanische Maschine der Station McMurdo den Kranken nach Neuseeland.

Von Ende Februar bis zum Dezember, wenn die drei australischen Stationen auf der Antarktis durch Schneestürme und Eisgang von der Welt abgeschnitten sind, wäre es nicht möglich gewesen. Wenn auch die ärztliche Betreuung in den australischen Stationen zufriedenstellend ist, so brauchten die Ärzte in dem besonderen Fall viel Blut für die Transfusion, das bei der kleinen Besatzungszahl, von denen nur zwei Mann die benötigte Blutgruppe hatten, einfach nicht reichte.

Die australischen Antarktisstationen verfügen über komplett ausgerüstete Operationsräume, EKG- und Röntgenapparaturen. Außerdem machen die Expeditionsmitglieder eine Schulung durch, auf der sie die Bedienung einiger medizinischer Geräte lernen, um im Notfall dem Arzt helfen zu können. Das betrifft alle – vom Koch bis zum weltbekannten Wissenschaftler. Es kann der Arzt aber auch den Rat der besten Spezialisten über Funk verlangen. Gelegentlich passierte es, daß man die Röntgenaufnahmen eines Mannes, dem ein gebrochener Knochen eingerichtet worden war, zwecks Konsultation über Bildfunk nach Melbourne schickte.

Allerdings kann eine technisch noch so perfekte Ausrüstung nicht immer die mit dem Menschen so feindlich gesinnten Elemente der Antarktis überwinden. Konserviertes Blut beispielsweise und auch Blutplasma können nicht ewig aufbewahrt werden. Mit anderen Worten, in so dramatischen Fällen ist der Patient voll und ganz von den Blutspendern der eben nicht großen Expeditionsgruppe abhängig. In diesem Fall hatte der Betroffene großes Glück, doch es gab in den siebziger Jahren auch Fälle, wo der Durchbruch eines Zwölffingerdarms zum Tode des Expeditionsteilnehmers führte, da die Hilfe zu spät kam.

In dieser absoluten Abgeschnittenheit von der Welt, mit den Erfahrungen mehrerer Dutzend Jahre Antarktisforschung achten die Ärzte auch sehr sorgfältig auf ihre eigene Gesundheit, weil sie wissen, daß davon im gewissen Sinne das Leben der übrigen Expeditionsteilnehmer abhängen kann. Und jeder, der an einer solchen Expedition teilnimmt, durchläuft sehr genaue Untersuchungen nicht nur in bezug auf seine physischen Eigenschaften, sondern auch auf seine psychische Widerstandskraft. Es geht einfach darum, daß die Männer unter diesen schwierigen Bedingungen nicht nur ihre Arbeit hundertprozentig erfüllen, sondern daß durch eventuelle Beschwerden nicht die übrige Mannschaft leiden muß. An Ärzte werden noch größere Ansprüche gestellt als an die übrigen Teilnehmer. So müssen sich zum Beispiel alle Ärzte, die an einer Antarktisexpedition teilnehmen, von ihrem Blinddarm trennen. Es ist dies das Ergebnis einer traurigen Erfahrung mit einem Arzt, der an einer Blinddarmentzündung starb, weil er logischerweise diese Operation nicht an sich selbst vornehmen konnte.

Die Australier halten es für einen großen Erfolg, daß in der gesamten Nachkriegszeit, seitdem die Australier in der Antarktis ihre Stationen unterhalten, nur dreizehn Mann starben und zwanzig evakuiert werden mußten. In dieser Zeit überwinterten insgesamt 1 500 Australier in der Antarktis, woraus zu schließen ist, daß der Gesundheitszustand der Australier als hervorragend bezeichnet werden kann. Natürlich waren es die besten Kandidaten, sorgfältig ausgesucht, geschult und ausgerüstet, Männer, die imstande waren, sich in jeder Situation zurechtzufinden.

Die Vorbereitung der Kandidaten beginnt im schneebedeckten Kosćiusko-Gebirge. Hier lernen sie unter extremen Bedingungen das Meistern gefährlicher Situationen. Interessant aber ist es, daß in der Antarktis kaum zwei Prozent der Erkrankungen auf die Witterungsbedingungen zurückzuführen sind. Auch Infektionskrankheiten treten nur selten auf. Am problematischsten sind Vergiftungen oder Unfälle außerhalb der Stationen, bei weiten Gebietserkundungen.

Paradox erscheint es auch, daß die meisten Teilnehmer von Polarexpeditionen aus tropischen, beziehungsweise subtropischen Gebieten kommen. Für einen großen Erfolg halten die Spezialisten die nur ganz selten auftretenden Fälle von psychischen Störungen. Das zeugt wohl davon, daß die Teilnehmer sehr sorgfältig ausgewählt wurden und sie dann auch imstande sind, schwierigste Lebensbedingungen in völliger Isolation zu ertragen und zu überwinden. Dabei ist das Wort von den feindlichen Lebensbedingungen durchaus nicht übertrieben.

In Australien ist es üblich, daß man Kandidaten für bestimmte Funktionen im Bundesstaat durch Zeitungsannoncen ausschreibt. Als beispielsweise das Ministerium für Wissenschaften sechzig Mann für eine weitere Antarktisexpedition suchte, meldeten sich 1 500 Personen mit den verschiedensten Berufen: Ärzte, Funktechniker, Ingenieure für Maschinenbau, Tischler.

Auch Frauen meldeten sich. Das Ministerium mußte erklären, daß Frauen nur ganz selten in die Antarktis geschickt werden. »Es ist dies keine Diskriminierung«, teilte der Regierungsbeauftragte mit, »Frauen wie Männer besitzen das Recht, an Antarktisexpeditionen teilzunehmen.«

Das Hauptproblem besteht aber darin, daß die Schlafkabinen auf den Schiffen meist mit vier Kojen ausgestattet sind. Und wenn das Ministerium auch sehr schwierige Probleme zu lösen wußte, so stand es vor einem Rätsel, wie man wohl eine Frau mit drei Männern oder einen Mann mit drei Frauen unterbringen sollte. Man kann sich nämlich leicht vorstellen, was für ein Geschrei die Ehefrauen der Männer anstellten, die in den einsamen australischen Häuschen zurückblieben. Dabei darf auf den Schiffen nicht ein einziger Platz unbenutzt bleiben. Mit anderen Worten, man kann heute auf den modernen Arche Noahs Frauen in einer Kabine nicht einmal zu zweit, sondern müßte sie sogar zu viert unterbringen. Wozu noch die Probleme der Duschen, der intimen Körperpflege usw. hinzukommen. Doch das Ministerium ist sich dessen bewußt, daß das alles früher oder später gelöst werden muß.

Die australische Station auf der Insel Macquarie, auf der auch Frauen arbeiten, ist sozusagen eine Versuchsstation. Nach Aussage des Regierungsbeauftragten will man erforschen, inwieweit Frauen die vielen Schwierigkeiten, die mit dem monatelangen Aufenthalt in der Antarktis verbunden sind und die sich im Laufe der Zeit häufen, psychisch verkraften. Und auch, ob Männer und Frauen, die die lange Zeit in völliger Einsamkeit verbringen, auch harmonisch zusammenarbeiten können.

Wir wollen uns jetzt als nächstes, sozusagen um uns ein wenig aufzuwärmen, dem neuesten australischen Erwerb zuwenden, für den der Bundesstaat sieben Millionen Dollar zahlte. Es handelt sich um die

Cocosinseln, die 2 800 Kilometer in nordwestlicher Richtung von Perth, der Hauptstadt Westaustraliens, entfernt sind und 1978 erworben wurden. Die Inseln haben eine sehr interessante historische Vergangenheit und besitzen auch eine große strategische Bedeutung. Auf den Inseln gibt es einen Flugplatz, auf dem die größten Zivil- und Militärmaschinen landen und starten können. Die Transaktion umfaßte die Kopraplantagen, sämtliche Gebäude ziviler und industrieller Art, klammerte aber den Sitz der Familie Clunies-Ross und deren sämtlichen Besitz aus. Der erste Clunies-Ross, der aus Schottland auf dieser Insel erschien, gelangte zu der Überzeugung, daß es günstiger war, Herr und Besitzer von siebenundzwanzig kleinen Atollinseln im Indischen Ozean als Untergebener Ihrer Königlichen Majestät im heimatlichen Schottland zu sein.

Diese Inseln befanden sich 151 Jahre im ausschließlichen Besitz dieser schottischen Familie. Königin Viktoria hatte sie ihr mit Siegel und Unterschrift zum Eigentum vermacht. Im Jahr 1955 übergab England diese Inseln Australien, und schon damals hagelte es in Australien Proteste darüber, daß die Inselbewohner, fast alle Malaien, wie »Sklaven lebten«. Ein australischer Senator, der sich mit den Lebensbedingungen der Menschen auf den Cocosinseln bekannt gemacht hatte, sagte, die Inseln seien »ein barbarisches Relikt des 19. Jahrhunderts«. Es gibt wahrlich nicht viele Orte auf der Welt, wo solche Verhältnisse noch toleriert werden.

Sechshundert Inselbewohner mußten sich den Vorschriften unterwerfen, die ihnen vom Tuan, dem Herrn, aufgezwungen wurden. So durften sie beispielsweise nur eine Schule besuchen oder heiraten, wenn der Herr es erlaubte. Die erstaunten Australier nahmen zur Kenntnis, daß die Arbeiter der Kokosplantagen, die der schottischen Familie gehörten, für ihre Leistungen Bons bekamen, die nur in den Läden derselben Familie eingelöst werden konnten. Und so niedrig die Löhne waren, so hoch waren dafür die Preise in diesen Läden. Der Schotte behauptete dagegen fest und steif, die Malaien sowie eine Handvoll Arbeiter chinesischer Herkunft, die auf den Inseln arbeiteten, hätten eine kostenlose ärztliche Betreuung, wohnten mietfrei und bekämen nach ihrem sechzigsten Lebensjahr eine Rente. Doch die Australier gaben sich damit nicht zufrieden. Sie führten nach der Übernahme der Inseln ihre eigenen Zahlungsmittel ein und gestatteten den Bewohnern die Freiheit der Ausreise, die sie bis dato nicht besaßen.

Es erhebt sich die Frage, wie es mit den Cocosinseln weitergeht? Die Meinungen sind geteilt, doch es ist vorauszusehen, daß zum Beispiel eine Anpassung der Löhne an die Verhältnisse auf dem Kontinent zu verschiedenen Komplikationen führen könnte, weil die Malaien ganz andere Bedürfnisse haben. Auf den Cocosinseln gibt es kein Fernsehen, man baut keine Riesenhäuser, braucht auch kein Auto, weil es auf den Inseln fast keine Straßen gibt und die wenigen Wagen, die man zu den Arbeiten auf den Plantagen oder zum Transport der Menschen dienen, ein nur sehr kurzes Leben besitzen: In diesem Klima zerfrißt sie der Rost schon nach einem Jahr. Doch Clunies-Ross, der sich von seinem malaiischen Stilett nie trennt, führt mit seinen neu erworbenen Millionen seinen gewohnten Lebensstil auch heute noch und fliegt mindestens einmal im Jahr in seine schottische Heimat.

Er war bekannt dafür, daß er nur exklusive Londoner Maßanzüge trug, doch Schuhe erst dann anzog, wenn der Düsenklipper, der ihn in das weite Schottland beförderte, auf dem englischen Flugplatz zur Landung ansetzte.

Über die strategische Bedeutung der Inseln können nur Leute sprechen, die eine militärische Ausbildung besitzen, und ich gehöre nun einmal nicht dazu. Irgendwann und irgendwo hörte ich aber, daß Australien 350 000 Dollar für einen Quadratkilometer der neu erworbenen Gebiete zahlte.

Von Interesse ist nun eine andere Insel, Tasmanien. Sie gehört nicht zum überseeischen Besitz, sie ist selbst ein Staat des Australischen Bundes.

Tasmanien wurde vom weißen Mann eher entdeckt als das australische Festland. Am 7. Dezember 1642 setzte Abel Tasman, ein niederländischer Seefahrer, ein Beiboot aus. Die Matrosen hörten menschliche Stimmen und sahen Fußabdrücke im Sand. Nach den Abständen der Spuren glaubten sie, die Insel sei von Riesen bevölkert, was übrigens den Vorstellungen der damaligen Europäer über die Menschen der südlichen Halbkugel entsprach. Die Niederländer kehrten schnell auf ihr Schiff zurück, und erst Ende des 18. Jahrhunderts legte ein englischer Kapitän mit Namen Furneaux in der Bucht der Abenteuer an.

Seit der Zeit meines ersten Besuches floß den Fluß Derwent viel Wasser hinab: Die Insel erwachte aus ihrem Schlummer. Spielcasinos, Hotelketten, Serviceleistungen aller Art warten auf die Touristen. Vor allem die Casinos ziehen magnetisch an, denn die Australier lieben Hasardspiele.

Man setzt auf Pferde, man wettet, welche von zwei Ameisen als erste durch ein markiertes Ziel kommt, wer Sieger im Fußballspiel wird. Zum beliebtesten Spiel gehört wohl das vom Gesetz verbotene »Two-up«-Spiel, das etwa unserem »Zahl-und-Wappen-Spiel« entspricht. Ein Mitspieler ist Schiedsrichter und kassiert zehn Prozent des Gewinns, ein zweiter wirft die Münze in die Höhe, ein dritter steht Schmiere, um vor der Polizei zu warnen. Nein, »Two-up« spielt man in den eleganten Casinos von Hobart nicht. In Tasmaniens Hauptstadt rangieren vornehmere Spiele.

Teilnehmen darf jeder, der sein dreißigstes Lebensjahr beendet hat und »anständig« angezogen ist. Ein Casino-Direktor erklärt dazu:

»Wir können es nicht zulassen, daß in unseren Etablissements Leute in kurzen Hosen und Sandalen erscheinen, wir achten auf Weltklasse.« Die Australier bereiteten sich auch in diesem Metier mit der ihnen eigenen Sorgfalt vor. Die Chips gleichen einem Wunder der Technik, man soll sie unmöglich fälschen können; sie sind mit unsichtbaren Zeichen versehen, die mit ultravioletten Strahlen kontrolliert werden. In den Spielsälen sind diskret Fersehkameras installiert, die ihre Bilder den Beamten Sicherheitstrakt vermitteln.

Im Saal selbst verfolgt ein eigener Sicherheitsdienst das Geschehen. Der gemütliche ältere Herr, der sich über den Tisch beugt, ist der bekannte Reg Henderson, das »Falkenauge«. Sie kennen ihn nicht? Er arbeitete im Staate Victoria bei der Polizei und verhaftete in seinen 38 Dienstjahren 300 Verbrecher. Henderson fischte sie nicht selten aus dem Großstadtgetümmel nach vorgelegten Fotografien heraus, die er nur einmal im Leben zu Gesicht bekam. Er war es auch, der 1963 in Melbourne einen Mann, der seelenruhig unter einem Baum stand, freundlich auf die Schulter klopfte und ihm für ein Verbrechen, das jener vor 21 Jahren begangen hatte, die Handschellen anlegte.

Doch verlassen wir die Spielhöllen und spazieren wir ein wenig durch die Stadt. Hobart erscheint als gemütliche Metropole. Hier ist alles nah, gibt es kein Gedränge, die Schiffe legen fast im Stadtzentrum an. Hobart ist nach Sydney die zweitälteste Stadt des Australischen Bundesstaates. Ähnlich wie Sydney trägt auch sie den Namen eines britischen Kolonialministers aus der Zeit, als die Stadt entstand.

Tasmanien galt einmal als Hölle und zum anderen als ein wahres Paradies, als liebliche Oase in der Wüste. Und wie sah es in Wirklichkeit aus?

Tasmanien sei heute, so sagt man, der britischste aller australischen Bundesstaaten. Die Dörfer und Städtchen scheinen in allen Einzelheiten aus England übernommen. Die Kirche von Hobart sieht aus, als hätte man Ziegel für Ziegel aus London herbeigeholt. Das Klima ist gemäßigt, der Sommer kühler als auf dem großen Land, der Winter kalt, Frühjahr und Herbst sind schön und angenehm. Was für England gut war, eignete sich auch für Tasmanien.

Die Insel war als Gartenland bekannt. Tasmanische Äpfel wurden in alle Welt exportiert, heute kämpft der Staat gegen die erdrükkende Konkurrenz der neuseeländischen und südafrikanischen Obstexporteure. Immer galt die Insel als arme Verwandte der Staaten des großen Landes, obgleich die stolzen Tasmanier stets behaupteten, Australien sei eine Insel, die nördlich von Tasmanien läge. Von Zeit zu Zeit wird sogar von einer Abtrennung der Insel vom Australischen Bundesstaat gemunkelt, aber man sollte das wohl nicht ernst nehmen.

Tasmanien drängte immer danach, eine reiche Ehe einzugehen, wobei die stürmischen Gewässer der Bass-Straße überwunden und die Insel aus ihrem Problemkreis erlöst werden sollte. Als Mitgift bot die Insel unerschöpfliche Reserven an Wasserenergie und große Minerallager. Die billige Energiemöglichkeit und die Rohstofflager lockten zahlreiche Unternehmern an. Heute bestehen ernsthafte Überschußprobleme.

Fischmehlfabriken verarbeiten sämtliche Kleintiere des Meeres, die Grundnahrung der Fische, was sich auf den Fischfang natürlich sehr ungünstig auswirkt. Die tasmanischen Wälder bieten Rohstoffe für die japanischen Papierfabriken. In unzugänglichen Bergen werden Eisenerze abgebaut. Das Erz wird gebrochen, mit Magneten vom

Gestein getrennt, das gewonnene Konzentrat mit Wasser vermengt und diese »Eisensuppe« etwa 90 Kilometer weit über die Pipeline transportiert. Starke Pumpen schieben diesen Strom Tag und Nacht über Tasmaniens Berge. In den letzten zwanzig Jahren übernahm allein Japan 46 Millionen Tonnen tasmanisches Eisenerz.

Die südwestlichen Küstengebiete der Insel sind auch heute noch nicht voll erforscht. 1852 entdeckte man auf Tasmanien Gold, später Zinn. Die Grube Anchor-Mine von Lottah gehörte zu den größten der Welt. Heute sind die Lager restlos ausgebeutet, die früheren Arbeitersiedlungen verwandelten sich in Geisterstädte.

Auch der Goldrausch im Staate Südaustralien entvölkerte die kleinen tasmanischen Dörfer. Krisenzeiten wirkten sich auf den kleinen Staat viel ungünstiger aus als auf die Giganten des großen Landes. Er besaß geringere Überlebenschancen, glich einem Holztrog, der sich bei einer Regatta Hochseeyachten stellte.

Die Menschen hier gaben nicht auf. In Tasmanien entstanden die ersten Hopfenplantagen für das vorzügliche australische Bier. Hier legte man die erste Forellen- und Lachszucht an; das Eintreffen des ersten Zuchtmaterials für diese Fische mit einem englischen Frachter wurde mit Kanonenschüssen begrüßt. Hierher bringt man Bauxit von der Halbinsel York, etwa viertausend Kilometer entfernt, um es in Launceston mit billiger Energie in Aluminium umzuwandeln.

Man fragt sich, ob es die richtige Methode sei, den Anschluß an die Welt zu finden, wenn man diese kleine Insel zu einem Industriegiganten machen wollte. Wäre es nicht besser, auf eine gesunde Natur, eine saubere Umwelt zu achten?

Von den tasmanischen Ureinwohnern lebt heute keiner mehr. Über 100 Jahre ist es her, daß auf der Känguruhinsel an der Küste des Staates Südaustralien die letzte Frau dieses Stammes starb, die als Kind von Seehundjägern gekauft worden war. Der Stamm unterschied sich anthropologisch eindeutig von den Menschen des australischen Festlandes. Äußerlich erinnerten sie mit ihrer dunklen Haut und den rötlich angehauchten Wuschelhaaren an die Papua. Sie kannten weder Bumerang noch Pfeil und Bogen. Auch ihre Sprache unterschied sich von den Sprachen der australischen Ureinwohner. Sie waren Jäger und Sammler, aßen aus unbekannten Gründen keine Fische, da-

Mit dem Tod der Tasmanierin Truganini (auf dem Bild die erste von rechts) im Jahre 1876 hörten die Urtasmanier auf zu existieren.

für aber im Wasser lebende Schalen- und Säugetiere. Sie liefen trotz kühler Witterung nackt herum, legten nur manchmal eine Art Pelerine um, die aus Känguruhfell angefertigt war.

Alle Reisende, die Tasmanien nach der Entdeckung aufsuchten, stellten einmütig fest, daß die Ureinwohner dem weißen Mann nicht feindlich gesinnt waren. Ein Historiker erklärte das damit, daß ihre eigene Haut nach dem Tod einen weißen Schimmer annahm und sie deshalb die ersten Europäer voller Furcht und Achtung für ihre längst verstorbenen Ahnen hielten, die aus außerirdischen Welten erschienen. Bekannt wurde ein Fall, wo ein geflüchteter Verbannter 32 Jahre unter Ureinwohnern im Gebiet des heutigen Staates Victoria lebte. Der Stamm hielt ihn für seinen verstorbenen Häuptling, der wieder zum Leben erwacht war.

1803 veranstalteten die Inselbewohner in der Nähe des Militärlagers von Hobart eine Jagd auf Känguruhs. Ein erschreckter britischer Offizier befahl, auf die Männer, Frauen und Kinder, die den Känguruhs hinterherliefen, zu schießen. Dabei kamen 40 Ureinwohner ums Leben, und so begann der »Schwarze Krieg«. Gouverneur Sorell schrieb 1819 über die Grausamkeiten seiner Landsleute: »Sie sind abscheulich, widerwärtig und eine Schande für alle Engländer.«

Gouverneur Arthur handelte vielleicht im guten Glauben, doch die Ereignisse entwickelten sich nicht nach seinem Wunsch. Er wollte 1830 jene Aborigines retten, die noch zu retten waren, und sie auf der Halbinsel Forestier ansiedeln. Fünftausend Soldaten und Polizisten durchkämmten die Insel, doch die Inselbewohner kannten natürlich ihr Gebiet und entgingen dieser großangelegten Razzia. Vielleicht gab es auch nicht mehr so viele Ureinwohner, die man hätte fangen können. Im Ergebnis fielen den Polizisten ein Mann und ein Knabe in die Hände.

Mitleid für das Unglück der dunkelhäutigen Menschen empfand auch der Maurermeister Robinson aus Hobart. Er überzeugte den Gouverneur, das Vertrauen der Ureinwohner gewinnen zu können, und wanderte fünf Jahre allein, unbewaffnet durch einsames wildes Gelände, im Glauben, den Inselbewohnern Rettung zu bringen. Mehrere hundert Menschen schlossen sich ihm an. Man siedelte sie auf eine kleine Insel um, wo sie in der Sehnsucht nach der verlorenen Freiheit starben. Ein australischer Geschichtsschreiber hielt fest: »Der Stamm verlor den Lebenswillen, Angst und Furcht waren stärker als ihre Verzweiflung.«

Die Tragödie der Menschen, die sich an der Nahtstelle zweier Zivilisationen befanden, begann mit der Kolonialisierung Australiens. Als klassisches Beispiel sei das Schicksal eines tasmanischen Mädchens mit dem Namen Mathinna angeführt. Wie aus damaligen Berichten hervorgeht, wurde Mathinna auf Befehl der Frau des Gouverneurs, Lady Franklin, als Kind in das Regierungspalais gebracht. Ihre gesamte Habe bestand aus einem Känguruhfell, einem geflochtenen

Henry Grant Lloyd hinterließ uns dieses Bild von Hobart auf Tasmanien aus den Zeiten der frühen Kolonisation, die sich viele Jahre nur auf die Küstenbezirke beschränkte.

Körbchen und einer Muschelkette. Sie wuchs zu einem schlanken, ranken, anmutigen Mädchen heran, mit einem reizenden Gesicht und einer wohlklingenden Stimme. Als Gouverneur Franklin nach England abberufen wurde, ließ er das Mädchen zurück, weil es nach Meinung der Ärzte das englische Klima nicht ertragen hätte.

Entgegen der Vereinbarung, sie der Obhut eines Farmers zu übergeben, gelangte sie ins Waisenhaus. Mit anderen Worten, sie vertauschte die mütterliche Fürsorge der Gouverneursfrau und den Luxus des Palastes mit einer harten Pritsche in den kalten Sälen für Obdachlose. Ihr Ende war sehr traurig. Sie floh aus dem Asyl und wanderte mit dem Rest ihres Stammes durch den Busch, gab sich mit Holzfällern und Matrosen, meist rohen, demoralisierten Männern, ab. Ein damaliger Chronist schrieb: »Man kann sich leicht ihr Schicksal vorstellen, das zu beschreiben, sich die Feder sträubt. Eines Tages blieb sie verschollen. Fand sie schließlich ertrunken im Fluß. Sie starb im Alkoholrausch, sämtlicher Tugenden beraubt.«

Tasmanien wurde zum Gefängnis des Imperiums. An der Wiege des Staates stand nicht allein die Vernichtung der Ureinwohner, sondern auch die Demütigung und Bestrafung des weißen Mannes. Wer nach Tasmanien verbannt wurde, der kehrte nicht mehr zurück. Tasmanien war als Arznei gegen eine Krankheit jener Zeit gedacht, die insbesondere von Charles Dickens so erschütternd beschrieben wurde.

Mary Haydock aus Yorkshire war 13 Jahre jung, als sie unerlaubt das Pferd eines Grafen bestieg, um ein wenig zu reiten. Dieser Spazierritt kostete sie 7 Jahre Deportation, und da Frauen in der neuen Kolonie Defizitartikel waren, blieb sie auf Tasmanien und heiratete einen Offizier der Handelsmarine. Ihr Enkel wurde Geistlicher und avancierte zum Premierminister von Tasmanien. Wer Deportation und Gefängnis überlebte, gelangte nicht selten zu Ansehen und Wohlstand. In Launceston auf Tasmanien gibt es die älteste Schenke Australiens. Ein gewisser Dicky White, der wegen Raubüberfall verbannt wurde, richtete sie 1814 ein. Die Schenke besteht bis auf den heutigen Tag.

Hinter der Ortschaft Höllenpforte begann die Strafkolonie Macquarie Harbour. Ein Augenzeuge aus dem Jahr 1832 hielt fest: »Von 85 Todesfällen gingen nur 35 auf natürliche Ursachen zurück. 27 Gefangene ertranken, 8 Gefangene kamen bei Unfällen, meist Holzeinschlag, um, 3 wurden von Soldaten erschossen, 12 von Mitgefangenen umgebracht. Eine Flucht hielt man für sehr gefährlich, ja fast aussichtslos. Von 112 Flüchtlingen starben 62 im Busch, 9 wurden von Mitgefangenen erschlagen und verspeist.«

Etwa hundert Kilometer entfernt von Hobart, bei Port Arthur, liegt die Insel der Toten. Früher war der Zutritt zu dieser Insel verboten, heute darf jeder die Gedenkstätte des Leids und der Grausamkeit des Menschen gegen den Menschen betreten.

In einem namenlosen Massengrab ruht Dennis Collins, ein Matrose, der in einer Seeschlacht für König und Vaterland sein Bein verloren hatte. Wegen der verweigerten Rente verbittert, warf Collins einen Stein gegen den Monarchen, William IV., als dieser in Ascot auf dem Rennplatz seine Loge aufsuchte. Er traf nur den Zylinder, doch man verurteilte ihn zum Tod und begnadigte ihn dann zu lebenslänglicher Verbannung.

1833 kam er nach Port Arthur. Hier verweigerte er die Zwangsarbeit und erklärte wiederum, der Monarch schulde ihm die Invalidenrente. Er setzte hinzu, daß er auf das Gefängnisessen, das aus dem königlichen Fiskus bezahlt wurde, gut und gern verzichten könne. Er hungerte zwei Wochen in Einzelhaft und dann noch eine Woche im Gefängnisspital. Dennis Collins fuhr ins Grab, ohne sein Wort gebrochen zu haben.

Nun wird es wohl Zeit, auch den übrigen Gebieten des Australischen Bundesstaates einige Worte zu widmen. Um nicht in Hierarchieproblemen der einzelnen Städte und Staaten steckenzubleiben, wollen wir mit Neusüdwales beginnen und uns in Uhrzeigerrichtung fortbewegen.

Besonders angetan war ich immer von Sydney, der zweifellos wichtigsten Stadt an der Küste des Südpazifiks. In der Drei-Millionen-Metropole, der ältesten, größten und geschäftigsten Stadt Australiens, leben ein Fünftel aller Australier. Der Überseehafen sowie die zahlreichen Industrieunternehmen prägen das Gesicht Sydneys.

Als ich durch die Straßen von Sydney wanderte, mußte ich an die Geschichte der Stadt denken. Wie sehr hatte sich ihr Gesicht verändert! Die Pitt Street, erst ein Sammelsurium armseliger Hütten, von Deportierten bewohnt, dann eine Zone von Dirnen und Zuhältern, ist heute Sitz mächtiger Versicherungsfirmen. In den kleinen Nebenstraßen am Gerichtsgebäude kann man Rechtsanwälte und Richter in weißen Perücken und schwarzen Roben sehen, die sich auf natürlichste Weise unter den Fußgängern bewegen, ohne daß sich jemand nach ihnen umschaut. Die King's Cross wird der »einzige europäische Kilometer« auf der südlichen Halbkugel genannt. Es ist das Unterhaltungsviertel, und die Australier sind zum Teil stolz, zum Teil verärgert über den Charakter dieser Straße, der sich veränderte, wie sich die Zeiten und das Leben veränderten. Vor hundert Jahren war King's Cross ein jüdisches Viertel. Später lebte hier die Creme der australischen Künstler und Schriftsteller. Heute erinnert ein kunstvoll als Blumenstrauß gestalteter Springbrunnen an die Schlacht von El Alamein in der Wüste, wo weitab von Wasser und Heimat australische Soldaten kämpften und starben.

Das berühmteste Bauwerk Sydneys steht direkt am offenen Meer –

Der Hafen von Sydney im Jahre 1892

die Oper. Die ist das Werk eines dänischen Architekten. Von weitem gleicht das Gebäude einem Schiff mit vollen Segeln.

Ohne in die Einzelheiten einzudringen, soll noch gesagt werden, daß der Bau des prunkvollen Gebäudes der heutigen Oper sehr lange dauerte und überaus stürmisch verlief. So erwies sich unter anderem bereits während der Bautätigkeit, daß der dänische Architekt Utzon keine Parkplätze für Autos eingeplant hatte. Er äußerte sich daraufhin ärgerlich, daß auch der Parthenon keine Parkplätze habe. Dagegen verlangte er weitere drei Millionen Dollar, um ein maßstabgerechtes Holzmodell der Haupthalle zu bauen, um die Stabilität der Oper zu prüfen. Als die Regierung überlegte, ob sie diesen – wie sie meinte – extravaganten Forderungen des Architekten nachgeben sollte, drohte der Architekt mit Rücktritt vom Projekt. Seine Demission wurde schnell und dankbar angenommen. Die Baukosten der Oper hatten bereits das Zehnfache der Kalkulation überschritten. Die Einnahmen einer Sonderlotterie im Staate Neusüdwales, die zweimal im Monat stattfand, wurden zur weiteren Finanzierung der Oper bestimmt. Also könnte man sagen, die Oper verdankt ihre Existenz dem Glücksspiel der Australier.

Das australische Bundesterritorium ist in der Tat ein sonderbares Gebilde. Bevor es zur Gründung der Australischen Föderation kam, forderten die Bewohner von Neusüdwales, daß sich die Hauptstadt in den Grenzen ihres Staates befinden müßte. Die übrigen Staaten erklärten sich einverstanden, unter der Bedingung, daß die Hauptstadt weitab von Sydney liegen sollte. Der Staat Victoria schlug Melbourne als Metropole des Bundesstaates vor, bis eine neue Hauptstadt errichtet war. Man einigte sich, daß die Bundeshauptstadt in Neusüdwales gegründet werden sollte, aber mindestens 100 Kilometer von Sydney entfernt. Canberra wurde auserkoren.

Da wir uns nun in dieser Stadt befinden, wollen wir kurz anhalten und uns mit gewissen politischen Realien bekannt machen. Hier befindet sich der Sitz der Bundesregierung, hier amtiert der Generalgouverneur, hier tagt das Bundesparlament.

Die Geschichten der einzelnen Kolonien, die sich in die Staaten des Australischen Bundes verwandelten, sind in ihrer Differenziertheit sehr interessant und sicher wert, im einzelnen besprochen zu werden. Als Beispiel möchte ich nur erwähnen, daß der Staat Westaustralien, in dem die ersten Kolonisten bereits 1825 erschienen, seine eigene Legislative erst 1911 erhielt, also elf Jahre nach Gründung der Bundesregierung.

Die australische Gesellschaft zeichnete sich bereits 1885 durch einen relativ hohen Lebensstandard und demokratische Verhältnisse aus. Es bestand hier nicht die übertriebene Ehrfurcht vor Abstammung, Reichtum und Ausbildung, wie man sie in England pflegte. In dieser Hinsicht vertraten die australischen Kolonien viel fortschrittlichere Tendenzen, und auch ihr radikales politisches System zeichnete sich in dieser Beziehung aus. Jedenfalls erfreute sich der Durchschnittsaustralier in der Gesellschaft einer nicht zu übersehenden Hochachtung.

Als Fundament der jungen australischen Demokratie sind zweifellos die Gewerkschaften zu nennen. Ihre Anfänge gehen auf das Jahr 1830 zurück, die Bergleute besaßen bereits 1878 eine gut funktionierende gewerkschaftliche Organisation, und die der Schafscherer wurde 1886 gegründet. In diesen Zeiten besaßen die Australier die am besten organisierte Gewerkschaftsbewegung der Welt.

Ende des vergangenen Jahrhunderts erfuhr Australien eine ernste

Wirtschaftskrise, in der die wirtschaftlichen und politischen Schwächen der sechs Kolonien deutlich zum Ausdruck kamen. Der Ruf nach einer Zentralmacht war lange vorher ertönt. Und wie manche Historiker behaupten, entstand die Föderation, also der heutige Bundesstaat, vor allem deswegen, um das Vertrauen der großen Kreditinstitute der Welt zu gewinnen. Verhandlungen mit den einzelnen Kolonien schienen diesen viel zu riskant, einfacher waren Verhandlungen mit einer Zentralregierung.

Mit der Föderation wurden auch die Zollgebühren beim Warentransport von einem Staat in den anderen abgeschafft. Und wie bis auf den heutigen Tag üblich, vermischten sich in der Politik Elemente des gesunden Menschenverstandes mit hochtrabenden Parolen. So forderte ein Politiker die Wähler bei der Gründung der Föderation auf: »Mit der Entscheidung für die Föderation legt ihr den Baustein für einen großen und mächtigen Staat unter dem Kreuz des Südens. Auch das Fleisch wird billiger, und hinzugefügt werden muß, daß die australische Rasse bald sämtliche Meere des Südens beherrschen wird. Dazu will ich noch sagen, daß auch der Absatz von Äpfeln und Kartoffeln keine Schwierigkeiten mehr bereiten wird.«

Der Australische Bundesstaat wurde am ersten Tag unseres Jahrhunderts, am 1. Januar 1901, gegründet.

Es ist an dieser Stelle natürlich nicht möglich, in alle Einzelheiten der australischen Politik einzudringen. Das Wesen dieser Politik besteht, ganz allgemein gesagt, jedoch darin, daß der Bundesstaat die Verteidigung, Kommunikation, Transport, Außenhandel und Außenpolitik lenkt und leitet sowie über die Naturalisierung, das heißt die Vergabe der Staatsbürgerschaft, wacht. Geheime, allgemeine und obligatorische Wahlen wurden in Australien schon seit langem eingeführt.

Hier, in Canberra, bestimmt die Bundesregierung die Eckpfeiler der Außenpolitik, hier sind die Botschaften untergebracht, wenngleich verschiedene Generalkonsulate auch in der Hafenstadt Sydney ihren Sitz haben.

Canberra ist eine typische Gartenstadt, auf den Teichen schwimmen wilde Schwäne und Pelikane. Böse Zungen nennen die Stadt sogar eine »verhunzte Schaffarm«.

Eines darf nicht übersehen werden: Australiens Zukunft hängt vor allem von den Beziehungen des Bundesstaates zu Asien ab. Die australische Diplomatie sieht ihre Hauptaufgabe nicht im weiten Europa, sondern vor allem in jenen Metropolen, die sich an den Küsten des Stillen Ozeans ansiedelten. Das sind insbesondere: Djakarta, Tokio, Kuala Lumpur sowie die Hauptstädte der im Raum des Stillen Ozeans neu entstandenen Staaten, wie beispielsweise Papua-Neuguinea. Große Bedeutung besitzt heute die australische Botschaft in China, obgleich beide Staaten über viele Jahre keine Verbindungen pflegten.

Wenn ich auch versprach, Statistiken zu vermeiden, so sollen doch einige Zahlen angeführt werden, um gewisse Gegebenheiten der australischen Politik zu unterstreichen. Bisher übten zweiundzwanzig Personen das Amt des Premierministers aus, alles interessante Menschen. Und ihr Beruf? Sieben waren Juristen, drei Farmer, zwei Journalisten und zwei Bergleute. Die übrigen waren jeweils ein Geschäftsmann, Buchdrucker, Gewerkschafter, Docker, Lehrer, Buchhalter, Arzt und Lokführer. In den 75 Jahren des Bundesstaates Australien befanden sich die Premierminister, die nicht der Arbeiterpartei angehörten, 55 Jahre und 9 Monate an der Macht und die Mitglieder der Arbeiterpartei 19 Jahre und 3 Monate. Den Rekord schaffte Robert Menzies, der das Amt des bundesstaatlichen Premierministers 16 Jahre und 1 Monat innehatte. Fünf Premierminister des Bundesstaates wurden außerhalb von Australien geboren: einer in Chile, zwei in Schottland, einer in England und einer in Wales. Sechs waren Katholiken, drei Freigläubige, die übrigen gehörten protestantischen Glaubensrichtungen an. Die Australier erwähnen natürlich auch die sportlichen Erfolge ihrer Premiers gern: Einer galt als ein großes Talent des Fußballspiels, des Ruder- und Kricketsports und war sogar während seines Studiums in Cambridge Kapitän der Universitätsmannschaft. Der jüngste Premierminister des Bundesstaates war 37 Jahre alt, als er sein Amt übernahm. In bezug auf die Vermögensverhältnisse der Premiers sah es folgendermaßen aus: Zwei galten als sehr reich, einige als reich, und die übrigen gehörten zu den normalen Gehaltsempfängern. Von einem Premierminister, von Curtin, hieß es, er sei sogar arm gewesen.

Ich erlebte selbst zwei Premierminister im Bundesstaatlichen Australischen Parlament, die heute nicht mehr unter den Lebenden weilen, und möchte ein paar Worte über sie sagen.

Es war am 17. Dezember 1967, als der Premier Harold Holt mit dem Wagen am leeren Strand anhielt, um zu baden. Man fragt sich, was einen so erfahrenen Schwimmer und Taucher veranlaßt haben mochte, an jenem Tag in der stürmischen See ins Wasser zu gehen.

Hohe Wellen trugen Baumstämme und Äste zum Strand, es pfiff der Wind, es rauschte das Meer. Doch der Premier holte seine Badehose aus dem Wagen, zog sich hinter einem Felsen um und ging ins Wasser. Zehn Minuten sah man ihn schwimmen und tauchen, von den Wellen wie ein Blatt hin und her getrieben, plötzlich verschwand er und ward nie wieder gesehen. Man fand weder seine Leiche noch seine Taucherausrüstung.

Als 1978 Robert Gordon Menzies starb, ein Mann, der über viele Jahre das politische Leben in Australien bestimmte, wurde der Altar der schottischen Kirche in Melbourne mit der australischen Flagge geschmückt. An der Trauerandacht nahmen Prinz Charles und zwei ehemalige britische Premierminister teil. Und als sich der Trauerzug durch die regennassen Straßen bewegte, spielte eine schottische Dudelsackkapelle Trauerlieder.

Robert Menzies starb im Alter von 83 Jahren. Er wollte die Gesellschaft nach seinen konservativen Grundsätzen entwickeln. Einst sagte er: »Ich glaube nicht an die verrückten Doktrinen über eine Gleichheit von fleißig und faul, von gescheit und dumm, von sparsam und verschwenderisch.« Menzies war von allem fasziniert, was in Verbindung mit Großbritannien stand. Dieser Umstand führte zu Auseinandersetzungen mit den Nachbarn Australiens. Menzies war ein Imperialist, der fest daran glaubte, daß Australien nur eine vorgeschobene Bastion Großbritanniens darstellte. Sein Wahlspruch lautete: »Ich bin ein Brite vom Scheitel bis zur Sohle.« Der Premier kämpfte verbissen um die Rechte des weißen Mannes aus den kolonialen Zeiten auch dann noch, als sich die meisten Vertreter des Britischen Commonwealth dem Geist der Zeit angeschlossen hatten. Er unterstützte aktiv die amerikanische Intervention in Vietnam, war ein großer Snob imperialistischer Traditionen und prahlte sogar damit.

Im Parlament trat er immer überheblich und herausfordernd auf. Und als er einst gefragt wurde, ob er nicht zufällig an einem Majestätskomplex leide, antwortete er: »Es wäre dies gar nicht zu verwundern, wenn man in Betracht zieht, in welcher Gesellschaft ich mich bewegen muß.« Bei einer anderen Gelegenheit bekannte er in aller Ehrlichkeit: »Bei der Ausübung der Macht bemühe ich mich darum, die Abgeordneten dazu zu bewegen, möglichst viel zu reden. Ich befürchte nämlich, daß sie, wenn sie nicht mehr reden, zu denken anfangen.«

Der Zufall wollte, daß zur gleichen Zeit der berühmte englische Schriftsteller H. G. Wells in Australien zu Besuch weilte. Er wurde vom Premier heftig angegriffen, weil er wagte, gegen Staatsoberhäupter anderer Länder anrüchige Behauptungen auszusprechen. Der Premier dachte dabei an Mussolini und Hitler. Über letzteren hatte Wells schlicht und einfach gesagt: »Ich halte ihn für einen geistesschwachen Dummkopf.«

Wells warnte bei seiner Abreise: »Die japanische Gefahr ist für Australien keineswegs eine Fata Morgana. Wenn sich die Australier nicht gleich und an dieser Stelle widersetzen, dann werden sie zukünftig im verstärkten Maß damit konfrontiert werden.« Die Hafenarbeiter von Neusüdwales protestierten gegen den Export von Rohstoffen nach Japan, weil die Japaner daraus Waffen produzierten, um gegen China und in Zukunft vielleicht auch gegen Australien zu kämpfen. Der Generalstaatsanwalt, der die Hafenarbeiter anklagte, holte sich den Spitznamen: »Pig-Iron Bob« (Roheisen-Bob).

Es ist bei weitem nicht so, daß ich alles auf Anhieb verstehe und Schlüsse daraus ziehe, wenn ich durch fremde Länder reise. Und es ist ganz klar, daß ich diese Dinge, die ich selbst nicht ganz begreife, dem geschätzten Leser auf gar keinen Fall in aller Ausführlichkeit vermitteln kann. In solchen Fällen stütze ich mich gern auf Aussagen von Fachleuten. So ist es auch in bezug auf eine typisch australische Institution, die »Mate« genannt wird. Was versteht man nun unter »Mate«?

Ganz allgemein gesagt, birgt dieses Wort den typisch australischen Wunsch nach sozialer Gleichheit in sich. Es gibt im Deutschen keinen äquivalenten Terminus für diesen Ausdruck, der aber für das Verständnis der australischen Mentalität sehr bedeutsam ist. Er setzt voraus, daß jeder Mensch im Grunde genommen gut ist. Streitet sich ein Australier mit einem anderen Menschen, dann verliert er ein für allemal seine gute Meinung über ihn.

Unter »Mate« versteht man nicht nur einen Freund und Gefährten, man bezeichnet mit diesem Ausdruck jeden, der einem sympathisch ist. Ein Taxifahrer etwa öffnet die Tür zu seinem Wagen und ruft seinem Fahrgast zu: »Komm, steig ein, Mate!« Damit beleidigt er niemanden, im Gegenteil, er wäre erstaunt, wenn der Gast nicht neben ihm Platz nähme und ihn während der Fahrt unterhielte.

Suchen Japaner fremde Länder auf, dann überlassen sie nichts dem Zufall und bereiten sich sehr sorgfältig darauf vor. So heißt es beispielsweise in Dienstinstruktionen für Japaner, die Australien aufsuchen: »Australien ist kein sozialistisches Land, doch sind hier die Elemente der Brüderlichkeit tief verwurzelt, und außer am Arbeitsplatz findet der Grundsatz der Gleichheit aller Menschen breite Anwendung. Die Australier sind im allgemeinen bestrebt, Erfolge durch Diskussionen und nicht durch autoritative Befehle zu erlangen. Jedwede Aktion, jedes Auftreten von Ausländern, die in Australien als Ausdruck der Überlegenheit und Ignoranz aufgefaßt werden könnten, rufen automatisch den Unwillen der Australier hervor, was die internationalen Verhältnisse keinesfalls begünstigt.«

Es gibt Meinungen, nach denen das Wort »Mate« im Kampf der Gewerkschaften um höhere Löhne und bessere Arbeitsbedingungen entstand. Man sagt aber auch, daß es von Frontsoldaten, von Goldsuchern und Abenteurern, insbesondere aber von Menschen auf einsam liegenden Farmen geprägt wurde.

In den Pionierzeiten bildeten Holzfäller Zweiergruppen, weil einer allein nicht die Schrotsäge bedienen konnte. In der Arbeit festigte sich ihr Gemeinschaftsempfinden. Und dieses Gefühl, das sich auch bei den anderen sozialen Schichten zeigte, kommt besonders im Schaffen des Schöpfers der australischen klassischen Poesie, Lawson, zum Ausdruck. So begrüßte er das gute Einvernehmen von Katholiken und Protestanten und unterstrich, daß in Australien niemand König oder Herrscher, Lord oder Herr genannt wird, daß niemand vor jemand anderem den Rücken beugen muß.

Ein Geistlicher, der 1867 durch Australien reiste, hinterließ einen weiteren Beweis des Gemeinschaftsbewußtseins. Er sagte, in Australien bezwänge nicht der Mensch die Schwierigkeiten, es sei umgekehrt, die Schwierigkeiten bezwängen den Menschen. »Der Begriff der Gleichheit ist in der Kolonie kein leeres Wort.«

Vorhergehende Seite: Zuckerrohrfelder bei Cairns (Queensland)
Australien besitzt die weltgrößten Schafbestände. Links: Preisgekrönter Schafsbock
Vor allem in Queensland und Victoria werden Vieh- und Milchfarmen betrieben.
Rechts: Rinderauktion – Baumwollernte in Neusüdwales

INTERNATIONAL

Vorhergehende Seite: Inselgruppe am Großen Barriere-Riff
Das der australischen Nordostküste vorgelagerte Riff ist ein faszinierendes Naturwunder. Bizarre Landschaftsformationen und unzählige Meereslebewesen sowie seltene Tiere machten es zu einem kleinen Paradies.
Folgende Seite: Segeltörn an der Küste

450

Die Kenner der australischen Politik meinen in überspitzter Form, in Australien seien vor allem die Gewerkschaften die wahre Kraft, dann erst die Regierung, und danach kämen die Medien.

Die Wirtschafskrise wirkte sich in Australien in den zwanziger und dreißiger Jahren des 20. Jahrhunderts katastrophal aus. Zehntausende von Menschen zogen im Land umher auf der Suche nach Arbeit, die es nicht gab. Doch auch damals bewahrte die Gewerkschaft Einheit und Geschlossenheit. Streikbrecher wurden mitleidlos verfolgt, wer die Solidarität verriet, wurde mit vulgärsten Ausdrücken belegt. Man streikte in Australien immerzu, 1923 streikten in Melbourne sogar 636 Polizisten. Im Gefühl der Straflosigkeit überfiel die Verbrecherwelt am hellichten Tage die Menschen auf den Straßen und raubte Läden und Wohnungen aus. Es kam zu Unruhen in der Stadt, als man eine freiwillige Miliz berief, die mit Schlagstöcken ausgerüstet wurde, um der Lage Herr zu werden. Dann holte man noch Reservisten der Armee hinzu, der Streik wurde niedergeschlagen und keiner der Polizisten wieder eingestellt.

Der bekannte amerikanische Sänger und Filmschauspieler Frank Sinatra lernte 1974 die Macht der australischen Gewerkschaften am eigenen Leibe kennen. Er kam nach Australien, um eine Reihe von Konzerten zu geben, und anfangs schien alles gut zu laufen. Da Sinatra sich nur ungern fotografieren ließ, warnte man in Melbourne die Pressefotografen davor, ihn zu belästigen. Doch als der Sänger dann auch noch über die Interviews schimpfte und die Reporterinnen als »Damen des leichten Gewerbes« bezeichnete, setzte ihn die Gewerkschaft der Journalisten, die zu der Zentrale der Gewerkschaftsverbände gehörte, auf die »schwarze Liste«, was zum Ergebnis hatte, daß ihn kein Gewerkschaftsmitglied mehr bedienen durfte. Sinatra bekam nichts zu essen, weil die Kellner es ablehnten, ihm zu servieren, die Bedienung des Fahrstuhls schloß vor seiner Nase die Tür. Der verzweifelte Sänger konnte nicht einmal mit seinem Privatflugzeug Australien verlassen, weil die Arbeiter auf dem Flugplatz es ablehnten, sein Flugzeug aufzutanken. Schließlich setzte sich Bob Hawke*, der Vorsitzende des Gewerkschaftsverbandes, persönlich für ihn ein. Sinatra mußte sich öffentlich entschuldigen.

* Bob Hawke ist seit 1983 Ministerpräsident von Australien.

Erwähnter australischer Gewerkschaftsführer hatte eine interessante Entwicklung zu verzeichnen. Er stammt aus einem einsamen Ort im Westen von Australien, wo sein Vater protestantischer Geistlicher war. Nach erfolgreichem Studium, unter anderem in Oxford, landete er im »Buch der Rekorde« als ein Mann, der es schaffte, in 12 Sekunden anderthalb Liter zu trinken. Zu seinen wesentlicheren Erfolgen gehörte eine gehaltvolle Abhandlung über das australische Schlichtungssystem, die ihm auch das Interesse der Gewerkschaften einbrachte. Im Jahr 1970 übernahm er deren Vorsitz.

Australier aus aller Welt

Als 1978 eine neue Brücke in Melbourne ihrer Vollendung entgegenging, beschloß Patrick Hanaphy, in die Geschichte einzugehen. Er hißte die irische Flagge am östlichen Ende der Brücke, begab sich dann auf die westliche Seite und wartete ungeduldig, bis das abschließende Brückensegment montiert war. Um 10.10 Uhr sprang er von dem letzten Bauteil auf den Ostrand der Brücke, küßte hier die Fahne und war somit der erste Mensch, der das Bauwerk von West nach Ost überquert hatte.

Patrick Hanaphy gehörte zu den Arbeitern, die die Brücke – ein Investitionsvorhaben von 145 Millionen Dollar – von der Grundsteinlegung bis zur Vollendung gebaut hatten. Er war außerdem ein richtiger »irischer Glückspilz« und hätte ohne dieses Quentchen Glück die triumphale Einweihung der Brücke nie miterlebt. 1970 trennten ihn nur zwei Minuten vom sicheren Tod, als ein Teil der Brücke zusammenstürzte. Am 15. Oktober, um 11.48 Uhr war er in den Aufzug gestiegen, um auf die Sohle hinabzufahren. Zwei Minuten später stürzte ein Pfeiler ein und erschlug 35 Menschen.

Die aus Irland nach Australien verbannten Menschen brachten in ihrem armseligen Gepäck die Erinnerung an eine himmelschreiende Ungerechtigkeit mit, die Erinnerung an ein katholisches Land, das unter der Last der Sorgen, die ihnen die angelsächsischen Herrscher aufbürdeten, fast zusammenbrach. In ihrer Heimat regierten allein Peitsche und Galgen, und Gerichtsverhandlungen glichen menschenunwürdigen Parodien. Trotzdem gelangten die Nachkommen der Irländer in Australien zu Ehren und Wohlstand.

Es ist nicht meine Absicht, mich hier mit der Geschichte Irlands, den Konflikten dieses Landes auseinanderzusetzen, die bis auf den heutigen Tag andauern. Ich will mich auch nicht auslassen über die Kolonisierung von Ulster, meist durch schottische Siedler, will nicht daran erinnern, wie Cromwells Truppen die geschlagenen Irländer verfolgten, wie englische und schottische Soldaten für ihre Dienste mit irischem Grund und Boden belohnt wurden. Es soll auch nicht über die Befürchtung der Engländer gesprochen werden, irgendwelche katholischen Mächte, beispielsweise Spanien, hätten Irland als Brückenkopf beim Überfall auf England nutzen können, nachdem Heinrich VIII. mit Rom gebrochen hatte.

Die ersten irischen Deportierten wurden als »barbarische Papisten« behandelt, die in Australien nur deshalb erschienen, um Ruhe und Gesinnung des englischen Geistes zu stören. Die Gouverneure gaben sich über das Erscheinen der Irländer in Australien tief empört, und einer äußerte, man hätte die Irländer eigentlich an den afrikanischen Küsten aussetzen sollen, um sie dort ihrem Schicksal zu überlassen. Es ist auch gar nicht möglich, hier alle Epitheta anzuführen, mit denen die Irländer in den Berichten belegt wurden, die die königlichen Gouverneure in das weite London schickten. Historiker erinnern an ein damals gebräuchliches geflügeltes Wort: »Schotten werden für große Verbrechen, Engländer für kleine Vergehen und Irländer eigentlich für gar nichts nach Australien verbannt.«

Natürlich gab es auch unter den Irländern kriminelle Elemente. In jenen Zeiten, als Schmalhans Küchenmeister war, kam es nicht selten zu Ausschreitungen gegen Besitz und Ungerechtigkeit, zu Mundraub und zur Zerstörung von Einrichtungen der Grundbesitzer. Es gab aber auch patriotische Kräfte, die sich gegen eine Besetzung von Ulster auflehnten. Jedenfalls war damals jeder vierte Verbannte, der nach Australien kam, irischer Herkunft.

Die britischen Befürchtungen vor einem Aufstand der irischen Deportierten waren nicht ganz unbegründet. Zu den ersten Ausschreitungen kam es bereits im Jahr 1804. Damals sah es ganz so aus, als würden die aufrührerischen Irländer die nur schwach besetzte Garnison bezwingen. Sie marschierten auf Sydney zu, mit ihnen ein Geistlicher. Zwar verhandelten die britischen Soldaten mit dem kirchlichen Vertreter, trotzdem kam es zu einer blutigen Auseinandersetzung, die mit einer Niederlage der Aufrührer endete. Und wieder wurden Galgen errichtet, und wieder pfiff die Neunschwänzige Katze.

In der Zeit des Goldrausches zeichneten sich in der irischen Gemeinschaft in Australien zwei unterschiedliche Entwicklungen ab. Da gab es zum einen die irischen Protestanten, die sich den Bürgern englischer Abstammung anpaßten und wie diese Karriere machten, viele als Juristen. Es verband sie nichts mehr mit den Proletariern, die nach Australien gekommen waren, um Not und Hunger zu entgehen und vielleicht auf den Goldfeldern ihr Glück zu suchen. Die meisten aber wurden Siedler, gründeten neue Siedlungen und vermehrten auf den australischen Landkarten die irischen Ortsnamen.

1868 flammte abermals ein heftiger Haß gegen die Irländer auf. Parolen wie »Irländer 'raus!« tauchten auf. Anlaß der Aktionen war der Anschlag auf den Herzog von Edinburgh bei seinem Besuch in Sydney. Der Attentäter, ein Irländer, war ein geisteskranker Mann, aber das interessierte in der damaligen Zeit niemanden.

Heute führen die Irländer in Australien ein normales Leben, sind im australischen Alltag integriert. Am Tage des irischen Patrons, des heiligen Patricks, kann man Dudelsackorchester bewundern, die in Städten und Dörfern aufspielen. Die Teilnehmer an diesen Feierlichkeiten – die Musiker sowieso – treten in traditioneller grüner Kleidung auf, nach dem Muster der Uniformen, wie sie irische Soldaten seit 1573 trugen.

Eine ganz neue Erscheinung ist die Auswanderung aus der Republik Südafrika, die in letzter Zeit stark ansteigt. In nur einem Jahr nahm sie auf der Liste der einwandernden Nationen den fünften Platz ein. In den letzten zwölf Jahren waren es 11 000 Menschen, die aus Südafrika nach Australien kamen, fast ausschließlich in Familien. Die meisten sprechen englisch. Auswanderer aus Afrika holländischer Abstammung treffen nur vereinzelt ein.

Manche sind sehr wohlhabend und können es sich leisten, teuren Besitz zu erwerben, die meisten zeichnen sich durch eine hohe fachliche Qualifikation aus, sind Ärzte, Ingenieure, Ökonomen. Sie behaupten, nur die Vorhut zu sein, viele wollen in nächster Zeit folgen. So berichtete ein Auswanderer aus Südafrika, über hundert Briefe seiner Freunde und Bekannten aus der früheren Heimat bekommen zu haben, die alle anfragen, ob sich eine Übersiedlung nach Australien lohne. Darauf hätte er ein Faltblatt mit Antworten auf alle interessierenden Fragen drucken lassen und es den Interessenten zugeschickt.

Die südafrikanischen Auswanderer passen sich der australischen Gesellschaft problemlos an. Begünstigt wird diese Entwicklung durch

ihre Sprachkenntnis, das ähnliche Klima und die annähernden Bedingungen des Berufslebens. Schwierigkeiten treten bei privaten Unternehmern auf, die hier das erste Mal in ihrem Leben mit starken Gewerkschaftsverbänden zu tun haben. Ein Auswanderer sagte, er sei nach Australien umgesiedelt, um in einer monolithen Gesellschaft zu leben, die keine Rassenschranken kenne: »Meine Kinder gehen hier in eine Schule, in der über die Hälfte der Kinder unbritische Namen trägt. Was wohl alles über das heutige Australien aussagt.«
Älteren Datums ist die französische Einwanderung, die bereits seit über 200 Jahren andauert. Etwa 12 000 Australier sind in Frankreich geboren, und mehrere Tausend besitzen französische Vorfahren. Die meisten französischen Emigranten leben in Sydney. Zu dieser ethnischen Gruppe gehören auch die Wallonen aus Belgien und die Libyer, die in den französischen kulturellen Traditionen tief verwurzelt sind.

Es ist ungewiß, ob sich unter den Verbannten, die mit der ersten Flotte in Australien eintrafen, auch ein Franzose befand. Als authentisch dagegen gilt, daß in der Armee von Neusüdwales ein Hugenotte auftrat, der während der Französischen Revolution nach England geflohen war und dort unter der englischen Flagge gedient hatte. In Australien wurde er, da man ihn für einen Adligen hielt, sogar im Palais des Gouverneurs empfangen. Später unterrichtete er die Kinder des Gouverneurs und wurde danach ein freier Siedler.

Es gab natürlich auch französische Einwanderer, die nicht aus freiem Willen, sondern zwangsweise, als Verbannte, nach Australien kamen. Peron, ein Chronist der französischen Expedition unter der Leitung von Baudin, die rund um die Welt führte und 1802 die Küsten von Australien erreichte, beschrieb ausführlich, daß er in den Straßen von Sydney einen Landsmann mit Namen Morand getroffen hätte, von dessen abenteuerlichem Lebenslauf er tief beeindruckt gewesen war. Als zwischen England und Frankreich der Krieg ausbrach, beschloß Morand, als echter Patriot den Kampf gegen den Feind aufzunehmen. »Wäre mir dieser Streich geglückt, dann hätte man mich in Frankreich als Helden, als den Rächer meines Landes gefeiert und nicht, wie es leider passierte, zum Dieb und Verbrecher abgestempelt.«

Worauf beruhte nun dieser Kampf des Franzosen gegen die britische Übermacht, gegen das von Frankreich so gehaßte »perfide Albion«? Morand wollte mit Hilfe eines Irländers britische Banknoten im Großmaßstab fälschen und damit das Vertrauen zur britischen Währung untergraben. Diese Idee hatte später auch Hitler, der Ende des zweiten Weltkrieges von Spezialisten das Pfund Sterling in Massen fälschen ließ. Es gelang beiden nicht, die Idee in die Praxis umzusetzen.

Der clevere Franzose hatte nicht ahnen können, daß sein irischer Partner ein paar Banknoten stibitzte, bevor diese bis in alle Einzelheiten vollendet waren. Der Kompagnon brachte diese Halbfabrikate in Umlauf und wurde auf frischer Tat ertappt. Als nun beide im Gefängnis landeten, überzeugte Morand seinen Partner, daß sie der Schande des Galgens nur durch den Freitod entgehen konnten. Der Irländer richtete sich nach diesem Rat, schluckte eine stark brennende Säure und verstarb unter Qualen. Morand überlegte es sich im letzten Augenblick anders. Da mit dem Tod des Irländers der Hauptzeuge der Anklage nicht mehr aussagen konnte, wurde Morand nicht gehängt, sondern nach Australien verbannt.

Der Chronist berichtete, daß Morand bereits 1802 auf freiem Fuße war und in Sydney als Uhrmacher und Goldschmied arbeitete. Er erzählte seinem Landsmann, daß er hoffe, in nächster Zeit zu den reichsten Männern der Kolonie zu gehören. Doch es quälten ihn – wie er dem Chronisten beichtete – »immer noch Gewissensbisse, seine edlen Absichten nicht verwirklicht zu haben«, und er bedauerte zutiefst, daß seine Dienste gegenüber Frankreich nie gewürdigt wurden.

Eingehende Forschungen historischer Quellen ergaben, daß jener Morand in Wirklichkeit Ferdinand de Meurant hieß und ein Hugenotte war. Er hatte Frankreich vor der Revolution verlassen und war nach Irland geflohen, wo er sich mit einem Graveur zusammentat und Banknoten fälschte. Auf frischer Tat ertappt, wurden sie nach Australien verbannt. Meurant fertigte auf dem Schiff für einen Offizier des Heeres von Neusüdwales einige Schmuckstücke an, wurde dem Gouverneur empfohlen, für dessen Frau er ebenfalls Schmuck herstellte, was ihm seine Begnadigung einbrachte.

Jahre vergingen, und es veränderte sich das Antlitz der französischen Auswanderer in Australien. Da diese vor allem mit dem Wollhandel verbunden waren, wurden die Söhne der französischen Industriellen nach Australien geschickt, damit sie dort den Ankauf und Transport der Wolle überwachten. Einige von ihnen faßten für immer Fuß in Australien und gingen in der australischen Gemeinschaft auf.

Die traditionsverbundene und konservative Haltung der französischen Einwanderer macht von Zeit zu Zeit auf sich aufmerksam. Es heißt, sie hätten kraft ihres Einflusses auf die Regierung in Paris bewirkt, daß der französische Generalkonsul in Sydney nach kurzer Zeit wieder abberufen wurde. Dabei war er ein hochtalentierter Mann, der allerdings recht eigenwillige Ansichten hatte und sogar mit dem Fahrrad durch die Stadt zu fahren pflegte. Die Franzosen meinten, dies entspräche kaum der Würde eines Vertreters ihres stolzen Heimatlandes. Man warf dem Herrn Konsul auch vor, er bevorzuge die Vergnügen und Zusammenkünfte mit den ärmeren Schichten der französischen Australier und vermiede die Gesellschaft der Großindustriellen.

Auf der griechischen Insel Kithira nimmt die Zahl der Bewohner ständig ab. Die Hauptstadt dieser Insel, Milopothanos, war einst eine Stätte pulsierenden Lebens. Heute steht die Hälfte der Häuser leer, auf der Insel leben nicht mehr als 3 500 Menschen. Dagegen stammen in Neusüdwales, in nur einem australischen Staate, 38 000 Menschen von eben dieser griechischen Insel.

Ein Postbeamter aus Milopothanos verriet, daß seine meisten Amtshandlungen in der Überweisung von Renten und Privatbeträgen aus Australien an die Bewohner der Insel bestünden. An diesem Beispiel ist ersichtlich, daß die Griechen im 20. Jahrhundert nach den Briten, Irländern und Italienern zur viertstärksten Einwanderergruppe nach Australien wurden. Eine übrigens nicht überraschende Entwicklung.

Es war vor allem in der Zeit des Goldrausches, als die Griechen in Australien erschienen. Griechen halfen, im Osten des Landes die riesengroßen Eukalyptuswälder zu roden, und legten als erste Zitrusfarmen an. Das lag nahe, verfügten sie doch über dreitausendjährige Erfahrungen des Ackerbaus und der Viehzucht unter den Bedingungen des Wassermangels und der sengenden Sonnenstrahlen. Sie halfen auch, die großen australischen Bewässerungspläne zu verwirklichen. Jahrzehntelang ernährten griechische Farmer fast ganz Australien, richteten sie auf dem Land kleine Gastwirtschaften ein, so daß es in den kleinen Siedlungen im Busch zum geflügelten Wort wurde, wenn man am Abend sagte: »Laßt uns zum Griechen essen gehen!« Diese Tradition besteht heute noch, man kann in den Straßen australischer Städte oft Schilder mit griechischen Aufschriften sehen, griechische Straßenhändler verkaufen bis spät in die Nacht hervorragendes Obst und Gemüse, griechische Restaurants öffnen ihre Pforten um zehn Uhr abends, und die richtige Unterhaltung beginnt hier erst spät nach Mitternacht. Der Drang der Griechen, ihr Land zu verlassen, war und ist sehr groß. Heute leben in den USA, in Kanada, Australien, Westeuropa und Afrika mehr Griechen als die fast 10 Millionen in Griechenland.

Wenn auf dem Umschlag einer der vielen Publikationen, die dem Problem der amerikanischen Auswanderer nach Australien gewidmet sind, in großen Lettern zu lesen ist »Fünf Millionen Amerikaner bemühen sich um die australische Staatsbürgerschaft«, so steht dieser Titel des Buches und der Slogan »Die Yankees kommen!« im krassen Widerspruch zur Wirklichkeit. Eines stimmt auf jeden Fall: Eine Millioneninvasion von Amerikanern nach Australien ist nicht zu befürchten. In den dreißig Nachkriegsjahren kamen knapp 115 000 Amerikaner nach Australien, und nur 2 500 nahmen die australische Staatsbürgerschaft an.

Es begann alles sehr bescheiden mit zwei amerikanischen Geschäftsleuten, die 1820 in die australische Gesellschaft von Neusüdwales durch eine Sonderverfügung Eintritt fanden. Die Aufforderung des australischen Politikers Arthur Callwells, Enkel eines amerikanischen Goldgräbers, der in Australien nach Schätzen gesucht hatte, an die amerikanischen Bürger, in Millionenzahlen nach Australien auszuwandern, wurde völlig ignoriert. Zu einer Auswanderungswelle kam es erst in den siebziger Jahren des vorigen Jahrhunderts. Ethel Sloan, die mit ihrem Mann nach Australien ausgewandert war, kehrte als echte amerikanische Patriotin in die alte Heimat zurück. In ihrem Buch »Känguruh in der Küche und andere Abenteuer einer amerikanischen Familie dort unten auf dem Globus« nennt sie Australien mit spitzer Zunge ein »achtzigprozentiges Land«, in dem es auf Schritt und Tritt an Mitteln fehle, um angefangene Projekte zu Ende zu führen. So sei auch »Sydney überfüllt von halbfertigen Gebäuden. Überall begegnet man verlassenen Ausschachtungen und Stahlgerüsten, die einsam in den Himmel ragen.« Die Schulen, die ihre beiden Söhne besuchten, machten – so ihre Meinung – den Eindruck, als entsprängen sie den Romanen von Charles Dickens.

Besonders fiel ihr auf, daß in Australien niemand seine Nase in fremde Angelegenheiten steckte. So traf sie auf Tennisplätzen Frauen, die über Jahre miteinander Tennis spielten, ohne sich näher zu kennen. Am meisten klagte sie darüber, daß die australischen Frauen immer genauso wählen wie ihre Ehemänner, ihnen gegenüber sehr fügsam sind und ihre Hausarbeiten verrichten, ohne zu murren.

Sieht man sich den Verlauf der Geschichte etwas näher an, dann fällt auf, daß die Amerikaner mit der Erringung ihrer Unabhängigkeit auch das Schicksal von Australien beeinflußten. Zweifellos beschleunigten die Freiheitskämpfe in Nordamerika und der Verlust dieser kolonie durch die Briten die Geburt der neuen Kolonie Australien.

Bereits am 1. November 1792 erlebten die australischen Siedler voller Staunen, wie die amerikanische Brigg »Philadelphia« in den Hafen von Port Jackson einlief und hier anlegte. Es war der erste Hoffnungsstrahl, daß Australien doch nicht völlig isoliert war und daß es außer Engländern noch andere Menschen auf der Welt gab. Bei den Kolonialbehörden rief das verständlicherweise keine Begeisterung hervor. Es häuften sich die Klagen darüber, daß die Amerikaner aus dem Land Menschen entführten, wo es doch in Australien überall an Arbeitskräften mangelte. Es kam sogar dazu, daß amerikanische Schiffe, die im Hafen von Sydney anlegen wollten, eine Art Kaution sozusagen als Pfand dafür zahlen mußten, daß sie keine entflohenen Sträflinge an Bord nahmen. Später ließ man sie überhaupt nicht mehr in den Hafen von Sydney hinein. Sie mußten in einer gewissen Entfernung auf Reede stehen und wurden von Patrouilleschiffen überwacht.

1852 richtete der britische Konsul in Philadelphia ein Schreiben an den Außenminister in London mit der Warnung, die Amerikaner würden in Australien die Gründung einer Republik planen. Dieses Schreiben wurde unverzüglich an den australischen Gouverneur weitergeleitet. Die Verschwörung sah vor, Personen aus den verschiedensten

Die Stadt Sydney der neunziger Jahre des vergangenen Jahrhunderts besaß bereits gepflegte Parkanlagen und breite Alleen.

Gebieten der USA, die es sich zum Lebenswerk erkoren hatten, die »Freiheitszone auszudehnen«, nach Australien zu bringen. Ein Jahr später schrieb der britische Botschafter aus Washington: »Es kann gar kein Zweifel darüber bestehen, daß eine Revolution in Australien und ein Abbruch der Beziehungen zu Großbritannien für die breiten Massen der amerikanischen Bevölkerung von eminenter Bedeutung war.«

Die britische Regierung war über diese Absichten bestens informiert. Und trotzdem wurde in Eureca während des historischen Konfliktes einem Amerikaner das Amt des ersten Präsidenten der unabhängigen Republik Victoria angetragen.

Von allen Amerikanern, die sich in Australien ansiedelten, ist King O'Malley, in Kanada geboren und in den USA aufgewachsen, wohl die augenfälligste Figur. Er starb 1953 in Australien im hohen Alter von 99 Jahren. In Australien erschien King O'Malley recht überstürzt, nachdem eine seiner Affären ruchbar geworden war. Er hatte für den Bau von Kirchen, die niemals gebaut werden sollten, Spenden gesammelt. O'Malley ließ sich in Adelaide nieder, wandte sich schon bald der Politik zu und wurde ins Parlament berufen. Man nennt ihn auch den »Vater« der Australischen Bundesbank, wenn er auch dieses Mal vor einem »kleinen Schwindel« nicht zurückschreckte, als er die Vollmacht eines abwesenden Abgeordneten fälschte. Seine diesbezügliche Erläuterung war kurz und bündig: »Brüder, wir brauchen diese Bank, und das Ziel heiligt die Mittel.« Als Minister für Innere Angelegenheiten regte er einen Wettbewerb an, aus dem der Baumeister von Canberra, der zukünftigen Hauptstadt des Australischen Bundesstaates, hervorgehen sollte.

Die größte Macht übte der amerikanische Dollar in vier wirtschaftlichen Sphären aus. Die Motorenindustrie kämpft gegenwärtig gegen die starke japanische Konkurrenz, doch die Amerikaner haben auch auf diesem Gebiet ein gewichtiges Wort mitzureden. Die amerikanischen Bergwerk- und Hütten-Konzerne beeinflussen in einem entscheidenden Umfang die Aluminiumproduktion und den Eisenerzabbau. Die Antwort auf die Frage, wem Australien gehört, muß berücksichtigen, daß der Anteil des britischen Kapitals in Landwirtschaft und Industrie die amerikanischen Einlagen bei weitem übertrifft. Doch der amerikanische Dollar regiert in vielen Zweigen der Industrie und des Handels. Die amerikanische Kultur flimmert den Australiern jeden Abend über die Kinoleinwand und über den Fernsehbildschirm. Es gibt neben den Briten keine weitere Nation, die den australischen Lebensstil im gleichen Maß beeinflußt wie die Amerikaner.

Über die deutschen Immigranten, die in Australien nach den Briten und Irländern zahlenmäßig die drittältesten darstellen, sagte jemand mit Recht: »Sie arbeiteten schwer und beteten lang.« Als 1861 in Australien eine Million Menschen lebten, wiesen sich bereits 27 000 als Deutsche aus. Da es aber auch viele Mischehen gab, ist es schwer, exakte Statistiken aufzustellen, doch aller Wahrscheinlichkeit nach stammen 600 000 bis 800 000 Australier ganz oder teilweise von Deutschen ab. Dabei muß man natürlich berücksichtigen, daß auch Österreicher und Schweizer deutsch sprechen.

Niemand verläßt sein Land, in dem es ihm gut geht. Die meisten deutschen Siedler ließen sich in Australien nach dem Grundsatz nieder: Schwimmen oder untergehen. Viele lernten schnell schwim-

Die europäischen Auswanderer zogen von Hamburg aus nach Australien.

men. Sie gründeten nach ihrer Ankunft in Australien verschiedene Klubs, die aber in der Zeit, in der Australien gegen Deutschland zwei Kriege führte, aufgelöst wurden. Die Emigranten, die vor dem zweiten Weltkrieg in Australien eintrafen, waren zum größten Teil Verfolgte des Naziregimes.

Die deutschen Siedler machten sich in Australien vor allem auf den Gebieten des Handwerks und der Landwirtschaft einen guten Namen. So legten sie auch Weingärten an und kelterten ganz vorzügliche Weinsorten. Ich hatte Gelegenheit, in Südaustralien Nachkommen von frühen deutschen Kolonisten kennenzulernen. Sie pflegten zwar immer noch verschiedene alte deutsche Traditionen, aber der Sprache mächtig waren nur noch wenige Menschen, unter den Jugendlichen traf ich hier niemanden mehr an, der deutsch sprach. Sie selbst bezeichnen sich als Australier deutscher Abstammung. Man darf aber nicht vergessen, daß sich die Geschichte von Südaustralien anders entwickelte als in den übrigen Kolonien, aus denen der Australische Bund hervorging. Der Grund und Boden des heutigen Bundesstaates Südaustralien sollte nicht kostenlos aufgeteilt, sondern verkauft werden. Mit anderen Worten, man wollte hier den Großgrundbesitzern billige Arbeitskräfte sichern, denn die aus England eintreffenden Landarbeiter waren nicht in der Lage, aus eigenen Mitteln eine Farm zu erwerben.

Die ersten deutschen Kolonisten erschienen in Südaustralien nach ihrer Flucht vor religiösen Verfolgungen in der Heimat. Sie wurden von Pastor August Cavel angeführt, der ein »alter Lutheraner« war und sich den neuen preußischen Gesetzen nicht beugen wollte. Nach einer beschwerlichen Seereise landete die erste Gruppe der deutschen Kolonisten im Jahr 1838 in Australien.

Die Ankömmlinge schlugen ihr Lager an einer Stelle auf, die den Umständen entsprechend Hafen des Unglücks, Port Misery, genannt wurde und etwa einen Kilometer von der heutigen Hauptstadt des Bundesstaates, Adelaide, entfernt war. Der Fluß bildet hier ein breites morastiges Delta, in dem die Boote der Neusiedler steckenblieben und sie zwang, durch den Schlamm zu den Sandhügeln zu waten. Kurz darauf legte ein weiteres deutsches Schiff an. Kapitän Hahn hatte Mitleid mit seinen Landsleuten, und er beschloß, ihnen zu helfen. Er suchte an der Küste nach besseren Siedlungsbedingungen und führte seine Passagiere an eine Stelle, die etwa 30 Kilometer von Adelaide entfernt war, wo sie sich auf einem hügeligen Gelände ansiedelten. Man dankte dem fürsorglichen Kapitän, indem man der Siedlung den Namen Hahndorf gab.

Nach den Lutheranern machte sich noch eine Gruppe deutscher Katholiken nach Australien auf. Bekannt wurde in diesem Zusammenhang ein reicher Schlesier mit Namen Weikert, der 1848 beschloß, auf eigene Kosten eine Gruppe Landsleute katholischen Glaubens nach Australien zu führen. Bereits unterwegs erwies es sich, daß die Hälfte der »Katholiken« in Wirklichkeit Protestanten waren, die auf diese Weise zu einer kostenlosen Überfahrt kommen wollten. Außerdem begannen sie, untereinander zu streiten und sich zu zersplittern. Und wenn der Vertrag auch vorgesehen hatte, eine gemeinsame Siedlung zu errichten, so blieben nur noch einige wenige der Gruppe an Weikerts Seite. Sie ließen sich an einer Stelle nieder, an der bald darauf auch polnische Auswanderer aus dem Lubusker Land erschienen. Die Wahl der Siedlung erfolgte mit der sprichwörtlichen deutschen Gründlichkeit. Als man erkundet hatte, daß die Lebensbedingungen in Neusüdwales günstiger waren, machte sich die gesamte Gemeinde in einem Treck mit vierzehn Planwagen auf den Weg dorthin. Fürsorge und vorausschauende Umsicht ließen die gesamte Gemeinde ohne jegliche Verluste eine Stelle erreichen, die man Walla-Walla nannte.

Der deutsche Beitrag zur Erschließung Australiens ist unübersehbar. In diesem Zusammenhang muß vor allem der Name des deutschen Forschers Friedrich Leichardt genannt werden. Die von ihm geführte letzte Expedition verscholl, obgleich man immer wieder nach ihr suchte, ohne die geringste Spur zu hinterlassen.

Die Australier wären überaus erstaunt, erführen sie, daß die Hauptsynagoge in Sydney von einem irischen Rabbi gegründet wurde. Für einen Australier ist ein Irländer immer ein Katholik. Das ist nicht verwunderlich, sagte doch selbst Rabbi Israel Jakobovitz: »95 Prozent der Bevölkerung der Republik Irland sind Katholiken, 5 Prozent sind Protestanten, und ich bin der Oberrabbi aller übrigen Einwohner.« In Australien lebt kaum ein halbes Prozent Juden, und ihre Zahl nimmt von Jahr zu Jahr weiter ab. Zu den ersten Bürgern jüdischer Abstammung in Australien gehörte ein gewisser Ikey Solomon, ein Londoner Tagedieb. Er soll angeblich in Dickens' Roman »Oliver Twist« Fagin als Modell gedient haben und dadurch unsterblich geworden sein. In London verhaftet, floh er nach New York, wo er sich gleich daranmachte, Banknoten zu fälschen. Als er erfuhr, daß seine Frau Anna nach Tasmanien verbannt worden war, verließ er sein Exil und folgte ihr auf die Insel. Nach einem Jahr verhaftete ihn die Polizei und schickte ihn nach London zurück. Dort verurteilte man ihn und verbannte ihn nach Tasmanien, wo er den Rest seines Lebens verbrachte.

Die Anfänge waren durchaus nicht ermunternd. Bald folgte eine Welle jüdischer Auswanderer aus Preußen und – wie es in den australischen Chroniken heißt – aus dem »russischen Polen«. Ihre Nachkommen nahmen in der australischen Geschichte eine bedeutende Stelle ein, waren Juristen, Geschäftsleute, Wissenschaftler, Ärzte. Sir Zelman Cowen präsentierte sich als der zweite jüdische Gouverneur Australiens. Der erste stammte aus Polen und war Sohn eines armen Schneiders. Auch die letzten Bürgermeister der zwei größten australischen Städte, Melbourne und Sydney, waren Juden. Leo Port, der Bürgermeister von Sydney, wurde in Polen geboren. Nach Australien kam er im Alter von 16 Jahren. In Sydney besuchte er eine Mittelschule und anschließend eine Technische Hochschule. Er war Erfinder und Verfasser vieler bekannter Patente und leitete im Fernsehen eine Sendung unter dem Thema »Erfinder am Start«. Leo Port sprach fließend Ppolnisch; er starb im Jahr 1978.

Der Zufall wollte es, daß der bis 1982 amtierende Generalgouverneur, Sir Zelman Cowen, die Biographie des ersten australischen Generalgouverneurs verfaßte. Dieser wurde 1855 in Australien geboren und war zugleich der erste Jude, der dieses hohe Amt verwaltete.

Die Historiker sind sich im allgemeinen darüber einig, daß das »weiße Australien« in den Jahren 1860–1861, während der Unruhen in Lambing Flats, geboren wurde. Es kam damals zu spontanen Ausschreitungen gegen die Chinesen. Die Anführer der rassistischen Bewegung verboten zwar kategorisch jegliche Plünderung und übergaben jeden, der auf frischer Tat ertappt wurde, der Polizei, regten dagegen die Demonstranten an, Zelte und Einrichtungen der unglücklichen Chinesen zu verbrennen und zu zerstören, ihnen die Zöpfe abzuschneiden und sie zu mißhandeln, um sie von den Goldfeldern zu vertreiben. Die Behörden schlugen die Unruhen nieder und schickten die Anführer in die Gefängnisse.

Die Geschichte der Chinesen in Australien ist in der Tat sehr interessant. Die Chinesen erschienen in der ersten Hälfte des vorigen Jahrhunderts, in der Zeit des beginnenden Goldrausches. Die hier ansässigen Europäer empfingen sie erst mit Erstaunen, später voller Unwillen.

Es kam zu vielen antichinesischen Ausschreitungen, die oft einen stürmischen Charakter annahmen. Die Voreingenommenheit der Weißen rührte von ihrer Überzeugung, die Chinesen seien schmutzig und korrumpierten die weißen Mädchen. Es kam zu unbewiesenen Anklagen, sie würden bei ihren Verführungskünsten gern Opium anwenden. Die australische Presse war jedenfalls in jener Zeit voller rassistischer Anschuldigungen, und sogar ernsthafte australische Schriftsteller schlossen sich dieser Haltung an. Chinesen, die in den

Die ersten Siedler lebten in einfachen Hütten, rodeten die Wälder und fristeten ein armseliges Leben.

Goldgruben vom Pech verfolgt wurden und kein Geld für die Rückfahrt in die Heimat besaßen, wurden von der australischen Gesellschaft aufgesogen. Sie arbeiteten im Gartenbau, in Wäschereien, manche verdingten sich als Köche von Expeditionen, verschiedene widmeten sich dem Handel. Heute, nach hundert Jahren, scheinen Sprachbarriere und fremdländische Kultur noch immer das Haupthindernis für eine völlige Assimilierung der Chinesen zu sein. Der australische Arbeiter lebte in ständiger Angst vor der konkurrierenden billigen Arbeitskraft der Asiaten.

Zu einem der wenigen erfolgreichen Männer gehörte Quong Tart, ein Auswanderer aus Kantou, der in den letzten Jahren des vergangenen Jahrhunderts als einer der größten Experten für schottische Geschichte, Literatur und Folklore bekannt wurde. Den schottischen Akzent, dessen er sich bedient, hatte er sich auf dem Schiff angeeignet, das ihn nach Australien brachte. Hier arbeitete er anfangs in den Goldminen in Gesellschaft von schottischen Goldgräbern und übernahm von diesen sogar ihr sprichwörtliches schottisches Humorempfinden. Verschiedentlich trat er auch als MacTart auf. Er gehörte schottischen Klubs an, spazierte auch im karierten Schottenröckchen herum und nahm an den Veranstaltungen der Schotten in Australien teil.

Die australische Gesellschaft war bis in die jüngste Zeit von Rassenvorurteilen gekennzeichnet. Die Wochenschrift »The Bulletin«, eine einflußreiche Zeitschrift, vertrat jahrzehntelang die Parole »Australien den Australiern! In Australien gibt es keinen Platz für billige Chinesen, billige Tagediebe und billige asiatische Hungerleider!« Mit »billig« bezeichnete man Menschen, die für weniger Lohn arbeiteten als weiße Proletarier. Mit anderen Worten, man fürchtete sich vor Arbeitern, die bereit waren, für eine Schale Reis zu arbeiten und damit die Löhne der australischen Arbeiter zu drücken.

Der ehemalige Minister für Einwanderungsfragen, Al Grassby, erklärte, die Zeit eines »weißen Australiens« gehöre heute bereits zur Geschichte. 1973, so erinnerte er, seien Gesetze eingeführt worden, die jegliche Diskriminierung von Rassen, Hautfarbe und Konfessionen bei Einwanderungen und Anerkennung der Staatsbürgerschaft ausschlossen. Was natürlich nicht heißt, daß sich die Rassisten kampflos ergeben hätten. Als 1973 eine Autofabrik 35 qualifizierte Arbeiter von den Philippinen anfordern wollte, wurde die Fabrikleitung mit rassistischen Schmähbriefen überschüttet, und angesichts der Drohungen, die gegen den Direktor gerichtet waren, stellte man diesem für eine gewisse Zeit einen Geleitschutz.

Kleine, aber sehr lautstarke Rassistengruppen in der Art des »Bundes der Einwanderungskontrolle« oder der »Liga der Politik eines Weißen Australiens« bestanden noch vor wenigen Jahren. In seiner Aussage machte Al Grassby darauf aufmerksam, daß die Politik des »weißen Australiens« weniger auf einer rassistischen als vielmehr ökonomischen Basis beruhe. Es waren radikale Elemente, die sich gegen die Einführung billiger Arbeitskräfte aus China oder Polynesien auflehnten. Die australischen Großindustriellen dagegen beuteten diese Menschen mitleidlos aus, ihre Praktiken erinnerten stark an den früheren Sklavenhandel. Möglicherweise war das auch der Nährboden für den Rassismus-Bazillus. Der Einwanderungsminister berichtete weiter, wie ihm seine Kollegen abrieten, jemanden ins Land hineinzulassen, der eine dunkle Hautfarbe besaß, dessen Gesichtszüge wenig europäisch oder dessen englische Sprachkenntnisse ungenügend waren. Zu seiner Zeit bestimmte man die Rasse der Antragsteller noch nach ihren Fotografien, wobei es wiederholt zu tragikomischen Verwechslungen kam. So trennte man drei leibliche Brüder in drei verschiedene Rassen, und zwar nur deshalb, weil ihre Bilder von drei verschiedenen Fotografen aufgenommen worden waren. Der erste, mit einem schlecht gelungenen Bild, geriet in die Kartei der Europäer und durfte als solcher innerhalb eines Jahres einen Antrag auf Staatsbürgerschaft stellen. Den zweiten setzte man auf die Liste der Mischlinge. Er mußte drei Jahre auf die Staatsbürgerschaft warten. Beim dritten, den man als Neger einstufte, dauerte die Prozedur fünf Jahre.

Heute gehören solche Praktiken der Vergangenheit an. Australien betreibt jetzt eine loyale Einwanderungspolitik, die von den meisten Einwohnern begrüßt wird. Die australische Gesellschaft sei selbst nie eine monolithe ethnische Nation gewesen, bemerkte Grassby zu Recht. Schon auf den Schiffen der Ersten Flotte befanden sich Vertreter verschiedenster Nationen und Rassen, darunter Polen, Italiener, Spanier, Singhalesen, Weiße aus Südafrika und Neger. Später betrug der chinesische Anteil der Bevölkerung in manchen australischen Gebieten bis zu 25 Prozent. Nach Meinung von Al Grassby hätte sich die Idee einer ethnisch einheitlichen Bevölkerung in Australien am leichtesten zu Beginn des 19. Jahrhunderts verwirklichen lassen, als 77 Prozent der Einwohner eine irische Abstammung nachwiesen. Diese Situation erfuhr während des großen Ansturms in der Zeit des australischen Goldrausches, das heißt in den fünfziger Jahren des vergangenen Jahrhunderts, einen entscheidenden Wandel.

Heute ist jeder dritte Australier ein Nachkriegseinwanderer, und nur noch Israel soll prozentual mehr Einwohner besitzen, die außerhalb des Landes geboren wurden.

Mrs. Kate Miller moderiert in der staatlichen Rundfunkanstalt ABC eine Sendung, die weniger für neu angekommene Einwanderer gedacht ist, sondern vielmehr über sie berichtet. Die Redakteurin über sich: »Ich bin eine typische Australierin, ich wuchs auf und wurde erzogen, ohne je Kontakt mit Einwanderern zu haben. Einige traf ich zwar während meines Studiums in der Universität, zerbrach mir aber nie den Kopf über ihre Probleme, bis ich dann diese Arbeit übernahm. Heute erschreckt mich, was diese Menschen alles anstellen, nur um zu überleben. Ihr Leben ist manchmal wirklich sehr schwer, vor allem das der Frauen.«

Mrs. Miller berührt in ihrer Sendung oft Probleme, die ein Durchschnittsaustralier kaum kennt. Die Einwanderer selbst bestätigen, daß es ihnen sehr wohl tut, wenn sich jemand so ernsthaft mit ihren Problemen auseinandersetzt. Mrs. Millers Erfahrungen sind in der Tat bemerkenswert: »Es gehört durchaus nicht zur Ausnahme, wenn eine erst unlängst ins Land gekommene Frau ihr sechs- oder siebenjähriges Kind als Dolmetscher mitnimmt, wenn sie zum Frauenarzt geht. Wenn es ihr auch unangenehm ist, so hat sie doch keine andere Wahl, weil sie in ihrer Umgebung keinen Arzt findet, der sie versteht.«

Es kommt oft zu psychischen Störungen, die sehr schwer zu behandeln sind. Denn wie sollte ein Psychiater auf seinen Patienten über einen Dolmetscher einwirken? Große Probleme gibt es in den italienischen und griechischen Kreisen, in denen Mädchen, die bereits in Australien geboren wurden, das gleiche Leben führen wollen wie ihre gleichaltrigen australischen Freundinnen, sich mit Jungen verabreden, mit ihnen ins Kino oder zum Tanz gehen möchten. Die Mütter befürchten, daß ihnen »etwas Fürchterliches« zustoßen könnte, weil sie selbst in diesem Geist erzogen wurden. Berufstätige Frauen kehren nach ihrer Arbeit heim, um hier die Hauswirtschaft allein zu erledigen, weil es in der alten Heimat nicht üblich war, daß sich Männer daran beteiligten, und es auch in Australien so halten. Auch die Situation von nichtberufstätigen Frauen ist beunruhigend. Wenn sie in der Umgebung ihrer Landsleute leben, können sie ab und zu mit ihnen sprechen, doch außerhalb dieser Gettos gibt es keine Kontakte. Für diejenigen, die gleich nach dem Krieg nach Australien kamen, ist das Leben nicht so schwer, weil ihre Kinder schon erwachsen sind und in Berufen arbeiten, die sie in Australien erlernten. Mrs. Miller behauptet, die Australier seien gegenüber Menschen, mit denen sie nicht englisch sprechen können, sehr intolerant.

In Großstädten geben australische Zeitungen Telefonnummern bekannt, unter denen man Tag und Nacht Personen anrufen kann, die viele Sprachen sprechen. Man ruft sie meist in Notfällen an, und sie schaffen Verbindungen zu Ärzten, Polizei oder Ämtern, die für den jeweiligen Fall zuständig sind.

Doktor Krupinski, Direktor der Psychiatrischen Zentrale, sagte, am schwierigsten würden sich die Frauen aus Südeuropa der australischen Gesellschaft anpassen. Sie verlören auch bald den Einfluß auf ihre Kinder, die die australischen Schulen besuchen und sich in diesem Milieu gut zurechtfinden. Bei Männern fällt die kritische Zeit mit ihrer Suche nach finanzieller Unabhängigkeit zusammen. Am meisten sind von psychischen Störungen Neuankömmlinge befallen, die kleineren ethnischen Gruppen angehören, zum Beispiel Türken oder Südamerikaner. Die alteingesessenen Gruppen der Griechen oder Italiener sind bereits so gut organisiert, daß sie ihre Landsleute unterstützen können.

Unter großen psychischen Störungen leiden, das haben Untersuchungen ergeben, oftmals Kinder, die im Alter von etwa zehn Jahren nach Australien kommen. Sie bleiben in der Schule in ihren Leistungen hinter den australischen Schülern zurück und können nach dem Schulabschluß nur unqualifizierte Arbeiten übernehmen. Wer Englisch spricht, besitzt größere Berufschancen.

Kaninchen, Karpfen und andere Plagen

Bei einer der mit Regelmäßigkeit auftretenden Überschwemmungen mußten auch die Bewohner der Siedlung Tilpa evakuiert werden. Tilpa, im Staate Neusüdwales gelegen, besteht aus sechs Häusern, einer Schenke und einem Postamt. Das alles wurde vom Wasser des Flusses Darling überflutet, der weit über seine Ufer trat und die Menschen zur Flucht auf nahe gelegene Anhöhen zwang. Zurück blieb der Chef und zugleich einzige Beamte des Postamtes gleich dem Kapitän eines sinkenden Schiffes, um nicht die Verbindung zwischen der Siedlung und der Außenwelt abreißen zu lassen. Er teilte fernmündlich mit, daß auch die umliegenden Farmen durch das Wasser abgeschnitten seien und er das einzige Telefon der ganzen Umgebung bediene. Gefragt, ob es Versorgungsprobleme gäbe, meinte er, daß dies nicht der Fall sei, weil man das Mittagessen bequem auf der Dorfstraße fangen könne. Es tummelten sich hier plötzlich ganze Schwärme von Hechten und anderen vorzüglichen Fischen, auch Karpfen, aber diese mochte der Herr Postmeister nicht.

Womit wir also bei einem neuen Thema über Australien und damit auch bei neuen Sorgen der Australier angelangt wären. Die Karpfen nämlich wurden sozusagen als »Leckerbissen« eingeführt, erwiesen sich dann jedoch als »herbeigerufene Geister«, die man nicht mehr loswerden konnte. Schließlich kam es soweit, daß die Australier den Karpfen nicht nur verwünschten, sondern ihn sogar zum Hauptfeind ihrer Süßwassergewässer erklärten. Worin besteht die Schuld des Karpfens? Warum wollte man diesen Fisch ausrotten? Das ist eine lange Geschichte, und sie zeigt, wie beste Absichten zu schlimmsten Ergebnissen führen können.

Karpfen gab es schon früher in Australien, doch es heißt, die heutige Plage gehe auf die sechziger Jahre zurück, als ein deutscher Einwanderer gegen die bestehenden Verordnungen der australischen Behörden aus der Heimat einen Fisch mitbrachte, den er in der alten Heimat zur Lieblingsspeise erkoren hatte. Heute kostet die Umsetzung der Karpfen von einem Gewässer in ein anderes eine Strafe von über tausend Dollar. Die »Schuld« des Fisches besteht darin, daß er die Wasserpflanzen vertilgt und damit den anderen Fischen die Lebensgrundlage nimmt. Außerdem wühlt er bei der Nahrungssuche auf dem Grund den Schlamm auf, und das wiederum mögen die australischen Fische nicht sonderlich.

Die Australier essen keinen Karpfen, lehnen den leicht schlammigen Geschmack ab. Voller Staunen hören sie, daß man in Mittel- und Osteuropa nach diesen Fischen ganz versessen sei und sich vor allem ein Weihnachtsessen ohne Karpfen nicht vorstellen kann. Die australische Presse veröffentlichte eine Zeitlang eine Reihe von leckeren Koch- und Bratrezepten, wobei man sich besonders nach den kulinarischen Traditionen Deutschlands, Jugoslawiens, Italiens und Israels richtete. Als besonders ausgezeichnet wurde das italienische Rezept »Karpfen nach Teufelsart« gepriesen. Sollte es jedoch nun überhaupt nicht gelingen, die Australier für Karpfengerichte zu interessieren, so will man den umgekehrten Weg gehen und in Speziallabors besondere Viren züchten, die sich schnell vermehren und für Karpfen absolut tödlich wirken. So also sieht es mit dem australischen Karpfen aus, den man als Leckerbissen einführte und der sich zu einer Plage entwickelte. Verehrer der Fischspeise meinen, er sei ein königliches Gericht, wogegen die Australier behaupten, daß man alles, was man nicht essen kann, ausrotten sollte. Doch wie auch immer, eines ist sicher: Der europäische Karpfen sieht in den australischen Gewässern einer trüben Zukunft entgegen.

Bevor wir uns jedoch den Tieren zuwenden, die aus Europa oder anderen fernen Ländern nach Australien kamen, wollen wir zuerst jene erwähnen, die die Briten an Ort und Stelle antrafen, als sie vor mehr als zweihundert Jahren darangingen, das große Land zu kolonisieren.

Wenn man bei Reisen durch ferne Länder die Ortsnamen auch nicht ganz wörtlich nehmen darf, so bildet die Känguruhinsel doch eine Ausnahme. Man braucht unterwegs nur das Auto anzuhalten und die Fensterscheibe herunterzukurbeln, und schon blicken ein paar neugierige Schnäuzchen in den Wagen hinein. Es gebietet dann der Anstand, die Tierchen nicht zu enttäuschen und ihnen etwas Freßbares anzubieten. Das aber ist wie ein Signal, das alle anderen Tiere aus ihrem Schlaf in der heißen Sonne zu wecken scheint und sie munter herbeieilen läßt. Befindet sich ein Emu darunter, dann muß man sehr vorsichtig sein. Ihm fehlt die angeborene Sanftheit des Känguruhs. Schnell stößt er mit dem starken Schnabel nach dem Brot, und man muß aufpassen, daß er dabei nicht auch den Finger erwischt. Die ganze Gesellschaft ist so aufdringlich, daß man an den Parkplätzen in der Nähe der Freigehege eine Art »umgekehrten Zoo« einrichtete. In diesem sitzen die Menschen unter freiem Himmel an Tischen, von Drahtzäunen umgeben, während die Tiere von außen jeden in den Mund geführten Bissen verfolgen.

Die Insel hatte mit ihren Siedlern anfangs kein Glück. Zuerst erschienen Sträflinge, die aus den Gefängnissen des großen Landes geflohen waren. Es folgten Matrosen, die die brutalen Zustände auf den Segelschiffen nicht ertragen konnten und desertiert waren. Danach kamen Fischer, Bauern und zuletzt Arbeiter, die sich gegen die unmenschliche Ausbeutung durch ihre Unterdrücker aufgelehnt hatten.

Am 20. März 1802 legte der legendäre Kapitän Matthew Flinders an der Känguruhinsel an. Im Bordbuch kann man heute noch lesen, daß der Anblick der unbekannten, sanften Tiere den Ankömmlingen großes Vergnügen bereitete. Die Menschen revanchierten sich für das in sie gesetzte Vertrauen mit rücksichtsloser Brutalität. Ein Teil der Känguruhs wurde erschossen, die übrigen mit Stöcken erschlagen. Flinders notierte: »Die gesamte Besatzung war heute damit beschäftigt, die Känguruhs zu enthäuten und zu zerlegen. Und es gab nach den vier Monaten Entbehrungen und Entsagungen während der Fahrt ein üppiges Mahl. In der Suppe schwammen große Fleischstücke, und wir hatten auch noch die nächsten Tage eine kräftige Brühe, Offiziere und Mannschaft bekamen an Koteletts so viel, wie sie nur essen konnten. Als Dank für diese reichliche Verpflegung nannte ich dieses südliche Land Känguruhinsel.«

Mit anderen Worten: Das auf dem australischen Wappen prangende Känguruh erfuhr seine erste ehrenvolle Auszeichnung durch den weißen Mann, indem er es erst einmal massakrierte und die Insel dann in Erinnerung an die Känguruhsuppe nach diesem Tier benannte. Massaker dieser Art sollten sich in der australischen Geschichte noch oft wiederholen, und das bis auf den heutigen Tag.

Die Känguruhinsel erreicht man heute mit kleinen Flugzeugen oder mit einer Fähre. Die Insel scheint tatsächlich das letzte Demonstrationsgebiet der ursprünglichen australischen Tierwelt zu sein.

Matthew Flinders (1774–1814), der berühmte englische Australienforscher, besitzt einen wesentlichen Anteil an der Erschließung des Kontinents.

Eine weitere Besonderheit der Insel sind die berühmten Pelikane. Stundenlang kann man ihren Flug beobachten, und wenn man Glück hat und am Strand Fischer entdeckt, die mit dem Ausnehmen von Fischen beschäftigt sind, dann erlebt man ein ungewöhnliches Schauspiel. Die Pelikane hocken den Fischern fast auf den Fersen und schnappen blitzschnell nach dem ihnen zugeworfenen Abfall. Die Vögel sind furchtbar gefräßig, und es scheint fast wie ein Wunder, daß sie sich so vollgefressen noch in die Lüfte erheben können. Dabei begnügen sie sich durchaus nicht allein mit dem Abfall, sondern halten auch nach Fischschwärmen Ausschau. Gehen sie dann auf das

In der Bass Bay erschienen auch Robbenjäger, die die Robben erbarmungslos verfolgten, wie das auf einer Lithographie aus dem Jahr 1892 in »The Illustrated Australian News« zu sehen ist.

Wasser nieder, so gleicht es fast dem Landungsmanöver eines Flugzeuges auf dem Rollfeld. Die ausgebreiteten und angewinkelten Flügel erinnern an Bremsklappen, die vorgestreckten Beine an ein ausgefahrenes Fahrgestell.

Es lohnt auch, die Seehundbucht zu besuchen. Seehunde kehren bekanntlich immer wieder zu ihren Paarungsstätten zurück. Diese phantasielose Gewohnheit führte fast zu ihrer totalen Ausrottung. Zu Beginn des 19. Jahrhunderts glich die Insel noch einem wahren Eldorado der Seehunde. Doch bereits im Jahr 1804 kehrte ein einziges Schiff mit zwölftausend Seehundfellen von dieser Insel zurück. Sie zu erbeuten war einfach und ungefährlich. Man schlug die possierlichen Tiere mit Knüppeln tot. Später richteten die Seehundjäger einheimische Mädchen ab, die sie ihren Stämmen entführt hatten, an die Seehundherden heranzuschwimmen und die Tiere mit Messern abzustechen. Sie erbeuteten auf diese Weise unvorstellbare Mengen der wertvollen Felle, so daß diese Tiere zu Beginn unseres Jahrhunderts fast ausgestorben waren. Der Ruf der Tierschützer aber wurde gehört; auf der Insel befindet sich heute ein Reservat für Seehunde. Durch Schutz und geduldige Pflege stieg ihre Anzahl wieder an.

Neben den Känguruhs auf der Känguruhinsel, den Pelikanen in der Pelikanbucht und den Seehunden in der Seehundbucht gibt es noch den Amerikafluß, allerdings ohne Amerikaner. Der Name dieses Flusses bezieht sich nicht auf die amerikanischen Farmer der heutigen Zeit, sondern erinnert an die Ankunft der amerikanischen Brigg »Union« im Jahr 1802.

Man denkt, wenn man vom australischen Känguruh spricht, gewöhnlich nur an eine Tierart. Dabei gibt es in Australien mindestens fünfundvierzig Unterarten, von kleinsten Tierchen bis zu den Roten Riesenkänguruhs, die manchmal bis hundert Kilogramm schwer werden. Bekanntlich halten sich Känguruhbabys Wochen und Monate im Beutel des Muttertiers auf und verlassen diesen nur, wenn die Mutter friedlich auf der Weide grast. Im Kampf gegen seine Feinde stützt es sich auf seinen starken Schwanz, »boxt« mit den Vorderpfoten nach dem Gegner und kann ihm schwere Verwundungen oder sogar den Tod zufügen. Unter den kleinen Beuteltieren aber gibt es Arten, die bequem in einen Pantoffel hineinpassen würden.

Noch ist die australische Tierwelt nicht vollkommen erforscht. 1976 stieß eine wissenschaftliche Expedition auf winzig kleine Beuteltiere, die kaum dreißig Zentimeter groß waren und knapp zwei Kilogramm wogen.

In letzter Zeit konnte – was bisher unbekannt war – beobachtet werden, daß auch Känguruhs tadellos schwimmen und dabei den Schwanz – wie der Fisch die Schwanzflosse – als Antriebswelle benutzen. Bekannt wurden die Spezialversuche in Schwimmbecken von Neusüdwales. Vorher hatte man sich nie darum gekümmert, ob Känguruhs schwimmen können oder nicht. Inzwischen hatte man auch bei großen Überschwemmungen in Zentral- und Südaustralien beobachtet, daß Känguruhs, die sich vor dem Wasser auf kleine Inseln gerettet hatten, durch niedrig vorbeifliegende Flugzeuge erschreckt, ins Wasser sprangen und davonschwammen.

Über 100 Schlangenarten leben in Australien. Am gefährlichsten ist der Taipan. Eine Giftportion seiner Drüse genügt, um vier Menschen zu töten. Die männliche Art der Unechten Kobra, mit ebenfalls tödlichem Gift, pflegt verbissene Ringkämpfe auszutragen. Dabei umklammern sich die Rivalen und winden sich in harter Umschlingung, bis ein Tier erschöpft ist und aufgibt. Doch Schlangen greifen selten Menschen an, ohne provoziert zu werden. Vielmehr ziehen sie sich zurück, denn im Grunde genommen sind sie scheu. Die Australier, besonders die Farmer, halten sie für nützlich, weil sie wilde Kaninchen und Ratten vertilgen.

Da in der australischen Tierwelt nun einmal viele Mütter ihre Babys im Beutel tragen, wollen wir an dieser Stelle auch den Koala vorstellen, der lange Zeit ganz zu Unrecht für eine Bärenart gehalten wurde. Später reihte man ihn sogar in die Art der Affen ein. Koalas haben weder etwas mit Bären noch mit Affen gemein. Sie lebten bereits vor einer halben Million Jahren in Australien. Die australischen Ureinwohner stellten ihnen nicht nach. Verschiedene Stämme glaubten, diese Tiere wären verwandelte Kinderseelen, da das Klagen kranker oder verletzter Tiere dem Weinen kleiner Kinder ähnlich klingt. So also lebten Koalas und die Menschen in Australien, ohne einander zu stören. Bis dann der weiße Mann kam und die Koalas unbarmherzig ausrottete. Seine Felle waren sehr gefragt, und das Einfangen eines Koalas bereitete überhaupt keine Schwierigkeiten. Es wird geschätzt, daß allein im ersten Viertel unseres Jahrhunderts etwa zehn Millionen Koalas getötet wurden. Heute stehen sie unter Naturschutz, und vielleicht vermehren sie sich wieder wie einst.

In Tiergärten trifft man Koalas nur selten an, weil sie sich ausschließlich von Blättern eines Baumes ernähren, der nur in Australien wächst. Auf der Welt wachsen verschiedene Eukalyptusarten, doch das Tier frißt nur die Blätter von etwa zwölf australischen Arten und ließ sich bis jetzt noch nicht dazu bewegen, auf eine andere Kost überzugehen. In der Sprache der Ureinwohner bedeutet Koala »trinkt nicht« (ala – Wasser, ko – Verneinung). In den Blättern des Eukalyptusbaumes findet der Koala das Wasser zum Leben.

Die strenge Einhaltung der Naturschutzgesetze in Australien führte dazu, daß sich seltene Tierarten wieder stark vermehrten. Koalas wurden 1933 unter absoluten Schutz gestellt und nur ganz selten in zoologische Gärten ausgeführt, die für die Sorge um ihre Tiere und die idealen Lebensbedingungen für sie bekannt waren.

Im Gegensatz zum Känguruh kehrt ein Koala, der den Beutel der Mutter verläßt, nie wieder in diesen zurück. Entweder reist er dann auf dem Rücken der Mama mit, oder er hängt sich an ihre Brust. Die Koalamutter ist zu ihrem Kleinen überaus zärtlich, sie liebkost und hätschelt es. Der Koala ist ein Nachttier. Ich bedauerte stets die Tiere, die in Freigehegen lebten und den Touristen zugänglich waren. Es tat richtig weh, wenn man sah, wie die Besucher die fest schlummernden Koalas von den Bäumen holten, um sich mit ihnen zu fotografieren, sie zu herzen und zu kosen. Eukalyptusblätter enthalten nämlich ein leichtes Narkotikum, so daß Koalas eigentlich immer ein wenig in Trance sind oder auch einen Kater haben. Am besten also, man läßt sie in Ruhe ihren Rausch ausschlafen.

Auch der Dingo ist immer wieder Gegenstand nicht enden wollender Polemiken der Wissenschaftler. Einige meinen, das Tier sei die älteste Hundeart der Welt, andere behaupten, es handele sich um verwilderte Hunde, die mit Schiffen aus Europa nach Australien gelangten und hier den Besitzern entlaufen seien. Letztere Ansicht ist auf jeden Fall falsch, denn es wurden Dingoskelette in alten Kulturschichten und tiefen Höhlen gefunden. Wie der Dingo nun wirklich nach Australien kam, ist jedenfalls bis heute ungeklärt. Die Ureinwohner zähmten den Dingo, den sie in ihrer Sprache Warrigal nannten.

Dingos bellen nicht. Sie geben eine Art Jaulen von sich, und das auch nur nachts. Bei Einbruch der Dunkelheit jagen sie, verbergen sich jedoch am Tage. Gewöhnlich begeben sie sich allein oder mit dem Weibchen auf die Jagd. Die Intelligenz dieses Hundes wird ebenfalls unterschiedlich eingeschätzt, doch ist er weder im hohen Maße blutrünstig noch hinterlistig, wie es so oft dargestellt wird. Am meisten verübeln die Australier ihm wohl, daß er Hammelfleisch mag. Und so stellten Siedler und Farmer unbarmherzig dem Dingo nach und zahlten Berufsjägern für erbeutete Dingoschwänze oder Dingoohren hohe Prämien. Dabei kam es in verschiedenen Bundesstaaten zu grotesken Fällen, denn manche Dingos starben zweimal. In einem Staat zahlte man dem Jäger Prämien für vorgewiesene Dingoschwänze, im anderen für die Ohren. Clevere Jäger ließen sich das nicht entgehen.

In letzter Zeit änderte sich das Verhältnis des Menschen zum

Dingo. Berufszüchter untersuchten, ob sich die Dingos nicht auch als Blindenhunde eignen würden. Ein wohlhabender Australier spendete zu diesem Zweck vierzigtausend Dollar. Der Tierschutzverein strich den Dingo von der Liste der ungeschützten Tiere. Ein Experte, der an vielen internationalen Hundeaustellungen teilnahm, sagte: »Dingos gehören zu den reinsten Hunderassen der Welt. Man könnte sie gut zu Schäfer- und Hirtenhunden abrichten.« Ein erfahrener Hundedresseur meinte, daß sich Dingos schnell an Menschen gewöhnen und leichter zu dressieren seien als Hunde, die seit Tausenden von Jahren mit den Menschen lebten. Man erwägt, ob Dingos nicht als Polizei- und Zollhunde eingesetzt werden könnten. Sollte diese Variante Erfolg haben, dann würde der Dingo von einem gesetzlosen Verbrecher zu einem Hüter des Gesetzes avancieren.

Die menschliche Phantasie regte ein Tier aber besonders an – das Schnabeltier, ein wirklich erstaunliches Wesen. Es besitzt ein dichtes Fell und einen entenartigen Schnabel. Desgleichen bestehen seine inneren Organe aus einer kuriosen Sammlung. Während beispielsweise sein Herz an das von Säugetieren erinnert, gleichen seine Fortpflanzungsorgane denen der Schlangen. Schnabeltiere können sich auch gewisse Zeit unter Wasser aufhalten und schließen dabei Augen und Ohren mit speziellen Häutchen.

Fühlt Frau Schnabeltier, daß die Zeit der Eiablage naht, zieht sie sich in die mit Blättern und Gras gepolsterte Höhle zurück und verstopft den Höhleneingang sorgfältig mit Lehm. Der Höhlengang ist so gebaut, daß nie Wasser eindringen könnte, obgleich sein Ausgang immer unterhalb des Wasserspiegels liegt. Außerdem ist er so eng, daß sich Frau Schnabeltier nur schwer hindurchzwängt und dabei das Wasser aus dem Fell auspreßt, so daß sie ihre »Wohnung« stets trocken betritt.

Sehr interessant sind die Leierschwänze, die selbst kleine Lieder improvisieren und auch ganz hervorragend andere Laute nachahmen, zum Beispiel knarrende Wagenfedern, Geigen, Klaviertöne, das Weinen von Kleinkindern usw. Bei der Balz breitet das Männchen den Schwanz in Form einer Leier aus, singt ein Liebeslied und tanzt einen bezaubernden Liebestanz. So sieht es zumindest nach außen hin aus.

In Wirklichkeit singt und tanzt der Leierschwanz nicht aus Liebe, sondern gibt den anderen Männchen warnend zu verstehen, daß dies sein Gebiet ist und sie hier nichts zu suchen haben. Mit anderen Worten, es ist kein Liebeslied, sondern ein Lied der Drohung und des Hasses.

Hat ein Altanvogel das Verlangen nach einem Weibchen, um seine Art nicht aussterben zu lassen, dann baut er einen Altan und verziert ihn mit schönen bunten Elementen, am liebsten mit blauen, weil er selbst in einem solchen Röckchen einherstolziert. Diese Dekorationen haben ganz bestimmte Muster und sind nicht dem Zufall überlassen. Bereichert wurden sie mit dem Erscheinen der Europäer in Australien durch bunte Glassplitter, farbige Papierschnitzel von Schokoladentafeln und Bonbontüten, bunte Stoffetzen – das alles baut der Altanvogel fein säuberlich in sein Nest ein.

Findet der Altanvogel in der Umgebung kein passendes Material, dann sucht er nach einem Pinsel und nach Farbe und malt den Altan selbst an. Als Pinsel dient ihm zerfaserte Rinde, die er im Schnabel zerkaut, bis sie aufgeweicht ist. Zur Farbenherstellung wählt er Holzkohle- und Ockerstückchen. Diese zerhackt er mit dem Schnabel sorgfältig zu Pulver und feuchtet sie mit dem eigenen Speichel an. Dann pinselt er mit der auf diese Weise gewonnenen Farbe das Nest an und unterbricht dabei ab und zu die Arbeit, um sich ein wenig zu entfernen und das Werk kritisch zu begutachten. Gewöhnlich ist der fertige Altan so wunderschön, daß sich kein Fräulein Altanvogel weigert einzuziehen. Um jedem Mißverständnis vorzubeugen, sei schnell noch gesagt, daß der Altanvogel sein Nest immer an Bäumen anbringt.

Der in Australien verbreitete Schneidervogel tritt sogar in den Vorstädten von Sydney auf. Seine im dichten Gestrüpp kunstvoll gebauten Nester bestehen aus ausgewählten Blättern, ihr kuppelförmiges Dach aus entsprechend gebogenen festen Grashalmen. Das meiste Material besteht immer aus den Blättern des Baumes, an dem das Nest angebracht ist, was eine Entdeckung erschwert. Auch hier konnte ein technischer Fortschritt beobachtet werden, der mit der Nachbarschaft des Menschen im Zusammenhang steht. In letzter Zeit wurden die Blätter nämlich nicht mit Grashalmen zusammengeheftet, sondern mit stibitzten Wollfäden. Der Vogel geht genau wie ein Schneider vor, das heißt, er bohrt mit dem Schnabel erst Löcher an die Blattränder und heftet anschließend die Blätter mit einer schönen Naht zusammen. Ein Ornithologe des Staates Queensland beobachtete, daß sich dabei ein Vogelpärchen die Arbeit teilte. Ist nämlich der Nestbau so weit vorangeschritten, daß das Männchen mit dem Löcherbohren beginnen kann, reicht es den Faden dem im Nest sitzenden Weibchen zu, das ihn übernimmt und durch das nächste Loch wieder dem Männchen zuschiebt. In den letztens mit Wollfäden genähten Nestern findet man an Stellen, an denen die Naht endet, sogar authentische Knoten!

Auf kleinen Inseln, eigentlich nur auf Atollen, an der australischen Nordostküste trifft man die Pisonie, den sogenannten Todesbaum, an. Es gibt eine ganze Reihe von Pisonienarten, doch bei der hiesigen Art handelt es sich um die Pisonia grandis. Auf diesen kleinen Inseln, die ideale Nistplätze sind, nisten seit Urzeiten Seemöwen und Sturmvögel. Weder gibt es hier natürliche Feinde, noch brauchen sich die Vögel um Nahrung zu sorgen, das Meer bietet sie ihnen in Überfluß. In den Wäldern legen die Vögel in Erdlöchern Nester an, in denen sie ihren Nachwuchs großziehen. Dichtes Grün schützt sie vor Raubvögeln, vor plötzlich einsetzenden Tropenregen, Zyklonen, aber auch vor den sengenden Strahlen der Sonne.

Doch mitten im dichten Grün lauert eine tödliche Gefahr, der Todesbaum. Er wird zwanzig Meter hoch und trägt große gelbgrüne Blätter. In seinen Astlöchern sammelt sich Regenwasser, das so manchem Schiffbrüchigen als Trinkwasser diente. Im Sommer flammt der Baum in prächtigen Blütenrispen auf, die später Unmengen von Samendolden bilden. Die Samenkerne aber sind mit einem stark klebrigen Harzstoff bedeckt, der auch nach Jahren – wie etwa bei Samen, der in Museen gezeigt wird – noch aktiv bindet. Es kommt wiederholt vor, daß Sturmvögel, Möwen und andere Vögel auf den Todesbäumen ausruhen oder sie im Flug streifen, dabei mit ihren Flügeln oder Beinen klebrigen Samen aufnehmen und diesen nicht mehr loswerden. Je mehr sie sich bewegen und flattern, um so mehr Samen nehmen sie auf. Bald verlassen sie ihre Kräfte, und sie lassen sich fallen, um in Erdlöchern zu sterben oder im Meer unterzugehen.

Warum sind die Samen so klebrig? Es gibt in der Pflanzenwelt viele Samen, die behaart oder klebrig sind – wenn auch nicht in diesem

Vorhergehende Seite: Im Nationalpark von Queensland
Karge Landschaft im Nordterritorium des Kontinents. Die erdgeschichtliche Isolierung Australiens ermöglichte den Erhalt seltener Tiere.

Der riesige Kontinent bietet die unterschiedlichsten Vegetationszonen.
Vorhergehende Seite: Mount Olga, Monolith in Zentralaustralien
Felsenschlucht im Norden des Landes – Eukalyptuswald, eine in Australien vorherrschende Baumart.

Maße. Sie haften am Gefieder oder an den Beinen der Vögel und werden über weite Entfernungen an neue Standorte befördert, wo sie sich zu neuen Bäumen entwickeln. Möglich, daß die Natur hier dafür sorgte, daß betroffene Vögel zur leichten Beute von Raubvögeln wurden, die diese auf andere Inseln verschleppten, dort auseinanderrissen und an den Federn festgeklebte Samen zurückließen, aus denen dann neue Pisonien entstanden.

In letzter Zeit wurde die Verbrecherwelt auf ein neues illegales Geschäft aufmerksam, das der australischen Regierung große Probleme bereitet. Es geht um den Schmuggel von Papageien, der einen verlockenden Gewinn einbringt, der vergleichbar sein soll mit dem Rauschgiftschmuggel. Schätzungen besagen, daß ein Fünftel aller Papageien der Welt in Australien lebt. Die Nachfrage nach diesen Vögeln ist sehr groß und nimmt noch zu; ein lohnendes Unternehmen für die »Unterwelt«.

Das Ministerium der Bundesregierung, dem auch der Zoll unterstellt ist, gründete ein Sonderdezernat für Naturschutz. Den Erfolg der Fahnder einzuschätzen ist schwierig, denn nicht alle Schmuggelwege sind bekannt, und keiner weiß genau, wie viele Tiere ins Ausland gelangten und wie viele davor bewahrt wurden. Ein plötzlich einsetzender Preisanstieg für australische Tiere, insbesondere der für Papageien, auf dem Weltmark scheint darauf hinzuweisen, daß die Arbeit dieser Behörde Früchte zu tragen beginnt. Paradox dabei ist, daß mit den Erfolgen der Zollbehörden auch die Gewinne der Schmuggler weiter steigen. Heute werden auf europäischen und amerikanischen Märkten bereits bis zu zehntausend Dollar für seltene australische Papageienarten gezahlt. Sogar der Galah-Papagei, der in Australien sehr häufig vorkommt und von den Einwohnern mitleidlos bekämpft wird, wird mit fast zweihundert Dollar pro Stück gehandelt. Es besteht die reale Gefahr, daß manche Vogelarten aussterben werden, wenn man diese Praktiken nicht unterbindet.

Unversiegbarer Absatzmarkt für Eidechsen sind die USA. Man kann sie leicht transportieren, weil sie über Wochen ohne Wasser und Nahrung auskommen und auch keine Laute von sich geben. Manche australischen Eidechsen, die in Australien jedes Kind fangen kann, kosten in den USA bis zu fünfhundert Dollar. Einige australische Schlangen werden zu tausend Dollar pro Stück und auf Bäumen lebende Grünfrösche zu fünfzig Dollar pro Stück verkauft. Mit anderen Worten, wenn auch nur die Hälfte des Transportes das Ziel lebend erreicht, verdienen die Schmuggler horrende Summen an diesem Geschäft.

Doch der Tierschmuggel kann natürlich auch in die andere Richtung erfolgen, und die Australier haben eine gewaltige Furcht, daß sich in ihrem Land irgendein Tier unkontrolliert vermehren könnte. Es wäre eine Katastrophe. So machten die Australier beispielsweise mit einer Krötenart sehr schlechte Erfahrungen, die fast ihre gesamten Zuckerrohrplantagen vernichtete. Eingeführte Schildkröten waren dabei, die Fischbestände in den australischen Süßwasserreservoirs zu vertilgen. So ist es auch zu verstehen, daß mit den australischen Zollämtern nicht zu spaßen ist. Die Kontrollen werden äußerst pedantisch durchgeführt. Die Australier scheinen besessen zu sein von dem Gedanken, daß alle Welt bemüht sei, sie selbst beziehungsweise ihre Schaf- und Rinderherden, die Grundlage ihres nationalen Reichtums, mit irgendwelchen Krankheiten anzustecken. Das erfuhr auch der bekannte amerikanische Choreograph Remy Charlip. Die ersten fünf Tage seines Aufenthaltes auf diesem Kontinent mußte er in einer Quarantänestation verbringen und kreierte dort buchstäblich aus Langeweile den Tanz »Woolloomooloo«. Charlip meinte sogar, hier den besten Urlaub seines Lebens verbracht zu haben. Sein Bericht lautete: »Die australische Fluggesellschaft mußte für meine Quarantäne hundert Dollar pro Tag bezahlen. Ich war der einzige Gast des Hauses und hatte aus dem Zimmer einen wunderbaren Blick auf den Hafen. Zwei Schwestern und acht Diener kümmerten sich ausschließlich um mich, weil sie ansonsten nichts zu tun hatten. Jedenfalls bin ich fest davon überzeugt, daß es mir zu Hause niemand glauben wird.« Der Choreograph kam aus Venezuela nach Sydney, um hier ein Ballett einzustudieren. »Ich reiste durch die halbe Welt, doch nirgends verlangte man den Nachweis, daß ich gegen Malaria geimpft sei. In Sydney war das anders, hier kannte man keine Gnade und ließ mich wählen: entweder in die Staaten zurückzufliegen und die Inkubationszeit dort abzuwarten oder in Australien mit einer Quarantäne einverstanden zu sein. Ich entschloß mich für die letztere Variante und bedauerte es nicht.«

Die Ballettproben mußten ohne den Künstler beginnen. Er saß inzwischen in seinem Zimmer, skizzierte verschiedene Figuren auf Papier und gab telefonische Anweisungen. Als er nach einer Woche entlassen wurde, sah er das erste Mal die Ballettgruppe, mit der er bisher fernmündliche gearbeitet hatte. Und er meinte: »Die australische Regierung weiß bestimmt nicht, daß sie eine neue Kunstart schuf. Wie ich sehe, führen die Ballettmitglieder die vorgegebenen Tanzbewegungen nach eigener Version aus, was mir viel interessanter scheint, als wenn sie sich sklavisch an detaillierte Hinweise halten. Die Gruppe ist in Ordnung. Es wird nicht schwerfallen, die Tanzelemente zu einem kurzweiligen Tanzspektakel zusammenzufassen.«

Australische Quarantänevorschriften sind insbesondere für eingeführte Tiere unerbittlich. So führte ein australisches Regiment im zweiten Weltkrieg bei allen Kampfhandlungen in Ägypten und Griechenland ein Maskottchen in Gestalt eines quicklebendigen Hündchens mit sich. Das Hündchen Horrie ging in die Regimentschronik ein und wurde von den Soldaten, die fest daran glaubten, daß es ihnen Glück brachte, allgemein geliebt. Und doch mußte es eingeschläfert werden, als das Regiment wieder nach Australien zurückkehrte. Wohl bekam das Tier einen Ehrenplatz am Denkmal, das an den heldenhaften Kampf der Australier erinnerte, doch sicher hätte es vorgezogen, noch etwas länger zu leben.

Es gäbe noch einiges zu erzählen über jene Tiere, die der weiße Mann in Australien einführte. Eine stattliche Zahl. Es wird geschätzt, daß in Australien etwa 275 000 Ziegen, 165 000 Pferde, 150 000 Büffel, 95 000 Esel und ebenso viele Rinder sowie 17 000 Kamele im verwilderten Zustand in freier Wildbahn herumirren. Diese Tiere werden meist rücksichtslos und unter verschiedensten Vorwänden verfolgt. So sollen verwilderte Schweine Überträger vieler Krankheiten sein, die auch Kälber befallen. Wilde Ziegen werden gejagt, weil sie das Gras der Schafherden fressen. Den Wildpferden verübelt man, daß sie in den Steppen das wenige Wasser wegsaufen. Sie werden mitleidlos abgeschlachtet, und ihr Fleisch wird zu Hunde- und Katzenfutter verarbeitet.

Büffel sollen ebenfalls verschiedene Krankheiten übertragen und den domestizierten Verwandten gefährlich werden, die beim weißen

Manne in Herden leben. Verbissen werden wilde Esel und Kamele abgeschossen, ohne die eine Erschließung von Zentralaustralien nicht möglich gewesen wäre. Übrigens soll Australien das letzte Land der Erde sein, in dem noch wilde Kamele auftreten. Es wird immer häufiger davon gesprochen, daß man australische Kamele in den Nahen Osten exportieren will, weil sie sehr genügsam, stark und ausdauernd sind und die dortigen Rassen mit neuem Blut auffrischen könnten. Jedenfalls machten die Australier mit ihnen schon Reklame und schenkten dem König von Saudi-Arabien anläßlich seiner Thronbesteigung im Jahr 1975 vier Kamele.

Die hier angeführte Liste muß mit den australischen verwilderten Hunden, die man aber nicht mit den Dingos, den ursprünglichen Bewohnern Australiens, verwechseln darf, und mit den verwilderten Katzen ergänzt werden. Letztere erreichen manchmal das erstaunliche Gewicht von neun Kilogramm, während eine gewöhnliche Hauskatze etwa drei Kilogramm wiegt. Man trifft verwilderte Katzen auch in der menschenleeren Simpsonwüste an, verschiedentlich mit Pinselborsten auf den Ohren, was manche Wissenschaftler vermuten läßt, daß hier eine neue Luchsart entsteht. Anfangs wurden Wildkatzen von den Menschen geduldet, da sie sich meist von Kaninchen ernährten. Heute stellte man nach genauer Untersuchung der Katzengewohnheiten fest, daß sie aus reiner Mordlust, ohne ihre Beute zu verzehren, Papageien, Eidechsen, Fröschen und sogar Schlangen nachstellen.

In Verteidigung des Katzengeschlechts soll noch kurz daran erinnert werden, daß der bekannte Seemann und Entdecker Matthew Flinders ein Buch hinterließ, in dem er die Lebensgeschichte seines Lieblingskaters Trime beschrieb. Diese Katze erlebte nicht allein eine Reise von Kapstadt, woher sie stammte, bis nach Australien, sie war sicher auch der erste Vertreter ihrer Art, der Australien umsegelte. Trime war eine ganz gewöhnliche Hauskatze, doch sie erschlich sich dank ihrer angeborenen Intelligenz die Liebe eines der größten Seefahrer der Welt und eroberte auch die Herzen der Matrosen auf allen Schiffen Ihrer Königlichen Majestät, auf die sie ihre Pfötchen setzte. Dabei arbeitete sie sich von den Mannschaftsräumen bis zur Kapitänskajüte hoch.

Trime und ihr Herr kehrten nach England zurück und brachten

wertvolle Karten mit, die während einer der riskantesten Expeditionen in der Geschichte der Entdeckerfahrten hergestellt wurden. Im Jahr 1803 gerieten Trime und ihr Herr in französische Gefangenschaft, in der die Katze dem einsamen Kapitän zum unzertrennlichen Gefährten wurde. Dann aber fraternisierte Trime mit französischen Katzendamen und verschwand 1804 auf Nimmerwiedersehen.

Flinders verbrachte noch sechs Jahre in Gefangenschaft und beschrieb in dieser Zeit die Geschichte der Katze Trime, die ihn von einer ganz anderen Seite zeigte. Somit ging diese ungewöhnliche Katze, die an der so bekannten Entdeckungsreise teilgenommen hatte, in Australiens Geschichte ein.

Henry Lawson, ein Klassiker der australischen Literatur, hinterließ uns die interessante Geschichte von den drei Goldgräbern und ihrem Hund. Während der Pionierzeit bedienten sich die Goldgräber oft des Dynamits. Die Sprengladungen stellten sie auf ganz einfache Weise her: Aus einem mit Talg getränkten Tuch wurde ein längliches Säckchen genäht, dieses mit Sprengstoff vollgestopft und an diese »Wurst« eine Lunte gebunden. Hatte man ein Loch in die Erde gebohrt, zündete man die Lunte an und warf die Sprengwurst hinein. Die Explosion fügte dem bereits stark aufgerissenen Boden eine weitere Wunde zu.

Im nahen Flüßchen tummelten sich prächtige Fische, und den drei Goldgräbern lief nach der Tagesmühe bei dem Gedanken an goldgelbe Bratfische das Wasser im Mund zusammen. Da der Flußspiegel gesunken war und man im Schlamm nicht viel sehen konnte, kamen sie auf die geniale Idee, die Fische mit einer Sprengladung zu angeln. Die drei Mann waren mitten in der Arbeit, als ihr treues Hündchen auf der Bildfläche erschien, ihr bester Freund, ein munteres Tierchen, das die ganze Welt einschließlich seiner zweibeinigen Gefährten für einen großen Witz hielt. Ganz besondere Freude hatte es am Apportieren und brachte allen Abfall, den man aus dem Lager beförderte, immer wieder zurück. Nun schaute das Hündchen interessiert zu, wie die Goldgräber die Fischmine bastelteten.

An diesem Tag hatte der Goldgräber, der die Sprengwurst vorbereitete, Küchendienst. Er machte sich also an das Mittagessen, während die beiden anderen Kumpel nach dem Gesetz des Busches am Feuer saßen und warteten.

Inzwischen hatte der Hund die Sprengwurst entdeckt und brachte sie seinem Herrchen, das am Feuer Hammelkoteletts briet. Dabei rutschte die Lunte über das brennende Holz, fing Feuer und begann, wie es sich für eine anständige Lunte geziemt, zu zischen. Lawson berichtete, daß die Beine der Goldgräber zu laufen begannen, bevor ihr Gehirn reagieren konnte. Ihnen folgte mit der zischenden Sprengwurst im Maul der treue Hund auf den Fersen. Zwei der Kumpel waren gute Läufer, der verhinderte Koch dagegen litt unter Atemnot und blieb alle paar Schritte stehen. Darauf umsprang ihn der Hund mit der Sprengladung, erfreut, daß sein Herrchen Zeit zum Spielen fand. Da halfen keine verzweifelten Schreie und Schimpfwörter. Schließlich faßte der Mann sich ein Herz, sprang auf den Hund zu, riß ihm die gefährliche Ladung aus dem Maul und warf sie weit hinter sich.

Doch der schwanzwedelnde Hund rannte seinem Spielzeug sofort hinterher, hob es auf und folgte abermals seinen Freunden, die sich unter schrecklichen Flüchen wieder in Bewegung setzten. Einer erreichte ein einsames Bäumchen und kletterte mit der Behendigkeit eines jungen Bären an ihm hoch. Der Hund aber legte die Sprengladung vorsichtig unter den Baum und sprang munter um den Stamm herum. Der bis ins Herz erschrockene Australier kletterte immer höher, bis die Krone abbrach, er herunterfiel und sein Heil wieder in der Flucht suchte. Darauf schnappte der Hund sein Paket und rannte dem geliebten Mann hinterher. Dieser sprang schließlich voller Verzweiflung in ein vorbereitetes Loch, das etwa drei Meter tief war. Da sich auf dem Boden noch eine Schlammschicht befand, überstand er den Sprung ohne körperlichen Schaden.

Der Hund stand eine Weile am Rand der Grube, als überlegte er, ob er die Ladung hineinfallen lassen sollte, entschied sich aber, als der Mann von unten mit Dreck nach ihm zu werfen und zu brüllen begann, den beiden anderen nachzurennen. Diese hatten mit letzter Kraft die Goldgräbersiedlung erreicht und waren in die kleine Kneipe hineingestürzt, in der die Bergleute ihren Verdienst durch die Gurgel jagten. Atemlos knallten sie die Tür hinter sich zu und brüllten: »Der Hund, der Hund, er hat eine brennende Sprengladung im Maul!«

Als das treue Hündchen die Tür vor sich verschlossen sah, rannte es um die Kneipe herum, um durch die ihm gut bekannte Hintertür in den »Saloon« einzudringen. Froh, seine Herrchen wiedergefunden zu haben, umsprang es sie mit zischender Lunte. Wie vom Zauberstab berührt, sprangen die Goldgräber durch Fenster und Türen aus der Kneipe, suchten das Weite oder schlossen sich im Stall ein. Als der Hund ihnen folgen wollte, erschien ein bösartiger gelber Köter auf der Bildfläche. Schon mehrmals von ihm gebissen, suchte das Hündchen das Weite, immer noch seinen Fund im Maul. Doch das gelbe Hundevieh holte es ein und jagte ihm die Beute ab, beschnupperte interessiert das mit Hammeltalg getränkte Paket, wollte es gerade anknabbern, und da ...

Die Sprengladung war von bester Qualität, das Dynamit stammte aus Sydney, die Sprengwurst war sorgfältig gestopft worden. Die erschrockenen Goldgräber erlebten, wie die Kneipe in ihren Fundamenten zu tanzen begann, und als sich Staub und Rauch gesetzt hatten, erblickten sie am Zaun die kläglichen Reste des gelben Köters.

Das treue Hündchen aber kehrte in das Lager der drei Goldgräber zurück, zufrieden, daß wenigstens an diesem Tag etwas passiert und es Spaß gehabt hatte. Der eine Goldgräber legte den Hund an die Leine und machte sich an die Zubereitung des unterbrochenen Mittagessens. Der andere holte seinen durchnäßten Kumpel aus dem Loch. Die Geschichte wurde noch viele, viele Jahre in dieser Gegend erzählt.

Um die großen Schafherden zu hüten, brauchte man einen Hund, der für die Schäfer eine echte Hilfe war. Der Celpie wurde in Australien als Nachkomme einer schottischen Rasse gezüchtet. Er ertrug das schwierige Klima, überwand leicht große Entfernungen und bewachte auch größte Schafherden ganz hervorragend. Hunde der Celpie-Rasse sind heute wegen ihrer Intelligenz und vieler außergewöhnlicher Fähigkeiten in der ganzen Welt gefragt. Sie sind etwa einen halben Meter groß, besitzen einen wohlgeformten Kopf, hochstehende Ohren und ein Fell, das von schwarz über rot, schokoladenbraun bis zu grau gefärbt ist.

In den großen australischen Schaffarmen sind heute etwa 80 000 Celpies angestellt. Jawohl, ich gebrauche ganz absichtlich diesen Ausdruck, weil es heißt, daß es eigentlich nichts gibt, was ein Celpie nicht könnte. Außer sprechen. Und wer weiß, vielleicht mögen die schweigsamen Australier diese Hunde eben aus diesem Grund besonders gern?

In der Geschichte der australischen Schafzucht ging ein überdurchschnittlich intelligenter Schäferhund ein. Es war an einem Novembertag des Jahres 1970, als das Pferd des Züchters Frank Lawton durchging und ihn einige Kilometer von seiner Farm im Staate Neusüdwales aus dem Sattel warf, wobei Lawton sich das Becken brach. Und so lag er zerschlagen, durstig und geschwächt in der Hitze des australischen Sommers und versuchte, nach Hause zu kriechen.

Diese Qual dauerte drei Tage und drei Nächte, und die ganze Zeit über blieb der Hund an seiner Seite, was den Mann wenigstens moralisch unterstützte. Der Hund mußte die Leiden seines Herrn fühlen, jedenfalls suchte er in der nächsten Umgebung nach Wasser, wälzte sich in einer Quelle oder in einem Wasserloch, lief wieder schnell zu seinem Herrn zurück, schmiegte sich an ihn, so daß dieser seine brennenden Lippen an dem nassen Fell des Hundes anfeuchten konnte. Wahrscheinlich überlebte er nur aus diesem Grund, erreichte schließlich sein Haus und konnte gerettet werden.

Die Intelligenz der Celpie-Hunde überraschte immer wieder. Vor allem die von speziell abgerichteten Tieren, wie beispielsweise von Celpie-Zirkushunden, die mit allerlei unglaublichen Tricks aufwarten können. Ein junger Hund wird bereits im Alter von sechs Wochen trainiert und kann nach drei bis vier Tagen die Grundübungen ausführen. Drei Monate genügen, um den Hundekünstler vor Publikum auftreten zu lassen. Berufszüchter äußern sich allerdings voller Verachtung über diese Kunststücke. Ihrer Meinung nach besteht die Berufung dieses Hundes in einer anständigen Arbeit für den Menschen, nicht in Zirkusauftritten, sondern in ihrer Sorge um die großen Herden auf den Weiden.

Es soll hier nicht auf die komplizierte Zuchtarbeit mit den Celpie-Hunden eingegangen werden, die – wie gesagt – aus einer Kreuzung der schottischen Schäferhunde hervorgingen. Manche sagen, sie hätten auch noch ein paar Tropfen Dingoblut in den Adern, aber ich möchte das nicht laut aussprechen, um mir nicht den Haß der fanatischen Celpie-Züchter zuzuziehen. So gedenkt man bis auf den heutigen Tag eines Celpie-Hundes, der 1898 zum Helden der großen Hundeausstellung in Sydney wurde. Er hatte die erste Runde des

Wettbewerbes ganz hervorragend überstanden und die meisten Punkte gesammelt. Am Abend steckte er die Pfote in die Speichen eines fahrenden Wagens, worauf ihm sein Besitzer das gebrochene Bein schiente. Am nächsten Tag lief der Hund nur noch auf drei Beinen, besiegte aber trotzdem seine Konkurrenten.

Eine weitere besondere Eigenschaft dieser Hunderasse besteht in ihrer ungewöhnlichen Ausdauer. So legt ein Celpie am Tag ohne sichtbare Ermüdung über fünfzig Kilometer zurück. Dabei hütet er die ganze Zeit die Schafe und treibt sie in die gewünschte Richtung. Bei Wettkämpfen muß ein Hund in einer Viertelstunde folgende Aufgaben lösen: Er muß sich der ihm gewiesenen Schafherde nähern, sie über eine schmale Brücke treiben, dann durch ein Tor, das den Eingang in eine umzäunte Weide simuliert, auf der sich die Herde gewöhnlich befindet. Die Erfüllung der einzelnen Aufgaben, die in der Fachsprache der Hundezüchter spezielle Ausdrücke haben, wird von den Schiedsrichtern gepunktet. Die Hundebesitzer können ihren Zöglingen bei den Wettkämpfen ihre Signale geben, pfeifen, mit den Händen winken oder auch Worte zurufen. Auf der Weide dagegen, bei ihrer alltäglichen Arbeit sind die Hunde auf ihre eigene Intelligenz angewiesen.

Befindet sich ein Celpie plötzlich vor einer geschlossenen Schafherde, in der Tier an Tier drängt, springt er auf die Tiere und läuft über ihre Rücken bis zum Schluß der Herde. Lassen sich alle Celpie-Hunde zu guten Schäferhunden abrichten? Der bekannte Celpiezüchter Bert Cairus meinte, Celpies »sind auch nur Menschen«. Während manche sehr gelehrig sind und schnell begreifen, was man von ihnen verlangt, lassen sich andere nur schwer dressieren, doch trifft man selten Celpie-Hunde an, die sich überhaupt nicht zu Schäferhunden eignen. Das wichtigste, so Cairus, sei jedoch, dem Hund Gelegenheit zu geben, seine angeborenen Talente zu entwickeln. Sein Lieblingstier, der Rote King, wartete nur auf das Signal seines Herrn, um die Herde in die gewünschte Richtung zu treiben. Alle anderen Aufgaben, die mit dem Hüten der Herde in Zusammenhang standen, führte er ohne Anweisungen aus. Cairus behauptete, Celpies wären so intelligent, daß sie sogar kranke Schafe in der Herde erkennen. Sie passen sich auch ganz hervorragend allen unvorhergesehenen Situationen an. Ob sie wirklich einen Blutanteil von den Dingos besäßen? Er glaubte es nicht, doch was bedeutete das schon? Celpies sind nun einmal die besten Schäferhunde der Welt, und nur das zählt.

Es wird geschätzt, daß die Australier im Jahr 400 Millionen Dollar für Unterhaltung, Futter, Transport, ärztliche und psychologische Behandlung, kosmetische Eingriffe und schließlich für die Beerdigung ihrer Haustierchen ausgeben. Hunde bekommen Antikonzeptionspillen, fahren in Urlaub, besuchen Schönheitssalons, werden regelmäßig von Tierärzten untersucht, es stehen ihnen besondere Ambulanzautos zur Verfügung, sie machen Schlankheitskuren. Die Australier besitzen anderthalb Millionen Hunde, anderthalb Millionen Katzen, eine halbe Million Vögel. Sie geben jedes Jahr 140 Millionen Dollar für Hunde- und Katzenfutter aus. Dreiundeinhalb Cent von jedem im Selbstbedienungsladen ausgegebenen Dollar werden für Tierfutter ausgegeben. In Australien praktizieren zweiundeinhalbtausend Tierärzte, die sich ausschließlich auf Haustiere spezialisiert haben. Allein in Melbourne gibt es hundert Läden mit Hundeutensilien und hundert Hundepensionen, in denen man seine Lieblinge zeitweilig unterbringen kann, fünfzig Hundesalons, fünfzig Fabriken, die Hundefutter herstellen, und sechs Unternehmen, die kranke Tiere transportieren. Der Präsident des Königlichen Tierschutzvereins, von Beruf Tierarzt, meinte: »Man muß sich dessen bewußt sein, daß der Tierarzt nicht allein Tiere kuriert. Im Grunde genommen hilft er auch den Menschen. Es gibt nämlich viele Personen, die in ihrer Liebe zu den Tieren eine Art Ersatz für die Liebe zu Kindern und Enkelkindern empfinden. Es gibt Menschen, die als einzigen Lebensgefährten einen Hund oder eine Katze besitzen.«

Die Liebe der Australier zu ihren Haustieren brachte der Tierfutter produzierenden Industrie große Gewinne. Es entstanden Spezialfabriken, die sich mit der Verarbeitung von Hühner-, Kaninchen-, Känguruhfleisch, von Innereien, mit der Herstellung von Trocken- und Naßfutter, von besonders duftenden Leckerbissen und anderen Spezialitäten befassen. Das führte dazu, daß die Hälfte der geliebten Haustierchen – nach Meinung eines bekannten Veterinärs – an Übergewicht leiden. »Ich wage nicht, meine Klienten darüber zu informieren, weil die meisten meine Ratschläge auf sich selbst beziehen. Es ist aber in der Tat so, daß fast jeder überfütterte Hund von einem überfütterten Herrchen in meine Praxis gebracht wird«, meinte dazu der Tierschutzpräsident.

Auf dem Markt erschien eine ganze Palette von Hundeutensilien: Spraydosen mit Hundeparfum, Hunderegenmäntel, Hundeheizdekken u. a. Teuer sind Urlaubsaufenthalte für vierbeinige Freunde. Bis dreißig Dollar pro Woche kostet ein Hundeappartement, in dem das Hündchen unter klimatisierten Bedingungen und bei diskreter Musik auf die Rückkehr von Herrchen oder Frauchen wartet. Auserlesene Küche, angewärmte Bäder und speziell aufgestellte Stammbäume gehören zur Pensionsausstattung.

»Die Menschen müssen davon überzeugt sein, daß ihren vierbeinigen Lieblingen während ihrer Abwesenheit kein Unrecht geschieht«, meinte ein solcher Pensionsbesitzer. »Unsere Gäste sind meist sehr verwöhnt. Sie schlafen in richtigen Betten, bekommen nach dem Mittagessen Süßigkeiten, manche sind an frische Erdbeeren gewöhnt, und einmal hatten wir eine Siamkatze, die sich nach jeder Hauptnahrung an Veilchenblüten ergötzte. Ihre Besitzerin holte sie an einem Tag ab, an dem für unsere Hunde ein Konzert gegeben wurde, und bat den Konzertmeister, für ihre Katze Beethoven und Bach zu spielen, weil diese angeblich nur die Musik dieser Meister liebte. Als ihr Wunsch abgeschlagen wurde, verließ sie empört die Pension.« Nach dem Luxusleben auf Erden erwartet solche Hündchen dann die ewige Ruhe auf einem Luxusfriedhof.

Aus einem Gerichtsbeschluß ging hervor, daß Hundegebell gegen die Lärmschutzverordnung verstößt, während beispielsweise das Krähen eines Hahnes nicht unter dieses Gesetz fällt. Es kam aber trotzdem zu einem Präzedenzfall, als in Sydney ein Bewohner seinen Nachbarn beschuldigte, von dessen Hähnen nicht allein jeden Morgen zwischen vier und fünf Uhr geweckt, sondern auch sonst den ganzen Tag belästigt zu werden. Der Staatsanwalt unterstützte den Ankläger und meinte, ein Hahn reiche für vierzehn Hennen vollkommen. Worauf der Richter meinte: »Ich weiß nicht, ob diese These auf persönliche Erfahrungen meines Vorredners beruht, doch sie scheint mir in der Tat logisch.« In der Urteilsbegründung sagte der Richter noch, das Krähen der Hähne sei naturbedingt und könne nicht abgestellt werden, während hartnäckiges Gebell durch eine unzweckmäßige Haltung der Hunde hervorgerufen würde.

Die Nacht der australischen Wüste ist geschwängert von geheimnisvoller Unruhe. Reflektiertes Licht von Milliarden von kleinen Sandspiegelchen und der fahle Schein des Mondes ergeben erstaunliche Effekte. Manchmal huschen Irrlichter über die Sanddünen, die erst ganz deutlich zu sehen sind, doch dann plötzlich verschwinden, wenn man sich ihnen nähert. Die australischen Ureinwohner nennen sie Min-Min und glauben, es wären die Seelen der in den Wüsten verstorbenen Menschen.

Man erzählt sich die absonderlichsten Geschichten über wundersame Wesen, die nur ein einziges Mal auftraten und nie wieder zu sehen waren. Doch da nun einmal Schottland die Seeschlange und das Himalajagebirge den Yeti-Menschen haben, warum sollte es nicht auch in Australien Wunderdinge geben?

So wollte jemand in den Blauen Bergen einen menschenähnlichen Riesenaffen gesehen haben. An einem anderen Ort soll ein riesiges katzenähnliches Tier in einer Nacht hundert Schafen die Kehle durchbissen haben.

Die Namen dieser Wundertiere leiteten sich gewöhnlich von den Ortschaften ab, an denen sie das erste Mal gesichtet wurden, ein Umstand, der für unsere weitere Erzählung nicht unwesentlich ist.

Wer weiß schon, wo Eucla liegt? Niemand? Das glaube ich gern, denn ich wußte es selbst auch nicht, bis ich es persönlich besuchte. Es ist eine kleine Küstensiedlung, 900 Meilen östlich von Perth, der Hauptstadt von Westaustralien, entfernt. Es begann damit, daß 1841 ein verirrter Wanderer in der Wüste eine Wasserquelle fand, die ihm das Leben rettete. Eucla avancierte zu einer Telegrafenstation, die Perth und Adelaide verband, verlor aber später, als entlang der transkontinentalen Eisenbahnlinie ein enges Telefonnetz entstand, an Bedeutung. Auch der kleine Hafen blieb unberührt, Schiffe hatten keinen Grund, hier anzulegen. Doch dann begannen sich bei Eucla in der Nullarborebene unglaubliche Dinge abzuspielen.

Kaninchenjäger, die weit in die Wüste vordrangen, berichteten, sie hätten ein wunderschönes Mädchen nackt durch die Wüste laufen sehen, von Känguruhs umgeben. Die Ortszeitung brachte 1972 in Fortsetzung die Geschichte über »Die Nymphe von Nullarbor« heraus. Große amerikanische Zeitschriften übernahmen die Story, auch BBC verkündete sie aller Welt, und ein Team von Fernsehspezialisten des CBS wartete auf gepackten Koffern auf das Signal, um nach Nullarbor zu fliegen und das Naturphänomen zu filmen. Ein Mann aus Adelaide behauptete, das Mädchen sei seine Tochter, die eines schönes Tages das Haus verlassen hatte und nicht mehr zurückgekommen war. Andere wollten wissen, daß es sich um eine von der Monotonie des Stadtlebens überdrüssig gewordene junge Frau handelte.

Und des Rätsels Lösung? Es war einfach so, daß die Einwohner von Eucla darunter litten, von der Welt vergessen worden zu sein, und nach mehreren Büchsen Starkbier beschlossen, diesen Zustand abzuändern. Und so sorgten sie in raffinierter Weise für ein vorsichtiges Durchsickern der Geschichte vom nackten Mädchen, das von einer Känguruhherde aufgenommen worden war und mit dieser umherzog. Es klang zwar unglaubwürdig, doch die am Tresen geborene Idee wurde so geschickt verbreitet, daß es auch die größten Reklamespezialisten nicht besser gemacht hätten. Soll das nun heißen, daß man alles auslachen darf, was die Australier in ihrem Land entdeckten?

Die Geschichten mancher Entdeckungen sind manchmal sehr lang. So glaubte ein bekannter Naturforscher, in einem australischen See ein Nilpferd entdeckt zu haben. Nach zeitraubenden, schwierigen und kostspieligen Untersuchungen gestand er seinen Irrtum ein. Doch die hier lebenden Siedler gaben nicht auf, und so kamen immer wieder neue Geschichten über das seltsame Ungeheuer auf, das sich im See verbergen sollte.

Ähnlich mag es sich mit den Menschenaffen verhalten, die man in unserer Zeit gesehen haben will. Rex Gilroy, ein Biologe aus Sydney, will in den Blauen Bergen auf einem Felsen ein fast zwei Meter großes Geschöpf gesehen haben, das von einem Baum heruntersprang und mit typischem Affengang im Gebüsch verschwunden sein soll. Es sei stark behaart und erinnere deutlich an einen Affen. Sollte es wirklich in nächster Nähe von Sydney ein solches Fabeltier geben? Von Ausschlag ist immer, wie wichtig es die Personen nehmen, die solche Wunderdinge vermeintlich als erste sahen.

1973 erklangen in der südlichen Vorstadt von Sydney Laute, die Pferde und Menschen in Panik versetzten. Man sprach abermals von Wunderwesen, die sich in der engen Bucht versteckt halten sollten. Die Ortspolizei machte sich bereit, den Angriff abzuwehren und die

Bürger zu schützen. Kurz darauf kam es zu des Rätsels Lösung. Es handelte sich um einen jungen Mann, der sich Gedanken machte, wie er bei dem Mädchen seiner Wahl, das auf der anderen Seite der Bucht wohnte, seine Gefühle demonstrieren sollte. Und er kam auf die Idee, eine alte Liebesserenade transistorenverstärkt erklingen zu lassen. Mit anderen Worten: Er kaufte einen gewaltigen Verstärker und schloß ihn an ein Mikrophon an, worauf sich die Liebesmelodie in ein erschreckendes Gebrüll verwandelte, das in der Nacht Tiere und Menschen erschreckte. Nachdem die Quelle der Unruhe entdeckt worden war und der Jüngling seine elektronischen Liebesbezeugungen abgestellt hatte, verstummte auch das Fabelwesen.

Manche Australier glauben, daß in ihrem Land noch große, tigerähnliche Raubtiere leben. Angeregt dazu werden sie durch die Erinnerung an den Beutelwolf, der auf Tasmanien erst in den vierziger Jahren unseres Jahrhunderts, auf dem großen Festland aber schon vor viertausend Jahren ausstarb. Doch immer wieder tauchen Gerüchte auf, das Raubtier hause noch in den Wäldern von Tasmanien, würde allerdings von den Wildhütern totgeschwiegen, um einen Zustrom von neugierigen Touristen zu vermeiden. Die Siedler hatten dieses einem Tiger durchaus ähnelnde Tier mitleidlos ausgerottet, sie sollten jetzt nicht mehr beunruhigt werden. Doch die Gerüchte verstummten nicht. Erst 1977 wollen zwei Polizisten bei einer Patrouillenfahrt ein solches »Tigerexemplar« gesehen haben. Einer der beiden Männer, ein großer Naturfreund und ortskundiger Jäger, behauptete entschieden, daß es sich um einen Beutelwolf – so lautet der richtige Name – gehandelt hätte. Doch die Wissenschaftler verlangten handfeste Beweise: Fotos, Fellhaare, Gipsabdrücke der Fährte. Da solche Beweise nur schwer zu beschaffen sind, wird es auch zukünftig schwer sein, die Glaubwürdigkeit dieser Mitteilungen zu belegen und zu beweisen.

Man sollte die Menschen jedoch nicht verspotten. In den neunziger Jahren des vergangenen Jahrhunderts trieb ein blutgieriges Tier in der Gegend von Tantanoola über Jahre sein Unwesen und riß auf der nahen Weide Hunderte von Schafen. Die Fachleute taten diese Nachrichten mit einem mitleidigen Lächeln ab, bis im Jahre 1895 Tom Donovan einen Wolf von gewaltigen Ausmaßen erlegte, der heute ausgestopft in einer Hotelhalle steht und Tausende von Touristen, die Jahr für Jahr erscheinen, um den »Tiger von Südaustralien« zu bestaunen, mit seinen Glasaugen traurig anstarrt.

Die Wissenschaftler meinen, daß das Tier möglicherweise von einem Schiff mit einem Transport von Zirkustieren gesprungen sei und schwimmend die Küste erreicht hätte. Es ist aber gar nicht so abwegig, daß das Wundertier von Tantanoola in der Zeit, in der es sich an saftigem australischem Hammelfleisch gütlich tat, statt im Zölibat zu leben, Liebesabenteuer mit Dingoweibchen oder auch ganz gewöhnlichen Hundefräulein erlebte, die nicht ohne Folgen blieben.

Somit wären wir fast am Ende unserer Erzählung über die australischen einheimischen und eingeführten Tiere. Doch halt – wie sieht es eigentlich mit den angekündigten Kaninchen aus?

Im Grunde genommen ist die Geschichte der australischen Kaninchen altbekannt wie auch die des britischen Siedlers im westlichen Teil des Staates Victoria, der erst Raubtiere, wie Dingos oder Adler, mit Strychnin und dann die hier lebenden Ureinwohner mit Arsenkuchen vergiftete, um anschließend Kaninchen einzuführen.

Der längste Zaun der Welt befindet sich in Australien und ist 9 650 Kilometer lang. Er wurde errichtet, um die Schafweiden vor den Kaninchen zu schützen. Seine Reparaturen und Pflege kosteten ein Vermögen, doch die anliegenden Farmer zahlten die riesigen Summen, ohne zu murren, weil sie dadurch das Eindringen der Millionen von Kaninchen in den westlichen Teil von Neusüdwales, in dem acht Millionen Schafe weideten, aufhalten wollten. Ohne Zaun wäre die Schafzucht unmöglich gewesen.

In den Spitzenzeiten der Kaninchenplage, unter der Australien zu leiden hatte, gab es an manchen Stellen so viele Langohre, daß die Trapper sie beim Aufstellen der Fallen zur Seite schieben mußten. Es war, ohne zu übertreiben, ein Kampf um ein hohes Ziel: Wem sollte Australien zukünftig gehören – den Kaninchen oder den Menschen? In höchster Not kam dem Menschen die importierte Kaninchenkrankheit Myxomatose zu Hilfe. War damit der Kampf endgültig entschieden?

Von den Schlachtfeldern gingen neue Nachrichten über die Niederlagen der Menschen beim Kampf gegen die Kaninchen ein. Es war im Jahr 1974, als man in Südaustralien verdorrtes Steppengras abbrannte. Dabei fingen die Felle der in Gebüschen sitzenden Kaninchen Feuer, worauf die zu Tode erschreckten Tierchen ihr Heil in der Flucht suchten und dabei das Feuer auf die nächsten Weiden übertrugen. Der dabei entfachte Buschbrand zerstörte mehrere tausend Hektar Weideland. Die herbeigeeilten Feuerwehren konnten den Brand nicht mehr unter Kontrolle bringen, und es gab Tage, an dem das Feuer in einer Front von sechzehn Kilometern wütete und die Flammen viele Meter hoch loderten.

Heute ist das vergessen, und es scheint, als wären die Menschen wieder übermütig geworden. In Neusüdwales wurde sogar eine Kaninchenfarm angelegt, in der man eine halbe Million Kaninchen vor allem für den Export züchtet, also Fleisch und Felle verkauft. Es ist eine Rasse, die dem Neuseeländischen Kaninchen ähnelt, angeblich in Australien nicht in freier Wildbahn leben und sich auch nicht mit dem australischen Wildkaninchen paaren kann.

Ich wurde dabei nicht um meine Meinung gefragt und lehne, auch wenn es zur nächsten Katastrophe kommen sollte, jegliche Verantwortung ab. Was hier nochmals deutlich betont werden soll.

»Blökendes Gold« auf den Weiden

Als der ehemalige australische Premierminister Fraser, der im Staate Victoria große Ländereien besaß, mit seiner Frau zu einer offiziellen Visite in China weilte, besuchte er auch auf einer Schaffarm einen Schafzüchter. Sowohl Fraser als auch seine Frau, beide von hohem Wuchs, mußten sich tief bücken, um ins Zelt einzutreten. Nachdem sie auf dicken Teppichen Platz genommen hatten, wurden ihnen diverses Gebäck, große Zuckerstückchen und verschiedene Käsesorten gereicht. Hauptattraktion aber waren gekochte Hammelköpfe mit Kumys, die man direkt vor die Gäste stellte. Fraser schnitt ein Stückchen Fleisch ab, kostete und sagte: »Hervorragend!« Mrs. Fraser säbelte von ihrer Zuteilung eine noch größere Scheibe ab, aß und lobte: »Ganz hervorragend!« Der Minister verzichtete auf weitere Kostproben, während seine Frau der Reihe nach alles versuchte. Beide tranken zwar eine Schale Kumys, schlugen aber einen Nachschlag aus. Kenner behaupten, an Kumys müsse man gewöhnt sein, um dieses Getränk trinken zu können. Die vom australischen Premier besuchte chinesische Farm glich der des Premiers in Australien allerdings in nur einer Beziehung: Hier wie dort weideten 20 000 Schafe. Der wesentliche Unterschied bestand darin, daß dem Genossenschaftsvorsitzenden, der den Minister empfing, nicht ein einziges Schaf gehörte. Doch beide waren hervorragende Züchter und fanden auf diesem Gebiet schnell eine gemeinsame Sprache.

Nicht immer war Australien ein Schafland. Die Anfänge waren mehr als bescheiden. Es ist über hundert Jahre her, daß der Professor der Zoologie, Gustav Jäger, das alte England mit seinem »gesunden Wollsystem« in Erstaunen setzte. Dieser Zoologe war nämlich überzeugt davon, daß die Menschen nur in Wollkleidung glücklich sein könnten, daß Leinen und Baumwolle ungesund wären. Er verkündete, jedermann solle eng anliegende schafwollene Unterkleidung tragen, die vor »schädlichen Dünsten« schütze. Er patentierte auch enge Hemdsärmel und an den Knöcheln schließende Unterhosen als »Schutz gegen Durchzug«.

Intellektuelle und Künstler begrüßten Jägers Theorie enthusiastisch. Oscar Wilde und Bernhard Shaw gehörten zu seinen Anhängern. Vor allem wohlhabende Kreise begeisterten sich für wollene Unterwäsche. Man trug Strümpfe mit angestrickten Wollzehen und patentierte Kniewärmer. Das deutsche Kriegsministerium nahm interessiert zur Kenntnis, daß selbst Feldmarschall Graf von Moltke Doktor Jägers Unterwäsche trug.

Die Fabriken arbeiteten Tag und Nacht, um die Nachfrage für Unterwäsche zu befriedigen, die von Fuß bis Kinn keinen Quadratzentimeter Haut frei ließ. Prospekte priesen die Vorzüge dieser Neuheit an und zeigten auf Bildern, daß echte Gentlemen mit verführerischen Schnurrbärten nur Unterhosen und Unterhemden der Firma »Jäger« trugen. Die neue Mode erwärmte nicht nur die Herrenwelt im kalten England, sie regte auch die Schafzüchter im fernen Australien zu großen Taten an.

Die Anfänge der Zuchtversuche waren mehr als bescheiden. 1788 weideten insgesamt 29 Schafe in ganz Australien. Als Begründer der australischen Schafzucht wird Leutnant John MacArthur genannt.

1801 nahm John MacArthur australische Wollproben nach England mit. Als er 1805 zurückkehrte, brachte er sechs Merinoschafe aus der königlichen Zucht von Kew nach Australien. Gouverneur William Bligh, ein alter Seemann, der von Schafzucht nichts hielt, schrieb ihm böse Briefe: »Was sollen wir mit den Schafen, Euer Ehren? Gedenken Sie etwa die größten Herden der Welt zu züchten? Das wird nie sein, Euer Ehren, nie und nimmer!«

Über Dutzende Jahre kreuzten die australischen Züchter ihre Schafe mit Rassen, die aus Frankreich, Deutschland und Südafrika eingeführt wurden. Riesige Herden zogen durch den großen Kontinent, und die Züchter erwarben gewaltige Reichtümer.

Wenn sich inzwischen auch vieles änderte, so befindet sich der Züchter in einer Hinsicht immer noch in der gleichen Situation wie seine Vorfahren. Er führt auch heute noch einen verbissenen Kampf gegen die Naturkräfte, die ihm das Leben oft sehr schwer machen. Und gewiß ist es gelogen, wenn die Uneingeweihten meinen: »Ach, diese Farmer! Sie sitzen nur den ganzen Tag auf der Veranda und schauen zu, wie ihre Schafe fett werden.«

Man kann die Situation der Farmer nicht über einen Kamm scheren. Da gibt es kleine Weidestreifen an Flüssen, die nur zur Regenzeit Wasser führen. Ich sah aber auch Farmen in der Größenordnung, die vergleichbar ist mit Belgien. Manche Farmer bewirtschaften ihren Boden nur mit der eigenen Familie, es gibt aber auch solche, die ihre gigantischen Ländereien mit einem immensen Mitarbeiterstab von klimatisierten Büros aus leiten und lenken. Es heißt, das Auge des Farmers prüfe Wolle und Fleisch des Schafes, doch manchmal kontrollieren Farmer auch ihre Herden von Privatflugzeugen aus, dem einzigen vernünftigen Verkehrsmittel in diesen grenzenlosen Gebieten.

Ich weiß nicht mehr, wie viele Farmen ich von Queensland bis Westaustralien besuchte, aber eins weiß ich genau: Es ist eine harte Arbeit, die hier geleistet wird. Die Lämmer kommen im Spätherbst zur Welt, kleine wehrlose Geschöpfe, die Raubvögel oder Dingos leicht zum Opfer fallen. In dieser Zeit werden die Herden besonders gehütet, die Lämmer gezeichnet, in Laugen gegen Insektenbefall gebadet; man hat alle Hände voll zu tun.

In verschiedenen Landstrichen bleibt der Regen manchmal mehrere Jahre aus. Dann werden die Tiere geschlachtet oder – wenn es sich um wertvolle Zuchttiere handelt – in günstigere Gebiete transportiert. Da gibt es keine sentimentalen Gefühle, es gelten nur kühle Kalkulationen. Ja, und in diesen Zeiten der Dürre sitzt der Farmer – oh Ironie des Schicksals – tatenlos auf der Veranda und sieht zu, wie die lebenspendenden Weiden ausdorren, der Boden zu Staub zerfällt, die Schafe sterben.

Voller Grauen spricht man hier auch von den Steppenbränden. Das Feuer kriecht im Busch den Boden entlang und springt dann regelrecht die zurückgebliebenen Herden an. Es klettert die Bäume bis zu den Kronen hoch und bewirkt, daß sie mit lautem Getöse umstürzen. Der Wind facht die Flammen an und verleiht ihnen Flügel. In der Chronik blieben tragische Aufzeichnungen über Menschen erhalten, die vor dem Feuer Schutz suchten und in Wasserbehälter sprangen, wie sie in jeder Farm stehen. Das Feuer fand auch den Weg zu den Behältern, das Wasser begann zu kochen, und die Rettungsmannschaften fanden nur noch weiße Skelette vor.

Ich hatte Gelegenheit, auch in der Regenzeit eine Farm zu besuchen. Tag und Nacht, ohne Unterbrechung prasselte der Regen.

Pausenlos wanderten riesige Schafherden durch die Steppe, mit immer müderen Schritten. Die Wolle eines Schafes macht im trockenen Zustand die Hälfte seines Gewichtes aus und wird, wenn sie Nässe aufgesogen hat, natürlich viel schwerer. Fällt dann ein Schaf um, kann es sich aus eigener Kraft nicht wieder erheben, man muß ihm auf die Beine helfen. Multipliziert man einen solchen Fall mit dreißigtausend, dann versteht man, daß auch die Hirten vor Müdigkeit umfallen. Sollen nach dem Regen die Schafe geschoren werden, gibt es nur eine Möglichkeit, die Herde zu trocknen: Man treibt sie den ganzen Tag durch die Steppe und stellt dabei immer wieder die total erschöpften Tiere auf die Beine.

Die Farmen besitzen fast alle große Küchen, in denen das Feuer nie verlischt. Es ist wie ein Wohlstandsbarometer. Glimmt es nur leicht, sind die Zeiten schwer, kauft man in der Welt nur wenig Wolle oder werden Jahre harter Arbeit durch elementare Gewalten zunichte gemacht. Es flackert lustig, wenn die Zeiten günstig sind, in den Kühlschränken große Hammelkeulen hängen, daneben Säcke mit Mehl und Zucker sowie Töpfe mit Eingemachtem stehen. Im Wohnzimmer blicken von Bildern die Gesichter von Menschen, die als Pioniere einst hierherkamen. Da marschierte der Großvater des Hausherrn anno 1914 durch die Straßen von Sydney zum Hafen, um ein Schiff zu besteigen und auf fernen Schlachtfeldern für die Queen und das Land zu kämpfen. Auch die Großmutter ist auf einem Bild vertreten, in Sonntagstracht, ernst, mit einem sorgenvollen Blick. Die Bilder sind zwar verblichen, doch trotzdem sehr eindrucksvoll. Es waren die Menschen, die Wälder rodeten, Weiden anlegten, weder Kühlschränke noch importiertes Bier kannten, von Insekten gequält und von Schlangen getötet wurden.

Als echt australische Architektur überdauerten wohl nur die großen Schuppen, in denen die Schafe geschoren wurden. Heute kümmert sich niemand mehr um die alten Holzgebäude, dabei ist es noch gar nicht so lange her, daß manchmal zweihundert Mann zugleich unter ihrem Dach Schafe schoren.

Die Figaros der Schafe waren bereits vor hundert Jahren gut organisiert. Sie schlossen Verträge mit den Schafzüchtern ab und wanderten von Farm zu Farm. Man kann sich kaum eine schwerere Arbeit vorstellen als das Scheren eines starken, wild ausschlagenden

Schafbocks. Das Tier durfte nicht verletzt, die Wolle sollte so schnell wie möglich heruntergeholt werden. Gearbeitet wurde im Akkord. 1892 schor Jack Howe auf der Alice-Downs-Farm im Staate Queensland mit gewöhnlichen Handscheren in 8 Stunden 321 Schafe. Dieser Rekord blieb bis heute ungeschlagen. Erwähnenswert ist auch, daß nur 8 Stunden gearbeitet wurde, denn bereits 1856 erkämpften die Arbeiter in den Steinbrüchen den Achtstundentag. 1886 mit der Gründung der Schafscherergewerkschaft wurde auch für diesen Berufszweig die Forderung nach 8 Stunden Arbeit, 8 Stunden Freizeit, 8 Stunden Schlaf, 8 Schilling Tageslohn erfüllt. 1877 meldete Frederick York Wolseley ein Patent an für »ein Gerät, das die Schur der Schafe erleichtere«. Die Schafscherer sahen in dem mechanischen Scheren eine echte Konkurrenz. Als das neuartige Gerät 1888 im Staate Neusüdwales eingeführt wurde, kam es zu spontanen Streikaktionen. Tausende Schafe warteten drei Wochen geduldig, bis die Menschen sich einig wurden und ihnen die Wolle vom Rücken herunterholten. Der Siegeszug der mechanischen Schere aber konnte nicht aufgehalten werden.

Die Schafscherer waren auch sehr abergläubisch und glaubten beispielsweise daran, daß das Scheren von nassen Schafen ihrer eigenen Gesundheit schade. Doch wer wollte entscheiden, ob die Schafe so naß seien, daß sie nicht geschoren werden durften? In solchen Fällen führte man eine geheime Abstimmung durch, wobei die Beteiligten selbst festlegten, ob man – bei Verlust des Tagesverdienstes – die Schur verschob oder ob man gleich an die Arbeit ging. Eine solche Entscheidung blieb natürlich auch den Eigentümern der Herden nicht gleichgültig, und es kam in solchen Fällen wiederholt zu Gerichtsverhandlungen, wobei der Richter entschied, daß die ehrliche Meinung der Mehrzahl auch für die übrigen Mitglieder der Gewerkschaft bindend sei.

Bedeutenden Fortschritt in der Schafschur sollen die Laserschurgeräte darstellen. Noch wird an dem Projekt gearbeitet. Zuerst muß das Gerät die genauen Umrisse des Tieres feststellen, und anschließend wird die Wolle mit Hilfe der Laserstrahlen abgetrennt. Ein Fachmann auf diesem Gebiet meinte dazu: »Die Laserstrahlen werden die mechanischen Scheren, die heute noch benutzt werden, in nicht allzu ferner Zeit ablösen. Es geht darum, die Schurkosten zu senken. Wir haben schon viele einschlägige Patente geprüft, auch scheinbar verrückte Ideen. Nicht in Frage kommen Chemikalien, weil man nicht weiß, wie sie auf den Endverbraucher wirken, wenn das Schaf schließlich im Schlachthof landet. Verschiedentlich wurde prophezeit, daß wir mit den Laserstrahlen Löcher in die Tiere brennen würden, doch die bisherigen Versuche haben gezeigt, daß die mit Laser behandelten Tiere keinen Schaden erfuhren. Schwierigkeiten bereitet das Problem einer vollständigen Automatisierung, doch auch diese werden gelöst, wir brauchen nur Zeit und Geld.«

In den Laboratorien verschiedener Bundesinstitute wird geforscht, wie man Wolle mit Spezialpräparaten konservieren kann. So gibt es bereits ein Mittel, das die Wolle feuerfest macht, ohne ihre sonstigen Eigenschaften zu verändern. Man überzieht mit solchen Wollstoffen die Sessel von Düsenklippern, Möbeln in großen Büroräumen, fertigt aus ihnen Kleidung für Rennfahrer, Feuerwehrleute und Schutzmannschaften auf Flugplätzen an.

Mehr als tausend australische Wollsorten sind bekannt. Sie brauchen alle nicht lange auf einen Käufer zu warten. Die Welt verlangt nach Wolle und Hammelfleisch, die Absatzmärkte weiten sich immer mehr aus. »Kaufte morgen jeder Chinese nur ein paar Wollsocken, dann langten unsere Wollvorräte nicht«, meinte ein besorgter Zuchtexperte.

Doch der Handel ist nicht so einfach. Die Australier bemühten sich viele Jahre darum, die besten Schafrassen zu züchten, und befürchteten, daß jeder, der in den Besitz ihres Zuchtmaterials kam, ein gefährlicher Konkurrent werden könnte. Aus diesem Grunde bestand von 1929 bis 1970 ein absolutes Ausfuhrverbot für Zuchtböcke. Danach verkaufte Australien innerhalb von zwei Jahren an verschiedene Länder 347 Böcke für die runde Summe von 363 000 australischen Dollar. Liebesbeziehungen zu australischen Schafen müssen eben teuer bezahlt werden.

Ein französischer Unternehmer erwarb dreißig Böcke. Als ruchbar wurde, daß die Franzosen nur als Mittelsmänner auftraten und die Tiere in Wirklichkeit nach China geliefert wurden, entstand ein großes Geschrei. Dreißig Schafe wurden Gegenstand eines öffentlichen Referendums. Mitentscheiden durfte jeder Züchter, der im Jahr mindestens 1,4 Tonnen Wolle lieferte, was einer »Ernte« von etwa dreihundert Schafleibern entsprach.

In der Zeit der heftigen Auseinandersetzung machte in der Zeitung »The Australian« eine Karikatur auf sich aufmerksam. Es handelte sich um zwei Schafböcke, von denen der eine zum anderen sagte: »Sie glauben gar nicht, Herr Kollege, wie verrückt die chinesischen Schafdamen nach uns sind!«

1978 begab sich ein großer Frachter mit dreißigtausend Schafen an Bord auf den Weg nach dem Nahen Osten. Die Australier hatten sich seit langem um den Absatz von Schafen in den reichen arabischen Ländern beworben. Schließlich meldeten sie gute Erfolge, und während sie 1970 eine halbe Million Schafe nach dem Nahen Osten exportierten, waren es im Jahr 1977 bereits vier Millionen.

Die zweiwöchige Reise der vierbeinigen Passagiere in die arabischen Länder fand mit einer ganzen Flotte umgebauter Tanker, Frachter und sogar des Passagierschiffes »Ambassador« statt, das in diesem Fall weniger auf den Hund als auf das Schaf herabsank. In den Ohren der australischen Farmer klingt das Geblöke der Schafe beim Einschiffen wie Musik. Die Schafe werden lebend geliefert, weil sie nach dem muselmanischen Ritual geschlachtet werden müssen. Danach wendet man sie mit dem Kopf in Richtung Mekka, weiht sie Allah, und erst dann schneidet man ihnen die Kehle durch. Diese Prozedur befriedigt alle außer – was ganz verständlich ist – die Schafe und den mächtigen australischen Gewerkschaftsverband der Schlachthausarbeiter. Dieser beschwerte sich darüber, daß jene Art des Handels zur Arbeitslosigkeit der australischen Schlächter führe. 1975 erkämpfte der Verband die Vereinbarung, jedem lebendigen Schaf, das nach dem Nahen Osten reiste, zwei eingefrorene Hammel mitzugeben.

Gehört das Bild eines Australien, das nur von der Schafzucht lebt, endgültig der Vergangenheit an? Welche Rolle spielt das »blökende Gold« heute? Man sollte sich von der Vorstellung lösen, die australische Wolle sei heute nicht mehr gefragt. Australien ist und bleibt noch viele Jahre der größte Exporteur dieses Rohstoffes in der Welt.

Wie sehen heute die Männer aus, die Schafe scheren? Zur Schafzucht gehört, daß sich das Schaf eines Tages von seiner Wolle trennen muß und diese von Wollfabrikanten in aller Welt aufgekauft wird. Die australischen Schaffarmen erwecken die meiste Zeit des Jahres den Eindruck einer stillen, idyllischen Wirtschaft. Besucht man eine solche Farm jedoch in den Tagen der Schafschur, dann wird man hier von einem hektischen, lauten Treiben überrascht und glaubt, in ein unkontrolliertes Chaos geraten zu sein. Wollfetzen fliegen durch die Luft, schwitzende Männer rennen blökenden Schafen hinterher. Man braucht aber nur eine kurze Zeit zuzuschauen und merkt, daß es eine zwar schwere, aber gut organisierte Arbeit ist.

Ich erlebte selbst, wie sechs Mann mit dem Scheren von Schafen und ein siebenter damit beschäftigt waren, die Wolle zu einem langen Tisch zu schleppen, wo zwei weitere Mitglieder des Teams die Wolle sortierten. Sie holten die Schmutzteile aus dem zusammengeknäulten Vließ, das vom nächsten Mann in einer Presse zu Ballen gepreßt wurde. In den Häfen auf Schiffe verladen, traten die Wollballen dann den Weg in die weite Welt an.

An jenem Tag war der Himmmel wolkenlos, und die Sonne strahlte unbarmherzig auf das Wellblechdach. Im Schuppen herrschte eine Temperatur von über 40° Celsius. Doch die Männer, die hier den Schafen die Wolle herunterholten, schienen die Hitze nicht zu merken. Kaum hatten sie ein Tier kahlgeschoren und es zum Schuppen hinausbefördert, griffen sie nach dem nächsten Klienten.

Die Schafschur ist eine schwere Arbeit, auch mit elektrischen Maschinen. Man muß schon viel Kraft anwenden, um einen kräftigen Schafbock auf das Kreuz zu legen und so festzuhalten, daß ihm die dicke Wollschicht schnell abgenommen werden kann, ohne das Tier zu verletzen. Durchschnittlich werden in zwei Stunden 30 bis 40 Schafe geschoren, die Tagesleistung beträgt etwa 130 Schafe. Rekordhalter im Scheren mit elektrischem Gerät war ein Australier, der 1965 in 7 Stunden und 48 Minuten 346 Schafe schor, das heißt ein Schaf in 81 Sekunden. Es ist, wie gesagt, eine schwere und belastende Arbeit, und es wurde ein Fall bekannt, wo bei einem Wettscheren ein Teilnehmer einen Herzschlag erlitt.

Wo außer in Australien kommt es vor, daß ein Schafhirt von einem Flugzeug aus dem Sattel gehoben wird? Es geschah im Jahre 1978 auf einer großen Farm in den Nordterritorien. Am Flugzeug, das die großen Schafherden in den Steppen kontrollierte, klemmte das kleine Steuerrad des Fahrgestells am Bug der Maschine und konnte nicht eingezogen werden. Und dieses Rad streifte Pferd und Reiter. Der Mann fiel vom Gaul, zog sich einige ungefährliche Verletzungen zu und wurde von einer anderen Maschine in die Klinik geflogen. Das Pferd war schwerer getroffen worden, es mußte notgeschlachtet werden.

Begibt sich David Bradley morgens zur Arbeit, muß seine Frau Susanne manchmal drei Wochen auf seine Rückkehr warten. Da gibt es nichts zu wundern, weil Mister Bradley als Tierarzt im Norden von Westaustralien arbeitet und sein Patientenbereich fast ein Fünftel des gesamten australischen Kontinents ausmacht, von Port Hedland an der Westküste bis Darwin im Norden und Mount Isa im Osten. Es ist dies zweifellos die größte tierärztliche Praxis der Welt. Wer ihn unangemeldet besucht, hat wenig Chancen, ihn zu Hause in Kununurra, wo ich ihn interviewte, anzutreffen. Wahrscheinlicher ist, daß er sich mit seinem kleinen Sportflugzeug irgendwo unterwegs über der Steppe befindet oder in einer der hundert Farmen ein krankes oder verletztes Tier behandelt.

David Bradley fand nach dem Studium Gefallen an dieser Gegend. Er bekennt: »Es ist ein hartes Leben, doch ich habe mich an die Umstände gewöhnt, daran, daß ich Hunderte von Kilometern mit dem Flugzeug fliegen und von Morgengrauen bis in die Nacht arbeiten muß.« Der Anfang war nicht leicht, doch dann wurde unter den Farmern bekannt, daß es einen Viehdoktor gebe, der direkt vom Himmel erscheine. Er führt in seinem Flugzeug sämtliche Instrumente mit, die er für eine Operation benötigt. Angefordert wird er über Funk und, wenn es sich um eine dringende Angelegenheit handelt, über den »Königlichen Fliegenden Veterinärdienst«. Der Doktor verbrachte allein im Jahr 1977 über 800 Stunden hinter dem Steuerknüppel seiner Maschine. Der fliegende Veterinär wurde schon zu den verschiedensten Tieren geholt, sowohl zu wertvollen Zuchtbullen, Rassepferden, Hunden, Katzen, Vögeln als auch zu einem Ziegenbock und einem Pelikan. Manchmal erteilt er auch nur über Funk Ratschläge, wie zu helfen sei.

Was sind das für Leute, die mit nur wenigen Hilfskräften die Verantwortung für eine Herde auf sich nehmen und diese manchmal über mehrere Monate durch Steppe und Busch treiben? Es müssen schon ausgeprägte Charaktere sein. Aktiv, mit einem besonderen Verhältnis zur Natur, einem Gespür für die Tiere. Es muß wohl nicht hinzugefügt werden, daß sie bei den monatelangen Wanderungen auch sehr anspruchslos sein müssen.

Ein guter Hirt zeichnet sich auch dadurch aus, daß er die jeweilige Situation richtig beurteilen kann. Jeder Tag ist anders, die Umstände wechseln schnell, lassen keine Zeit zum langen Überlegen. Man muß sich sofort entscheiden, ob man wartet oder die Herde weitertreibt. Ganz klar, daß man auch das Land gut kennen muß. Diese Männer sind eng mit der Natur verbunden, wissen aus Vorzeichen das Wetter zu bestimmen, kennen die Beschaffenheit des Gebietes, entscheiden, ob es einen schnellen oder langsamen Marsch zuläßt.

Der Beruf eines Viehhirten gleicht dem eines Hasardspielers. Die Einsätze sind manchmal sehr hoch. Es kommt vor, daß die Wasserstellen, an denen die Herde getränkt werden soll, völlig ausgetrocknet sind und er die Tiere schnell zur nächsten Tränke treiben muß. Dann gibt es kein Zurück mehr, denn das durstige Vieh überlebte den Rückweg nicht. Setzen lange Regentage ein, ist die Herde gezwungen, Wochen und Monate zu warten. Droht dabei eine Überschwemmung, müssen höher gelegene Hügel aufgesucht werden. Ausgetrocknete Lehmpfade verwandeln sich in einer Regennacht in einen schlüpfrigen, verräterischen Morast und ausgedörrte Flußläufe in reißende Ströme, die ein Übersetzen der Herde unmöglich machen.

Falsche Entscheidungen können zum Verlust der ganzen Herde führen, und ein Hirt kann es sich gar nicht leisten, in dem großen Spiel mit der Natur zu verlieren. Doch er kennt die Gegend wie kein anderer, kann sich auf seine Männer und die Pferde verlassen. Das alles spielt ihm den Sieg in die Hände, festigt seinen guten Ruf, der ihn im ganzen Land bekannt macht. Der »Buschfunk« funktioniert tadellos, und man erinnert sich lange an Namen von Männern und ihre herausragenden Taten, an Herdentriebe durch Gebiete, die so groß waren wie halb Europa. An Lagerfeuern spricht man heute noch von den alten Pionieren der australischen Viehzucht, wie beispielsweise von einem Tasmanier, der den Spitznamen »Freßwütiger Neunziger« hatte. Er war ein Schafhirt, der in einem fernen Winkel von Tasmanien seine Schafherde weidete. Als er nach drei Monaten wieder in der zivilisierten Welt auftauchte, fehlten neunzig Schafe. Gefragt, wo sie geblieben wären, antwortete er ruhig, daß er doch etwas essen mußte. Jedenfalls hatte er es fertiggebracht, in den drei Monaten jeden Tag ein Schaf zu schlachten und es zu verspeisen.

Eine alte Tasmanierin, deren Eltern Schafzüchter gewesen waren, erinnerte sich, wie einst, als sie noch Kind war, ein Fremder am Lagerfeuer erschien. Man bat ihn, sich selbst zu bedienen, weil die Arbeit wartete. Als die Eltern nach einiger Zeit zurückkehrten, hatte der Fremde das ganze gebratene Kalb aufgegessen und den Wirten nur das Brot übriggelassen.

Die Viehhirten besitzen das grenzenlose Vertrauen der Farmer, die ihnen den größten Teil ihres Vermögens anvertrauen. Diese Männer kennen das riesige Gelände wie ihre eigene Westentasche, sie sind gewohnt, selbständig zu handeln und sich auf ihre eigene Kraft zu verlassen. Als einst ein Pfarrer einen Hirten rügte, daß dieser den Kirchgang versäumt hatte, fragte der alte Schafhirt den Seelsorger seinerseits: »Warum sollte ich auch in die Kirche gehen? Es ist allgemein bekannt, daß du dich kaum zwei Meilen hinter dem Dorf im Busch verirrst und den Weg nicht mehr findest. Wie wolltest du mich an Stellen führen, die du im Leben nie sahst? Ich bin ein alter Pfadfinder und habe mich noch nie verirrt. Und sollte ich mich in den Himmel aufmachen, dann finde ich diesen allein viel besser als mit deiner Hilfe.«

Das riesige Land dort unten im Süden, das letzte, in dem europäische Siedler auf der Suche nach neuen Lebensräumen erschienen, hatte im 19. Jahrhundert scheinbar nur einen einzigen Bodenschatz anzubieten: herrliche Weidegebiete.

Bis etwa zum Jahr 1800 ernährten sie nur Känguruhs und Emus. Erst danach begannen die Farmer, sich mit der Viehzucht im größeren Maßstab zu beschäftigen. Den Weiden diente das nicht: Wurde das Gras einmal bis auf die Wurzeln abgefressen, erholte es sich nicht mehr. Und so verwandelten die importierten Rinder und Schafe den Boden in Staub und Pulver. Heute achtet man darauf, an den Weiden keinen Raubbau zu treiben.

In Australien gibt es die größte Zuchtfarm der Welt. Man weiß nie, wie viele Tiere sich jeweils auf der Weide befinden, auch dem Besitzer selbst ist das nicht bekannt. Niemand kann sagen, wie viele Kälber in einer Nacht zur Welt kommen, wie viele Tiere von Dingos oder anderen Feinden gerissen werden.

Im Bundesstaat Victoria bleichen die schwarzen Schafe infolge der intensiven Bestrahlung durch die Sonne zusehends aus, was die Schafe selbst nicht stört, den Menschen jedoch große Verluste verursacht, da schwarze Felle viel teurer sind als weiße. Jedenfalls ließen sich die Farmer etwas einfallen und stülpten ihren wertvollen schwarzen Schafen leichte Kunststoffmäntel über, die die ultravioletten Strahlen abwiesen. Und die Australier meinten stolz: »Über Wölfe im Schaffell hat jedermann schon gehört, doch wo gibt es das in der Welt noch mal, daß Schafe in Mänteln herumspazieren?«

Auf einer Versuchsfarm bei Sydney werden Experimente von hohem praktischem Nutzen durchgeführt, obgleich sie Abseitsstehenden vielleicht lächerlich erscheinen. Hier bemühen sich Wissenschaftler um die Zucht eines Schafbocks, der sexuell auf eine Potenz gebracht werden soll, die es ihm ermöglicht, doppelt so viele Schafe zu decken, als das bei einem gewöhnlichen Bock der Fall ist. Dabei soll er der Nachkommenschaft wertvolle Erbanlagen vermitteln, wodurch die Zucht natürlich wesentlich effektiver wird.

Besondere Aufmerksamkeit gilt einer Schafrasse – dem Wiltshire-Schaf. Sein besonderer Vorteil: Das Tier wirft sein Wollkleid selbst ab und braucht nicht geschoren zu werden.

Könnten die vielen Millionen Schafe, die heute auf den australischen Steppen weiden, ihren Artgenossen nacheifern, ersparten sie Tausenden Züchtern über 200 Millionen Dollar, die jedes Jahr für die Schafschur gezahlt werden. Dadurch verlören die Berufsscherer, die von Farm zu Farm wandern, natürlich ihre Arbeit. Doch der Vorsitzende ihres Gewerkschaftsverbandes schien nicht beunruhigt. Er meinte nur lakonisch: »Ich möchte das Schaf sehen, das seine Wolle dort abwirft, wo es der Züchter wünscht. Es wird die Wolle zertrampeln, sie wertlos machen. Wie wollten wir die Welt dann wohl überzeugen, die zertrampelte Wolle zu kaufen?«

Die Wolle der Wiltshire-Rasse ist in der Tat qualitativ schlechter als die der Merino, die von den Australiern in die Fabriken fast aller Länder der Welt exportiert wird. Damit wollen wir es nun mit dem Thema «blökendes Gold« bewenden lassen.

Vom »Krautacker« und von einem Operettenfürsten

Wandern wir also weiter, und kommen wir in den Staat Victoria, der von den Einwohnern der übrigen Staaten scherzhaft »Krautacker« genannt wird. Victoria nimmt auf Australiens Landkarte nur einen kleinen Platz ein. Trotzdem leiden die Bewohner dieses Staates durchaus nicht an Minderwertigkeitskomplexen. Sie sind überzeugt, die beste Wolle in Australien zu produzieren, die bequemsten Eisenbahnwagen und eine der besten Hochschulen im Bereich des gesamten Britischen Commonwealth zu besitzen. Außerdem findet ein für ganz Australien wichtiges Ereignis, der Kampf um den Pokal von Melbourne, hier statt. Sollen doch die anderen lästern, sie sind stolz auf ihren Staat. Pferderennen gehören, was nicht zu übersehen ist, zu den beliebtesten Attraktionen der Australier, doch die größte Verrücktheit ist ganz sicher der Kampf um den Pokal von Melbourne, der hier nun schon seit über hundert Jahren am ersten Dienstag des Monats November stattfindet. Dann hält ganz Australien minutenlang den Atem an und hört über Rundfunk und Fernsehen den Nachrichten von der Rennbahn zu, die allein auf den Tribünen 100 000 Zuschauer faßt. So mancher opfert seinen Urlaub, um aus den entferntesten Winkeln Australiens Tausende von Kilometern nach Melbourne zu reisen und das Schauspiel zu erleben. Im zweiten Weltkrieg handelten australische Truppenteile auf Neuguinea nur deshalb eine inoffizielle Waffenruhe aus, um ungestört die Übertragung des Kampfes um den Pokal von Melbourne verfolgen zu können.

Mark Twain besuchte 1895 Australien. In seiner Erzählung »Following the equator« beschreibt er das Rennen um den Pokal von Melbourne als ein echtes Volksfest: »Es ist einfach unmöglich, die Bedeutung dieses Ereignisses übersehen zu können. Es überragt alle anderen Feiertage, ja, was sage ich, es löscht sie ganz einfach aus! Es fließt der Champagner, alle sind freudig erregt, leutselig, glücklich, alle wetten, Vermögen gehen von Hand zu Hand. Tag um Tag finden neue Rennen statt, Freude und Aufregung steigern sich bis zur Weißglut. Nach den Rennen strömen die Menschen auf die Straßen, um

S. A. Lindsey überlieferte uns dieses Pferderennen, das vor hundert Jahren in einer kleinen Siedlung in Queensland stattfand.

die ganze Nacht zu feiern und zu tanzen. Geht die Rennwoche zu Ende, bestellt man bereits Quartier und Fahrkarten für das nächste Jahr, um schließlich schweren Herzens in seine weite Heimat aufzubrechen. Dort rechnet man Verlust und Gewinn aus, bestellt beim Schneider die Kleidung für das nächste Jahr, fällt zu guter Letzt ins Bett, um die nächsten zwei Wochen nicht aufzustehen. Danach wacht man auf und stellt traurig fest, daß man das übrige Jahr irgendwie über die Runden bringen müsse, bevor man wieder einmal wirklich glücklich und froh sein kann.«

Über Melbourne selbst äußert sich ein Kollege Twains: »Es ist dies sicher der einzige Ort auf der Welt, wo ein Ausländer die Augen schließen und sich vorstellen kann, daß es auch ein Leben vor dem Tode gibt.«

Melbourne sollte nach dem Willen von John Batman, einem Großgrundbesitzer auf Tasmanien, nur ein Dorf bleiben. Er erwarb 1835 von den Ureinwohnern große Ländereien, für die er 100 Decken, 50 Äxte, 50 Scheren, 50 Ferngläser, 20 Ballen Stoff und 2 Tonnen Mehl zahlte. Der Sohn eines Verbannten namens Fawkner begleitete ihn und brachte Samen und Obstpflanzen mit. Kurz darauf eröffnete er ein Hotel, dessen Attraktionen nicht der Ausschank, sondern eine Enzyklopädie war.

Ist Melbourne heute eine erschreckend langweilige Stadt? Die Meinungen darüber gehen auseinander. Manche behaupten, der Staat Victoria präsentiere sich nach außen wie eine Prinzessin, trüge aber schmutzige Unterwäsche. Es heißt, in den Vororten von Melbourne konzentrierten sich wie nirgend in der Welt die meisten Massagesalons und Bordelle. Die Statistiken hierüber sind unvollständig, und als ein Abgeordneter im Parlament des Staates eine Diskussion zu diesem Thema anregte, wurde er ausgepfiffen und verhöhnt. Soziologen meinen, daß durch die Prostitution nicht nur die gesellschaftliche Moral und die physische Gesundheit leide, sondern auch die Verbrecherrate und der Rauschgifthandel anstiegen. Das Gesetz müsse in dieser Hinsicht entschieden reformiert werden. Die Prostitution sei in diesem Staat zwar legal, doch das Bestehen von Bordellen, das Werben und Überreden zur Unzucht widerspräche dem Gesetz.

In Melbourne gibt es etwa 250 Massagesalons und Vermittlungsstellen, die Mädchen auf telefonischen Anruf zu Kunden schicken. Etwa tausend Mädchen »locken« auf den Straßen, und weitere tausend sind in den Massagesalons und Vermittlungsbüros tätig.

Der »Krautacker« ist nicht zu unterschätzen. Melbourne konkurriert mit Sydney in bezug auf verschiedene Exportgeschäfte. Die australischen Exporteure sind trotz der hohen Arbeitslöhne, durch die die Preise ihrer Produkte in die Höhe schnellen, sehr flexibel und einfallsreich und bemühen sich, nicht nur mit Wolle auf den Weltmarkt zu kommen. Australien liefert der Welt viel Weizen, von Jahr zu Jahr wächst die Baumwollproduktion, es werden Äpfel bester Sorten und getrocknete Früchte exportiert. Außerdem werden, man höre und staune, ausgeführt: Wälzlager in das Ruhrgebiet, elektrische Pfannkuchenöfen in die USA, Bekleidung nach Sambia, Fleischkonserven nach Schottland, Tulpenzwiebeln nach Holland und Stahlerzeugnisse in verschiedene englische Industriegebiete, die selbst genügend Stahlwerke besitzen. In diesem Zusammenhang muß hinzugefügt werden, daß der australische Stahl der billigste der Welt ist. Die Liste wird ergänzt durch: gefrorene Pizza und Brötchen in den Nahen Osten, Speiseeis und Joghurt nach Saudi-Arabien. Erwähnenswert ist das Unternehmen eines Australiers schottischer Herkunft, der in seinem Betrieb im Staate Victoria im Jahr 40 000 Süßwasserkrebse »erntet«. Er wußte, daß Krebse gern fremde Behausungen aufsuchen, und legte ganz einfach leere Bierdosen in einem speziell angelegten Meeresgarten aus. In einem Jahr verkaufte er allein nach Schweden, das aus australischer Sicht am Ende der Welt liegt, 30 000 lebende Krebse. Vor allem aber beliefert er die Restaurants in Melbourne mit dieser lukullischen Köstlichkeit.

Da wir uns einmal beim Thema der australischen Exportspezialitäten befinden, soll auch nicht ein Versuch verschwiegen werden, der unsere Vorstellung über typisch australische Originalitäten ins Wanken bringen könnte.

Alle Welt gewöhnte sich daran, das Känguruh, den Koala und den Bumerang als australische Symbole zu betrachten. Man hielt den Bumerang immer für die einzige große Entdeckung der australischen Ureinwohner. Inzwischen aber wurde von einem amerikanischen Ehepaar, von Dr. Lorin Hawes und seiner Frau Mary, die seit langem in Australien leben, in ihrem Buch »Alles über den Bumerang« die These aufgestellt, daß jene hölzernen Wurfgeschosse bereits im alten Ägypten und sogar in Europa bekannt waren. Diese Feststellung erregte in ganz Australien Empörung. Die Autoren aber blieben bei ihrer Behauptung: »90 Prozent von dem, was bisher über Bumerangs geschrieben wurde, sind naive Märchen.« Ihre Argumentation ist ganz einfach. Verschiedene nordamerikanische Indianerstämme, aber auch Völker Nordeuropas, benutzten bei der Jagd gebogene Hölzer. Eine ähnliche Jagdwaffe, aus entsprechend geformten Holzstücken hergestellt, fand man in den ägyptischen Pharaonengräbern. Da man die musealen Exponate nicht zu praktischen Experimenten benutzen durfte, fertigte man genaue Kopien an, gebrauchte sie für Versuche und erlebte, daß einige Krummhölzer wieder zum Werfer zurückkehrten. Der Vorsitzende der australischen Bumeranggesellschaft, Stephan Silady, wetterte, es gäbe absolut keine Beweise dafür, daß sich die Menschen früherer Zivilisation der Jagd- und Kampfeigenschaften des Bumerangs bedient hätten. Die Diskussion komplizierte sich insofern, als die australischen Ureinwohner Bumerangs

Vorhergehende Seite: Blick auf Perth, der Bundeshauptstadt von Westaustralien
Rechts: Festspielhaus von Adelaide, der Bundeshauptstadt Südaustraliens – Brisbane, Bundeshauptstadt von Queensland, ist mit etwa 1,2 Millionen Einwohnern die drittgrößte Stadt des Kontinents.

Vorhergehende Seite: Lake Entrance im Staat Victoria
Tasmanien, die an der Südostspitze des Festlandes gelegene Insel, ist der kleinste Bundesstaat. Links: Launceston auf Tasmanien – Auf der Insel erinnern noch viele Gebäude an die Zeit der Sträflingskolonie – ehemaliges Gefängnis Port Arthur (oben)
Folgende Seite: St. Claire See auf Tasmanien

verschiedenen Typs herstellten. Bumerangs, die beim Wurf zurückkehrten, wandten die Aborigines vor allem bei Spielen und zur Übung an. Zwei weitere Bumerangtypen kehrten nicht zurück, der Jagd- und Kampfbumerang und der für rituelle Zwecke benutzte Bumerang. Man konnte dem Amerikaner schlecht das Wort verbieten, da er doch von Beruf aus Fachmann auf dem Gebiet der Aeronautik war. Als er sich 1966 in Australien niederließ, fertigte er einen Bumerang nach den neuesten Erkenntnissen der Aerodynamik an. 1972 begann er, Bumerangs im Industriemaßstab herzustellen, was den Unwillen der Institution zur Unterstützung der Ureinwohner hervorrief, die sich dafür einsetzte, daß ihre Schützlinge Bumerangs nach jahrtausendealter Methode anfertigen und verkaufen durften.

Melbourne gilt mit seinen großen Banken als die australische Finanzmetropole. Eine Besonderheit des australischen Bankwesens besteht in verschiedenen Dienstleistungen, die wir bei uns mit einer Bank nicht in Verbindung bringen. Australische Banken erteilen Touristen Informationen, organisieren Reisen, vermitteln bei Handelsgeschäften. Sie versehen ihre Kunden mit Schecks, die ihnen ein Umherreisen in der Welt erleichtern und in jeder Bank, die in Übersichtslisten angeführt sind, ausgezahlt werden. Banken richten sogar Kunstausstellungen aus, wovon ich mich selbst überzeugen konnte. In einer Sydneyer Bank besuchte ich eine zu Ehren des tausendjährigen Bestehens meiner Heimat veranstaltete Ausstellung.

In Australien zahlt man gewöhnlich bargeldlos. Ein Australier hat meistens nur so viel Bargeld bei sich, wieviel er für Zigaretten, eine Zeitung oder einen Drink braucht. Geht ihm spät am Abend das Geld aus, schiebt er ein Magnetkästchen in einen Schalter der Bank, auf der er sein Konto hat, worauf ein Umschlag mit ein paar Geldscheinen herausfällt.

Mr. Edward Petrovic aus Goodna im Staate Queensland beglich die überfälligen Steuern mit einem Scheck, den er auf der Rückenseite seines Hemdes ausschrieb. Dem Hemd fügte er ein Schreiben an den Bürgermeister bei, mit der Information, daß dies eine Form des Protestes »gegen die Machenschaften des Stadtrates sei, der sich nicht davor scheuen würde, dem Bürger das letzte Hemd auszuziehen«. Der Scheck wurde angenommen und ausgezahlt. Es war in dieser Beziehung nicht die einzige Kuriosität, man kennt Fälle, wo in Australien Schecks auf den Rücken lebender Rinder aufgeschrieben wurden. Großgrundbesitzer pflegten in Australien im vergangenen Jahrhundert Schecks auf irgendwelchen Papierfetzen aus Schulheften oder sogar Zeitungsrändern auszustellen, und nie lehnten die Banken – nach Bestätigung der Unterschrift – eine Auszahlung ab. Heute, so sagen die modernen Australier, ist es natürlich für die Nationalbank, in der wie in allen anderen Banken die Verrechnung über Computer verläuft, viel schwerer, einen Scheck einzulösen, der auf einem Hemd ausgeschrieben wurde. Doch wie auch immer, die Öffentlichkeit begrüßte die Idee von Mr. Petrovic mit Genugtuung. Man schrieb enthusiastisch: »Mr. Petrovic! Die Steuerzahler versichern Sie ihrer Solidarität. Sie haben nichts zu verlieren als ihre Hemden!«

Wem gehört eigentlich Australien? Es ist dies keine rhetorische Frage, denn über die Hälfte des australischen Bergbaus und Hüttenwesens wird von ausländischen Gesellschaftern kontrolliert. 20 Prozent der Weidegelände im Norden des Staates Westaustralien gehören den Amerikanern. Ausländer besitzen auch mindestens ein Viertel der Anteile australischer Großbetriebe und in der Schwerindustrie sogar zwei Fünftel. Große Auslandskonzerne eroberten den australischen Markt nicht nur auf dem Gebiet des Erzbergbaus oder der Kraftfahrzeugproduktion.

Bevor wir auf unserer Wanderung von Stadt zu Stadt und von Thema zu Thema weitergehen, wollen wir schnell noch feststellen, daß das Problem der australischen Zukunft jeden fesselt, der tiefer in die Gegenwart dieses Landes eindrang.

Wissenschaftler behaupten, daß das Australien des 21. Jahrhunderts, in dem man die ungewöhnlich reichen Uranvorkommen nutzen wird, es sich leisten wird, auf jedem beliebigen Punkt des riesigen Landes eine Stadt zu errichten. Man wird mit noch weit tieferen Brunnen Wasser fördern, das seit Millionen von Jahren tief in der Erde ruht. Atomkraftwerke werden reichlich Elektroenergie liefern, mit dem erwärmten Kühlwasser wird man intensive Fischzucht und Hydrotreibhäuser betreiben. Mit Hilfe dieser billigen Energie wird es möglich sein, Meereswasser zu entsalzen. Der durstige Kontinent wird sich dann endlich satt trinken können. Man wird die bei der Entsalzung gewonnenen Mineralien, Magnesium-, Chlor- und Sodaverbindungen, mit Gewinn auf den Markt bringen können. Mit der Atomenergie wird man das Wasser Hunderte und Tausende Kilometer ins Innere des Landes pumpen können. Wissenschaftler berechneten, daß es möglich sein wird, durch den Bau von einigen Atomkraftwerken die wirtschaftlichen Nutzflächen des Landes um mindestens 20 Prozent zu erweitern. Dieses optimistische Bild wird aber von Zeit zu Zeit durch die Kritik einiger Fachleute getrübt.

Sir Mark Oliphant, in den Jahren 1971–1976 Gouverneur des Staates Neusüdwales, brachte 1978 zum Ausdruck: »Bis auf wenige Ausnahmen stagniert unsere Industrie heute oder ist bereits tot. Mir dünkt, Australien entwickelt sich zu einer Kolonie neuen Typs, zu einer modernen Rohstoffquelle für expansive Kapitalländer. Die Bemühungen der Regierung scheinen sich auf die Liquidierung der verarbeitenden Industrie, den Verzicht einer eigenen Nutzung der Rohstoffvorkommen und auf eine verstärkte Einfuhr ausländischer Fabrikate zu konzentrieren. Es sieht ganz so aus, als übernähmen internationale Gesellschaften den Vorrang in Australien und dämpften, sobald sie sich etabliert haben, die Initiativen der eigenen Bevölkerung, der Australier selbst.«

Wir sind ein wenig ins Plaudern gekommen, wie es heute in Australien aussieht und was wohl der morgige Tag bringt, haben über Wale gesprochen, was uns zwangsläufig auf das Problem des Umweltschutzes hinlenkt. Der Walfang stand an der Wiege Australiens, er trug zur Entwicklung der Kolonie bei, in der man nur wenig Nahrung vorfand und die so wenig Perspektiven bot. Ich erinnere mich an eine Fahrt mit einer australischen Walfängerflotte, an die Brutalität und Grausamkeit bei dieser Jagd auf Wale. Gesellschaften, die sich in Australien um den Schutz der natürlichen Umwelt des Menschen sorgen, insbesondere eine sehr aktive Gruppe mit dem Namen »Jonas-Plan«, weisen darauf hin, daß das Verbot des Walfangs niemanden arbeitslos mache, weil die australische Fischerei gut und gern arbeitslose Walfischer aufnehmen könne. Als Paradoxum sei erwähnt, daß die Liste mit einem Verbot des Walfanges von einem ehemaligen Walfänger angeführt wurde. Der Mann heuerte mit 16 Jahren auf einem Walfänger an und erlebte fast ein halbes Jahrhundert in den

1849 hielt der Maler William Duke eine Waljagd in der Bass Bay fest.

Gewässern der Antarktis die Jagd auf Wale. Er wacht heute noch nachts auf, obwohl es schon sehr lange her ist, als sie mit dem Schiff inmitten des blutbefleckten Eises standen. Daneben trieben die Leichen der Wale als Zeugnis der Grausamkeit des Menschen. Denn in den Zeiten, als die Tiere noch in großer Zahl auftraten, schnitt man ihnen nur die Zungen und einige andere Körperteile ab und ließ den Rest im Meer zurück. Man brauchte vier Harpunen mit Explosivgeschossen, um einen Wal zu töten. Somit erfuhr der Wal die Qual eines vierfachen Todes, bis er verendete.

Ich erlebte es bei meinen weiten Reisen selbst, wie man noch lebende Wale an den Seitenwänden des Schiffes festzurrte, ihnen Schwanz und Rückenflosse abschnitt, anschließend Schläuche einführte und über Kompressoren Luft einpumpte, damit sie nicht wieder untertauchten. Dann ließ man sie auf dem Wasser zurück, mit einer Flagge im Rücken, um zu zeigen, wer Besitzer des Fanges war. Die Jagd ging weiter, und erst später kehrte man zurück, um die Beute, die manchmal noch lebte, an Bord zu hieven.

Es kommt von Zeit zu Zeit vor, daß Wale aus bisher ungeklärten Gründen vor den australischen Küsten auf Sandbänken stranden und dort verenden. Mir ist ein Fall bekannt, in dem ein weibliches Exemplar einer seltenen Walgattung Tag und Nacht veranlaßt wurde, sich im Becken des Tierparks von Taronga intensiv zu bewegen, weil man glaubte, das Tier so am Leben erhalten zu können. Aller Wahrscheinlichkeit nach litt der Wal an einer unbekannten Krankheit. Man hatte ihn, als er am Strand aufgelaufen war, mit einem Lastwagen in den Zoo gebracht und hier besonders gepflegt und ernährt. Als infolge einer Infektion Hautblasen auftraten, wurden diese mit Spezialnadeln »entlüftet«. Um das Tier vor heißen Sonnenstrahlen zu schützen, rieb man es mit teurem Sonnenöl ein. Drei Pfleger, die sich freiwillig zur Verfügung stellten, »tanzten mit dem Wal Walzer«, um die Lungen des Tieres zur intensiven Atmung anzuregen, damit es immer wieder Luft holte und nicht im Wasser ertrank. Nach ein paar Tagen begann der Wal aus eigener Kraft zu schwimmen, doch man wachte weiter über ihn, weil man befürchtete, sein Orientierungsorgan, eine Art Echolot, sei durch die Infektion in Mitleidenschaft gezogen und er könne, da Wale schlecht sehen, mit dem Kopf an die Betonwände stoßen. Dieser makabre Tanz dauerte einige Tage, doch die Krankheit war schließlich stärker als die Bemühungen der Menschen. Die Verschmutzung der Gewässer um die australischen großen Hafenstädte hat in den letzten Jahren stark zugenommen. Um diesen Zustand zu demonstrieren, ließen sich fünf Taucher des Kriegsschiffes »Pinguin« der Australischen Königlichen Kriegsmarine in der Bucht von Sydney auf den Meeresboden hinab und machten sich an die Aufräumungsarbeit. Sie holten an nur einem Tag zweiundeinhalb Tonnen Gerümpel herauf, darunter einen Wagen aus einem Selbstbedienungsladen, alte Autoteile, einen Feuerlöscher, Berge von Bierdosen. Die Stiftung des Umweltschutzes veröffentlichte ein Büchlein unter dem Titel: »Die Plage der Verpackung«, in dem erschreckende Mitteilungen über die moderne Verpackungsindustrie enthalten sind. Verschiedentlich sind die Hüllen teurer als die in ihnen enthaltenen Waren. Die Verpackung verteuert die Produktionskosten ganz wesentlich, von 20 Dollar fällt ein Dollar auf die schillernde Einpackung. Zu diesen absurden Fällen gehören beispielsweise die Aluminiumschächtelchen für Tennisbälle. Die Produktion einer solchen Schachtel erfordert ebensoviel Elektroenergie, wie eine australische Familie in zwei Wochen für Rundfunk und Fernsehen verbraucht. Eine solche australische Durchschnittsfamilie gibt im Jahr 700 Dollar für die Verpackung der von ihr gekauften Waren aus. Ein noch ernsteres Problem besteht nach Meinung der Autoren in dem weiteren Verbleib der Verpackungen, das heißt, in der Verschmutzung der Umwelt. Die Australier produzieren Jahr für Jahr Millionen Tonnen Verpackungsabfall und zahlen im Jahr über 100 Millionen Dollar für die Abfuhr von Abfall, den sie selbst verursachten. Sollte die Geschichte des Kampfes um den Schutz der Umwelt einst in Australien besungen werden, dann wird man ganz sicher den Namen eines jungen Mannes erwähnen, der im Staate Westaustralien in den riesigen Waldgebieten arbeitete: John Chester. Es war in den sechziger Jahren, als die Japaner die Konzession für die Abholzung von Wäldern erwarben und die Waldarbeiter darangingen, mächtige Baumbestände abzuholzen, an die Menschen bisher noch nie Hand angelegt hatten. Vertreter des Umweltschutzes begannen zu protestieren, doch ihre Stimme konnte sich gegen die mächtigen Konzerne nicht durchsetzen, und die australischen Wälder wanderten nach Japan, wo sie in Papier umgewandelt wurden. Es war ein sehr einträgliches Geschäft, und die Australier empörten sich zu Recht, daß die Japaner nicht ihre eigene, sondern eine fremde Umwelt vernichteten. Damals beschloß John Chester zu handeln: Es war im Jahre 1976, als er im Hafen die Anlagen zur Verladung der australischen Bäume in die Luft sprengte. Er wählte die Zeit des Anschlages so, daß es zu keinen Menschenopfern kam. Die materiellen Verluste dagegen waren sehr groß. John Chester verschwand nach dem Anschlag in den Wäldern, wo er bei gleichgesinnten Jugendlichen, die aus dem Stadtleben ausgebrochen waren und im einsamen Waldleben Erfüllung suchten, Unterstützung fand. Die Polizei verhaftete ihn nach drei Monaten. Er kam vor Gericht und wurde zu sieben Jahren Gefängnis verurteilt. Der wettergebräunte, kräftige, blonde Australier weckte Sympathien und regte, als er vor Gericht die Motive seiner Tat erklärte, die Phantasie seiner jugendlichen Landsleute an. Es gab nicht wenige Jugendliche, die meinten, John Chester verträte eine gerechte Sache.

Die industriellen Kreise Westaustraliens waren allerdings einer ganz anderen Auffassung. Sie sagten, der Holzschlag sei nötig gewesen, weil er ausschließlich alte Bäume betraf, deren Tage gezählt waren. Es wurde heftig diskutiert. Die Gegner des Holzexports führten an, durch den Raubbau würden zugleich ganze Landstriche der Erosion preisgegeben. Das Gericht ließ sich jedoch nicht überzeugen und vertrat den Grundsatz: Gesetz bleibt Gesetz.

Über den Staat Südaustralien ist zwar schon einiges gesagt worden, ich möchte nur hinzusetzen, daß sich die Agrarwirtschaft hier schneller als in den übrigen Staaten entwickelte und daß diese Kolonie zur Kornkammer Australiens wurde. Als paradox muß angeführt werden, daß Südaustralien aus der Lieferung von Lebensmitteln an die Goldgräber mehr Profit zog als die Bergleute aus ihren Goldfunden.

Die findigen Neusiedler erleichterten sich ihre schwere Feldarbeit durch verschiedene mechanische Maschinen. Da wandte man beispielsweise eine Art Walze an, mit der man auf den Feldern die Sträucher niederwalzte und den Boden schneller und leichter zur Saat vorbereitete. Bekannt war ein Pflug, dessen Pflugschar auf Stahlfedern aufgesetzt war, wodurch man die Lage des Pfluges in Abhängigkeit von angetroffenen Hindernissen, Steinen oder Stubben, verändern konnte, ohne das Hindernis beseitigen zu müssen.

Begründer der Stadt Adelaide, der heutigen Metropole des Bundesstaates, war Oberst Light. Nach seinem Tode beschloß der Rat der Stadt einen Sonderfonds, mit dem die Kosten der ersten Festsitzung des Jahres, die zu seinen Ehren stattfand, gedeckt werden sollten. Kurz vor seinem Tode schrieb Oberst Light: »Ich erwarte nicht, daß meine Mitbürger ausnahmslos gutheißen, daß die Wahl der Stadtgründung auf diese Stelle fiel. Ebenso erwarte ich nicht, daß man heute meine Entscheidungen sachlich und fachlich richtig einschätzt. Doch indem meine Gegner mein Auftreten immer wieder kritisierten, übertrugen sie mir auch die volle Verantwortung, was sich in der Endkonsequenz als sehr positiv auswirkte. Es werden die kommenden Generationen einzuschätzen wissen, ob ich dem Staat Nutzen oder Schaden brachte.«

In Südaustralien gab es nie – und das ist für diesen Staat charakteristisch – Deportierte. Hinter vorgehaltener Hand prahlt man auch, daß es hier nie irische Siedler gegeben hätte. Adelaide ist eine solide anglikanische Stadt mit so vielen Kirchen, daß man sie manchmal »Heilige Stadt« nennt.

Für mich steht das Gebiet von Pilbara im Staate Westaustralien für Australiens Zukunft. Die Temperatur hier ist mörderlich, bis zu 45°C, und ein Mensch, der sich in dieser Wüste verirrt, überlebt keine 24 Stunden. Vor ein paar Jahren noch war das Land eine einzige große Einöde, in der die Siedler nach wiederholten Enttäuschungen ihre Farmen aufgaben. Heute besitzt das größte Eisenerzbergwerk der Welt hier seinen Standort. Riesige Fördermaschinen, die bis zu 210 Tonnen schwer sind, fressen sich pausenlos in den Berg ein und holen täglich 200000 Tonnen eisenerzhaltigen Abraum heraus. Die Stadt entstand hier buchstäblich aus dem Nichts. Auf der 425 Kilometer langen Eisenbahnstrecke dröhnen Tag und Nacht riesige Eisenbahnzüge, die das Erz nach Port Hedland befördern. Dort warten Frachter, überwiegend unter japanischer Flagge, die das Erz zum Hauptabnehmer, das heißt zu den japanischen Eisenhüttenkombinaten befördern. Einst hielt man Australien für eine große Farm, die hauptsächlich für Großbritannien produzierte, heute scheint es, als entwickle sich Australien zum Mineralproduzenten für die ganze Welt.

Die Zukunft Australiens liegt unter der Erde oder unter dem Meer, das noch immer riesige Vorkommen an Erdöl und Erdgas birgt.

Queensland ist der zweitgrößte australische Bundesstaat, größer als die britischen Inseln, Griechenland, Italien, Belgien, Frankreich und die beiden deutschen Staaten zusammengenommen. Australien ist nach Kuba der zweitgrößte Zuckerexporteur der Welt. Dabei handelt es sich natürlich um Zucker aus Zuckerrohr und nicht aus Zuckerrüben. Das Zuckerrohr wird in Australien vor allem von Italienern und Maltesern angebaut, womit nachgewiesen ist, daß auch weiße Menschen in den Tropen schweren Feldarbeiten gewachsen sind. Ungern denkt man heute in Queensland an die düstere Tradition der Zwangsarbeit von Ureinwohnern, die man aus Polynesien und Melanesien entführt hatte. Bei den Debatten über Gesetze, die eine Beschäftigung von Arbeitern, in Wirklichkeit aber von Sklaven, verbieten sollten, die man mit Gewalt auf die Zuckerrohrfarmen gebracht hatte, drohten die Farmer, ihre Besitze vom Staate Queensland abzutrennen. Das klingt unwahrscheinlich, doch man darf nicht vergessen, daß die Zwangsarbeit von Südseeinsulanern in Australien erst 1904 verboten wurde. Damals wurden viele Inselbewohner in ihre Heimat zurückgeschickt, doch es kam auch vor, daß gewissenlose Kapitäne ihre Passagiere unterwegs einfach auf irgendwelchen Inseln aussetzten, ohne darauf zu achten, daß sie hier in die Hände feindlicher Stämme gerieten.

Ein Phänomen im Weltmaßstab ist das große Korallenriff, das von Milliarden kleiner Polyphen aufgebaut wurde, die den Rohstoff aus dem Ozean aufnahmen und viele kleinere und größere Inseln errichteten. Es ist einerseits ein für die Schiffahrt sehr gefährliches, doch andererseits für ein reiches Leben im Meer sehr vorteilhaftes Gebiet. Hier leben Fische, die Gift absondern, und auch Fische, die bis zu 400 Kilogramm schwer werden und Sporttaucher angreifen. Seit ein paar Jahren jedoch geriet das Korallenriff in eine tödliche Gefahr, und das nicht von seiten des Menschen, sondern durch eine Seesternart, die die Korallen aus völlig unbekannten Gründen attakkierte. Es gelang ihr jedenfalls, in kurzer Zeit ganze Korallenbänke zu vernichten.

Im Gebiet des Großen Korallenriffs werden interessante Forschungen durchgeführt. Wie Wissenschaftler der Universität des Staates Queensland feststellten, könnte man dieses Gebiet als »Schatzkammer mit wertvollen neuen Arzneimitteln« bezeichnen. Ihrer Meinung nach gibt es hier Pflanzen- und Tierarten, aus denen man wirksame schmerzlindernde, entkrampfende, muskelanregende und stärkende Herzpräparate herstellen kann.

Bevor wir unsere kurze Reise rund um das große Land beenden, wollen wir noch schnell auf ein kurioses Gebilde aufmerksam machen, das man auch auf genaueren Karten nicht antrifft. Da gab es einen reichen Grundbesitzer in Westaustralien mit Namen Leonard Casley, der mit den Behörden in Streit geriet, weil ihm diese vorschrieben, weniger Weizen anzubauen, als es seine Absicht war. Darauf beschloß er, sich selbständig zu machen, proklamierte seinen Besitz zum souveränen Fürstentum Hutt-River, das er hiermit mit seinen 8000 Hektar vom Bundesstaat abtrennte. Man fragt sich, war dieser

»Operettenkönig«, der sich selbst den Titel »Fürst Leonard« verlieh, nun ein smarter Geschäftsmann, der die Öffentlichkeit auf seine ungewöhnliche Situation aufmerksam machen wollte, oder ein Don Quichotte, der gegen die Windmühlen der Bürokratie ankämpfte? Seit Leonard Casley sein Fürstentum proklamierte, unter seiner Familie Ministerstellen verteilte und seine Frau zur Fürstin Shirley ernannte, floß den Hutt-Fluß viel Wasser hinab.

Fürst Leonard verfügt über eine eigene Staatsflagge, ein eigenes Staatswappen und eine eigene Nationalhymne. Er gibt eigenes Geld und eigene Briefmarken heraus. Ein kanadischer Bischof und ein Londoner Bierbrauer vertreten ihn in ihren Ländern als Botschafter des Fürstentums. Der Fürst selbst bombardiert die UNO mit Petitionen, verlangt die Anerkennung der Souveränität und des Stimmrechts bei UNO-Wahlversammlungen. Er besitzt eine eigene Kriegsflotte – eine zwölf Meter lange Yacht – und eine Luftwaffe – ein einmotoriges Amphibienflugzeug – verfügte aber damals, als ich diesen Bericht schrieb, noch nicht über eigene Landstreitkräfte. Beobachter weisen darauf hin, daß eine Aufstellung von Infanterie- und Panzerformationen bei einer Einwohnerzahl von 30 Personen auf gewisse Schwierigkeiten stoßen dürfte.

Das Fürstentum wird im Jahr von mehreren Tausend Touristen aufgesucht, denen hier Postamt, Restaurants und Souvenirläden zur Verfügung stehen. Wenn die Touristen in den Läden auch Hemden mit der Flagge des Fürstentums kaufen können, so müssen sie auf Aschenbecher mit dem Staatswappen verzichten, weil, wie der Fürst meint, »ein Wappen nicht dazu da ist, um auf ihm Kippen zu löschen«. Trotz der Riesenarbeit, die er im Zusammenhang mit den Touristen, der Zucht von 10000 Schafen, 4000 Rindern und eines Kamels leisten muß, hat der Fürst noch weitere Ambitionen. So meldete er unter anderem seinen Anspruch auf die gesamte Antarktis an und gab hierbei zu verstehen, im Auftrag von den arabischen Ölkönigen zu handeln, die daran interessiert waren, Eisberge in Gebiete zu transportieren, die an akutem Mangel an Trinkwasser litten. »Ich beabsichtige, die gesamte Antarktis zum Naturschutzgebiet, zu einem Reserve antarktischer Flora und Fauna zu erklären, in dem Seehunde und Pinguine total geschützt sind«, informierte der Herrscher. Als nächstes gab er bekannt, Handelsschiffen, die unter der Flagge des

Fürstentums auf dem Hutt-River fahren wollten, günstigste finanzielle Registrierungsbedingungen zu gewähren. Einen Teil der Millionengewinne, die er aus diesem Geschäft erwartete, beabsichtigte er großzügig an den »Nachbarstaat«, wie er den Staat Westaustralien bezeichnete, abzugeben. Eine andere Idee bestand im Bau eines großen internationalen Flugplatzes in der Nähe der fürstlichen Residenz und in der Gründung einer eigenen Fluggesellschaft. Angeblich hatte er bereits Düsenmaschinen für die »Prince Leonard Airlines« bestellt. Sie sollten Passagiere zu günstigen Preisen nach der Insel Mauritius, nach Mexiko, Belgien und Österreich befördern. Die staatlichen Behörden sehen diesen Ankündigungen mit Ruhe entgegen. Es kann gar keine Rede von einem solchen Unternehmen sein, behaupten sie; Maschinen, die unter diesem Wappen in Australien erschienen, würde man sofort beschlagnahmen.

Fürst Leonard schickte dem Generalgouverneur in Canberra ein Telegramm, in dem er ihn davon in Kenntnis setzte, daß »er als Oberhaupt des Fürstentums dem Australischen Bundesstaat den Krieg erklärte. Die diplomatischen Beziehungen wurden abgebrochen«. Ein paar Tage später ging in Canberra ein weiteres Telegramm ein, das dieses Mal den Vorschlag der Beendigung des Kriegszustandes und einer erneuten Aufnahme der diplomatischen Beziehungen sowie der üblichen internationalen Zusammenarbeit zum Inhalt hatte. »Ich hoffe, Ihre Regierung respektiert das Kriegsrecht. Ein Staat, der im Krieg nicht überwunden wurde, besitzt den Status der Souveränität«, belehrte Fürst Leonard den Generalgouverneur. Der »Sieg ohne den Einsatz von Waffen« wurde laut gefeiert.

Wie auch immer, der »Operettenfürst« macht seit Jahren Schlagzeilen auf den ersten Seiten der australischen Presse. Sir Charles Court, der Premierminister Westaustraliens, sagte in diesem Zusammenhang: »Es ist an der Zeit, die Operette zu beenden und den Vorhang herabzulassen.»

Tyrannei der Entfernung

Was gibt es Neues in Birdsville? Und was hört man in Moola Boola? Wie denn, noch nie von Moola Boola gehört? Seltsam, der Ort liegt kaum 27 Kilometer von Hall's Creek entfernt. Ach, Hall's Creek kennen Sie nicht, und dabei liegt es doch nur 220 Kilometer von Christmas Creek entfernt? Alle diese Siedlungen befinden sich im Norden der Großen Sandwüste. Die nächstgrößere Stadt heißt Darwin, und bis dorthin zählt man 1 100 Kilometer in nördlicher Richtung. Bis zur Hauptstadt des Bundesstaates Perth ist es auch nicht weit, nur 2 900 Kilometer. Moola Boola, dieses kleine verschlafene Nest, bedeutet in der Sprache der Ureinwohner soviel wie »viel Rindfleisch«. Es stimmt auch, denn nach letzten Mitteilungen weiden dort fünfundvierzigtausend Rinder.

Diese kleinen Siedlungen sind nicht bedeutungslos, auch sie gehören zu Australien, nicht nur die großen pulsierenden Städte an den Küsten. Wundern Sie sich nicht, wenn Sie an der Autobahn eine Tafel mit dem Hinweis erblicken: Nächste Trinkwasserstelle 1 230 Kilometer!

In Australien ist alles überdimensional. Der Gewerkschaftsverband der Eisenbahner forderte im Bundesstaat Queensland eine Lohnerhöhung, die den Lohn der Eisenbahner an den der Piloten des zivilen Luftverkehrs angleichen würde. Der Verband argumentierte, daß die neu eingeführten Züge vom Bedienungspersonal eine gewaltige Nervenanspannung und gute Fachkenntnisse erforderten und daß diese Züge außerdem einen viel größeren Gewinn einbrächten als die Flugzeuge. Ein solcher Zug, von dem hier die Rede ist, besteht aus 148 Waggons und wird von 3 Loks gezogen. Drei weitere Loks sind – ohne Bedienungspersonal, ferngelenkt – in die Mitte des Zuges eingebaut. Mit einer einzigen Fahrt befördert der Zug 12 000 Tonnen Kohle.

Hier kommen wir auf den Kern der Sache zu sprechen. Mutter Natur dachte vor Millionen Jahren nicht daran, ihre Bodenschätze in Australien sichtbar und leicht zugängig in verschiedene Schatzkammern zu legen, so daß die Menschen einen bequemen Zutritt zu ihnen fin-

Bau der Eisenbahnlinie von Port Augusta bis nach Kalgoorlie (1700 km). Als die Strecke in den Jahren 1912–1917 gebaut wurde, führte man Trinkwasser für die Arbeiter mit Kamelkarawanen heran.

den können. Es blieb also nichts anderes übrig, als sie in den entlegensten und unwirtlichsten Gebieten zu suchen. »Das Gold ist dort, wo man es findet«, lautet eine alte Wahrheit. Und nicht nur das Gold.

Graf Kimberley, so wurde überliefert, war ein Mann voller Eleganz und Standesbewußtsein, und er erzielte seine großen Erfolge in einer Zeit, in der Großbritannien auf dem Gipfel seiner Macht stand. Vor mehr als hundert Jahren stießen Schatzsucher in Südafrika auf einen Schatz, der ungleich größeren Reichtum brachte als Gold oder Erdöl. Der Mann, dessen Name zum Synonym dieser reichen Diamantenfunde werden sollte, war damals, im Jahre 1870, in der Londoner Regierung Minister für die britischen Kolonien. Kimberley war, so heißt es, zwar kein geistreicher, dafür aber ein vorsorglicher und arbeitsamer Mann. Wie also sollte man einen Kolonialminister würdiger ehren, als einer Stadt nahe der entdeckten Diamantenfelder in Südafrika seinen Namen zu geben.

Durch einen seltsamen Zufall der Ereignisse ergab es sich, daß Tausende von Kilometern von Südafrika entfernt, in einem anderen

Winkel des britischen Imperiums, die hier lebenden Siedler beschlossen, den Kolonialminister in gleicher Weise zu ehren. Die Rede ist von Westaustralien. Vielleicht glaubte man, der in seiner Eitelkeit geschmeichelte Würdenträger würde sich auf diesen Gebieten, die für alle Zeiten seinen Namen tragen sollten, mit besonderer Aufmerksamkeit widmen. In Südafrika galt das Gebiet Kimberley schon immer als Inbegriff für reiche Bodenschätze, in Westaustralien dagegen war Kimberley als ein riesiges ödes Gebiet am Rande der Großen Sandwüste bekannt. Hier, so sagte man, flögen die Spatzen rückwärts, damit ihnen der Sand nicht in die Augen fiel, und die Ernten, so man überhaupt von Ernten sprechen konnte, seien so schlecht, daß selbst ein Sperling sich hinknien müsse, um ein Körnchen aufzupicken. Doch Ende der siebziger Jahre unseres Jahrhunderts entdeckte man in Westaustralien, dem bisherigen Aschenputtel unter den Bundesstaaten, ungewöhnlich reiche Bodenschätze, unter anderem auch Diamanten. Man fand diese Edelsteine im Gebiet von Kimberley, ein wirklich seltsamer Zufall, denn genauso hießen die Diamantenfelder in Südafrika.

In poetischen Worten wurde Australien oft mit einem steinernen Floß verglichen, das durch das Meer der Zeit driftet, von Wind und Wellen getrieben. Im 21. Jahrhundert schließlich legte dieses Floß an Stellen mit so ungewöhnlichen Namen wie Rum Jungle, Nabarlek, South Alligator River, Mary Kathleen oder Weipa an.

Bleiben wir zunächst bei Mary Kathleen. Ein Geologe erweckte es aus dem Schlaf, in dem es sich seit Millionen von Jahren befunden hatte, oder genauer: das Ticken des Geigerzählers, die Musik des 21. Jahrhunderts. Der Geologe berichtete später, daß die Menschen, die er hier angetroffen hatte, kein Interesse an eventuellen Bodenschätzen gezeigt hätten. Und auch die Geologen besaßen keine große Hoffnung, Aufsehenerregendes zu finden, als sie im Sommer 1954 aufbrachen. »Wir hielten unseren Geländewagen in einem ausgetrockneten Flußbett an. Eine hier entnommene Gesteinsprobe erwies sich als fündig. Jetzt brauchten wir nur noch zu suchen, woher die einzelnen Steine angeschwemmt kamen. Als wir das trockene Flußbett weitermarschierten, fanden wir einen kopfgroßen Stein, bei dem der Geigerzähler bis fast zum Maximum ausschlug, was wirklich ganz, ganz selten passiert. Ich hüllte den wertvollen Stein in meinen

Mantel, überzeugt davon, eine wichtige Entdeckung gemacht zu haben. Die Natur selbst kam uns entgegen. An einer Stelle des Flußufers war der Hang abgerutscht und zeigte uns einen inneren Querschnitt. Als wir die Geigerzähler ansetzten, spielten sie verrückt. Während ansonsten ein Ausschlag von 3 000 für bemerkenswert gilt, schlugen hier die Zeiger auf 48 000 aus, ein fast unglaubwürdiges Ergebnis. Wir meinten, unseren Augen nicht zu trauen.« So endete der Bericht des Geologen, und es begann die Geschichte des Fundes von ungeheuer reichen Uranerzlagern.

Der Geologe, der an der Expedition Weipa teilnahm, erzählte, daß er mit einem alten Ureinwohner in einem Boot die Küste der Albatros-Bucht entlangfuhr; tagelang waren sie unterwegs. Nachts schlugen sie am Strand ihr Lager auf.

Insgesamt legten sie in dem kleinen, drei Meter langen Boot 300 Kilometer zurück. Ihre Mühen wurden durch den Fund von Bauxit belohnt, eines Erzes, aus dem Aluminium gewonnen wird. Später stellte man fest, daß die Bauxitlager von Weipa in der Lage sind, den Aluminiumbedarf der ganzen Welt in den nächsten Jahrhunderten zu befriedigen. Die Entdeckungsgeschichte der australischen Mineralien, die den wirklichen Reichtum des Landes darstellen und seine Entwicklung im 21. Jahrhundert bestimmen, sind in der Tat ungewöhnlich.

Im Februar 1923 machte sich John Cambell Miles mitten im australischen Sommer mit einem Pferd und mehreren Mauleseln auf den Weg. Die Hufe der Tiere wirbelten roten Staub auf. Miles wanderte ausgetrocknete Flußläufe entlang, und als er sich eines Abends nach einem Nachtlager umsah, bemerkte er, daß sein Pferd Wasser gewittert hatte und davongaloppiert war. Er folgte ihm und fand es an einer kleinen Quelle, wo es gierig Wasser trank. Miles füllte auch seine Schläuche mit Wasser und schlug aus alter Gewohnheit mit dem Hammer auf einen nahen Felsen. Das abgeschlagene Stück war überraschend schwer. Er wußte damals noch nicht, daß er auf Blei gestoßen war.

Es gibt in der Geschichte der australischen Entdeckungen noch viele andere Fälle, in denen Tiere beim Auffinden von Bodenschätzen eine Rolle spielten, was sie – ob es Silber, Blei oder Kupfer war – natürlich nicht berührte. Sie traten bei den weiten und gefährlichen Wanderungen des Menschen ausschließlich als seine stillen und gehorsamen Gefährten auf.

Ein auch für australische Verhältnisse wundersames Abenteuer erlebte ein Deutscher namens Rasp, ein Chemiker. Aus uns heute unbekannten Gründen entschloß sich Rasp, auf einer Farm die Arbeit eines Weidenarbeiters anzunehmen. Zu seinen Aufgaben gehörte es, die Umzäunung zu pflegen und zu kontrollieren. Der Deutsche erwies sich als ein sehr aufmerksamer Mensch und bemerkte, daß zwischen der kleinen Siedlung Broken Hill und den nahen Silbergruben ein auffallend ähnlicher geologischer Aufbau bestand. Nach sorgfältigen Studien kam er zu der Überzeugung, daß Broken Hill buchstäblich auf Zinn sitzen müßte. Er gab seinen Job auf, heuerte Bergleute an, und nach zwei Jahren intensiver Suche stellte sich heraus, daß es sich nicht um Zinn, sondern um Silber handelte, eine für jene Zeit geradezu märchenhafte Entdeckung. Innerhalb von vier Jahren nahm die Zahl der Einwohner von Broken Hill von 30 auf 10 000 zu. Man begann, das Silber industriemäßig zu fördern. Aus den USA wurde besonderes Stempelholz eingeführt, das laut und warnend zu krachen begann, bevor es unter der Last des Gesteins zusammenbrach. Und so liegen heute noch Tausende Hektar amerikanischer Wälder unter Broken Hill begraben. Die Menge des gefundenen Silbers übertraf alles, was man zu Zeiten des Goldrausches gekannt hatte. Eine einzige Aktie der Silbergesellschaft von 200 Pfund Sterling brachte nach sechs Jahren 1 250 000 Pfund Sterling. Neben Silber fand man auch noch andere Bodenschätze.

Die hier beschäftigten Bergleute schlossen sich zu Gewerkschaften zusammen. Streiks flammten auf, die Arbeiten in den Gruben ruhten. 1923 kam ein Irländer, der die prosaische Tätigkeit eines Fäkalienfahrers ausübte, auf den Gedanken, daß man in Broken Hill anstelle der schlecht funktionierenden Gewerkschaft eine Art Gewerkschaft der Gewerkschaften gründen müßte. Seit dieser Zeit bestimmt die überregionale Gewerkschaft in Broken Hill den Lauf der Dinge, und das sieht ganz anders aus als im übrigen Land, wo der Schiedsspruch der Gerichte den Ausschlag gibt. Hier bestimmt die Gewerkschaft über das Schicksal der Stadt, entscheidet über alle Lebenslagen der Einwohner. So kann die Gewerkschaft beispielsweise den Boykott

So sah Port Augusta vor dem ersten Weltkrieg aus, als man mit dem Bau der Eisenbahn nach der Goldenen Meile begann, der damals größten australischen Goldmine.

eines Lebensmittel- oder eines Konfektionsladens anordnen und das in der eigenen Tageszeitung auch bekanntgeben. Verheiratet sich ein berufstätiges Mädchen, muß es innerhalb von drei Monaten ihre Arbeit aufgeben. Strenge Verordnungen bestimmen, wer in einem Betrieb angenommen werden darf und wer nicht. Und immerhin ist es auch ein Verdienst der Gewerkschaft, die die Öffnungszeiten der Bierbars in Broken Hill veränderte. Bis Mitternacht müssen die Schenken geöffnet haben, damit die Bergleute zu ihrem verdienten Schluck kommen, auch wenn deren Schicht erst um 23.00 Uhr endet.

Westaustralien bleibt mir immer als Bundesstaat in Erinnerung, in dem die »Tyrannei der Entfernung« am empfindlichsten empfunden wird. Ich vergesse nie, wie ich von der Hauptstadt Perth die ganze Nacht in nördlicher Richtung flog, ohne das Gebiet dieses Staates zu verlassen. Wie in den anderen Teilen Australiens, so wird auch hier der Luftverkehr bevorzugt. Eine Autofahrt von der Hauptstadt in nördlicher Richtung auf der sogenannten »Straße der Verrückten« bietet viele Attraktionen. Sie ist 1 800 Kilometer lang und führt an nur drei kleinen Siedlungen vorbei, die größte mit etwa 200 Einwohnern.

Es scheint, als hätten sich in Westaustralien von allen australischen Bundesstaaten die Traditionen am längsten erhalten, insbesondere in den nördlichen Gebieten. Der ungewöhnliche Reichtum an Bodenschätzen bringt eben noch immer manche Attraktion mit sich. So stieß ein Farmer, der einen Brunnen grub, anstatt auf Wasser auf Nikkel. In der Zeit, in der man überprüfte, ob es sich um eine lohnende Entdeckung handelte, wurden die Nickelaktien mit 80 Cent gehandelt. Kurz darauf sprangen sie auf 130 und ein paar Wochen später auf 280 Dollar, um anschließend wieder in dramatischer Weise zu sinken. Dieses Nickelfieber stellt aber nur eine Seite im Buch der großen Entdeckungen von Westaustralien dar. Der Premierminister dieses Bundesstaates meinte, es gäbe hier so viele Bodenschätze, daß sie der australische Markt allein nicht umsetzen könne. »Wir sind imstande, mit der Produktion eines Wochenendes den jährlichen Bedarf ganz Australiens zu decken. Diese Situation zwingt uns, in internationalen Maßstäben zu planen.« So lautete seine fachmännische Einschätzung.

Westaustralien unterhält, wie übrigens auch andere Bundesstaaten, in den großen Handelsmetropolen der Welt eigene Handelsvertreter, die ihre heimatlichen Produkte anpreisen. Es heißt, der Ehrgeiz des Staates sei so groß wie der Bundesstaat selbst. Im Bezirk Pilbara beispielsweise, in dem kaum 3 Prozent der Arbeitskräfte des Bundesstaates beschäftigt sind, geht im Jahr über die Hälfte der Arbeitsstunden infolge von Streiks verloren. Die Anlässe sind unterschiedlich; angefangen vom Kampf um die Arbeitszeit und um bessere Lohnbedingungen bis zu einem zweitägigen Streik um Gewohnheitsrechte, der die Produktion einer Eisenerzgrube vollkommen lahmlegte. Ein Betrieb beabsichtigte nämlich, weibliche Angestellte nicht mehr im Arbeiterhotel für Junggesellen wohnen zu lassen.

Zu den Kuriositäten des australischen politischen Systems gehört auch die Einteilung der Wahlbezirke. Nur ein einziger Abgeordneter des großen Wahlbezirks Kalgoorlie in Westaustralien wird in das Bundesparlament in Canberra gewählt. Dieser Mann legt, wie er selbst sagte, in einem Jahr eine halbe Million Kilometer zurück, um seine Wähler zu besuchen. Statistiken sind im allgemeinen trocken und langweilig, und ich versprach, sie zu vermeiden. An dieser Stelle aber möchte ich mitteilen, daß dieser Wahlbezirk zwischen zwei Ozeanen liegt und 2,6 Millionen Quadratkilometer umfaßt, also etwa zehnmal größer ist als England. Wenn nach einfacher Rechnung im Londoner Unterhaus 635 Abgeordnete sitzen, dann müßte, wollte man das auf Australien übertragen, Kalgoorlie 6 350 Abgeordnete in das Parlament von Canberra schicken. In Wirklichkeit wird es, wie gesagt, durch nur einen Abgeordneten vertreten. Vielleicht kommt jemand auf den Gedanken und fragt, was dieser Abgeordnete denn eigentlich vertreten soll, wenn es in diesem Bezirk nichts zu vertreten gibt. Wir wollen versuchen, diese Frage zu beantworten. In diesem Wahldistrikt leben 140 000 Menschen, von denen 66 000 wahlberechtigt sind. Es gibt hier viele Bodenschätze: Eisen, Nickel, Gold, Zinn, Uran, Bauxit, Kupfer, Antimon, Molybdän. Vermutet werden große Platinlagerstätten. Dazu kommen noch Erdgas- und wahrscheinlich auch Erdöllager. Riesige Getreide- und Viehwirtschaften sind hier angesiedelt. Erhebliche Erträge bringt auch die Hochseefischerei, vor allem die Krebsfischerei, und man schätzt, daß die Fischereiwirtschaft jährlich 100 Millionen Dollar Gewinn abwirft. Das ist aber erst der Anfang. Der Bezirk Kalgoorlie exportiert jährlich etwa 9 Millionen Tonnen Salz nach Asien. Der Abgeordnete hat also doch einiges zu vertreten.

Geisterstädte werden alle gleich eingeschätzt. Man schreibt ihnen eine reiche, stürmische Vergangenheit, ein kurzes, aber berauschendes Leben zu. Sie müssen auch weitab von anderen Siedlungen liegen, weil man sie sonst weniger für gruselig als vielmehr für die Schlafstätte einer nahen Stadt halten könnte. Im Bundesstaat Neusüdwales gibt es eine Geisterstadt, die Hill End heißt. Einst hatte hier das Goldfieber etwa 8 000 Menschen angelockt. Heute neigen sich die Wände verlassener Häuser, fallen die Dächer ein. Früher suchten Goldgräber die Stadt auf, um Gold zu verkaufen und Geld auszugeben. Die eleganten Saloons, die Läden, die Banken, sogar eine lokale Zeitungsredaktion gaben der Stadt Kolorit. Heute blieben nur noch zwei Läden und von den ehemaligen achtundzwanzig Schankstuben nur noch eine übrig. Und immer wieder bricht ein Haus zusammen, wenn ein heftiger Regenguß den Lehm zwischen den Bohlen herausspült. An den verlassenen Hotels und Wohnhäusern künden die Re-

Goldgräber in Kalgoorlie. Wer sich ein Kamel nicht leisten konnte, der schob einen Schubkarren durch die Wüste.

ste der kunsteisernen Beschläge vom ehemaligen Reichtum. Dabei darf nicht vergessen werden, daß das alles hier vor hundert Jahren mit Pferdefuhrwerken über Dutzende von Meilen herangefahren werden mußte.

Jedermann hatte es damals eilig, war darum bemüht, aus ein paar Brettern eine Unterkunft zusammenzunageln, um sich vor Regen und Sonne zu schützen. Die Hütten standen so lange, bis sie dem nächsten Buschbrand zum Opfer fielen. Rostige Maschinen und Geräte verunzieren das Gelände. Es lohnt nicht, sie aus dieser Einöde herauszuholen. In den Erdlöchern, die die Goldgräber zurückließen, wachsen Bäume. Manchmal suchen noch heute Abenteurer die Geisterstadt auf und waschen hoffnungsvoll den Sand. Von den ehemals 8 000 Einwohnern von Hill End blieben ganze 80 zurück. Ein kärgliches Dasein führen sie in der einstigen »Goldmetropole«.

Australien sucht nach seiner Geschichte. Es möchte seine Vergangenheit nicht nur in den Gestalten der Marineoffiziere in den Dreispitzen, in den Abenteurern, die auf alles schossen, was sich unterwegs bewegte, finden, nicht nur in den Gestalten der Forscher und

Entdecker aus der viktorianischen Epoche und der Zeit der Deportierten sehen. Und dieses patriotische Suchen nach der eigenen Geschichte findet natürlich auch in den alten Bergarbeitersiedlungen seinen Widerhall. Nur 240 Kilometer westlich von Sydney liegt eine alte Goldgräbersiedlung. Jedes Dorf besitzt hier seine interessante Geschichte. Hier wurde ein Polizist bei der Begleitung eines Goldtransportes erschossen, dort starb am Straßenrand ein Goldgräber, der mit seinem Fund auf dem Weg zu seiner Familie war. Schließlich gelangt man durch eine Allee, die von europäischen Gehölzen eingesäumt ist, von Eichen und Kastanien, nach Hill End. Überliefert wurde die amüsante Geschichte von einem Siedler aus Hill End, dem der alte Standort des Hauses nicht mehr gefiel. Also suchte er nach einer neuen Parzelle und stellte hier ein großes Faß Bier hin. Dann bohrte er in die Holzwände seines Hauses Löcher und steckte starke Pfähle hindurch. Man sagt, es kamen siebzig Bergarbeiter, spuckten in die Hände, faßten an die Pfähle, hoben das Haus hoch, trugen es wie eine Sänfte zur neuen Stelle hin, wo das Bierfaß stand, und stellten es auf das neue Fundament. Dann tranken sie das Faß aus. Das Haus steht bis auf den heutigen Tag, die Löcher wurden zugestopft.

Es bedarf keiner großen Phantasie, um sich vorzustellen, wie Hill End in seinen Glanzzeiten aussah. Gold unterscheidet sich von den übrigen Mineralien ganz wesentlich, man kann schnell zu großen Reichtümern gelangen, ohne viel zu investieren, schon gar nicht in Australien, wo das Goldgraben relativ einfach war. Das Goldfieber wurde in Hill End, wie auch sonst in Australien, durch einen Zufall ausgelöst. Die Legende erzählt von einem Mann, der, um seinen Ärger über den ungehorsamen Sohn abzureagieren, mit einem Hammer auf einen Felsen einschlug. Plötzlich blitzte unter einem abgeschlagenen Felsstück Gold auf. Es war für jene Zeit ein unvorstellbarer Fund im Wert von 40 000 Pfund Sterling. Eine wunderschöne Geschichte, die aber ein wenig darunter leidet, daß sie in den übrigen australischen Bundesstaaten, in denen Gold gefunden wurde, in kaum veränderter Form wiederholt wird. Was soll es, vielleicht war es so, vielleicht auch nicht? Es ist nicht auszuschließen, daß nach der wundersamen Entdeckung in Hill End, die bald auf dem ganzen Kontinent bekannt wurde, so mancher Mann einen Hammer in die Hand nahm und hier und dort auf einen Felsen klopfte.

Es ist leicht vorstellbar, welche Sensation die Entdeckung von Hill End auslöste. Die Menschen begannen fieberhaft auf den Goldfeldern nach Gold zu graben. Und je kleiner die Claims waren, um so größer war die Versuchung – da man sich einmal tief in die Erde hineingegraben hatte – dem Glück in Nachbars Grundstück nachzuhelfen. Der Nachbar, der auf seinem Claim selbst »ernten« wollte, tolerierte ein solches Verhalten natürlich nicht, und die Streitigkeiten wurden gewöhnlich mit Hämmern, Spaten und Dynamit ausgetragen. Wir werden es nie erfahren, wie viele Menschen nach solchen Auseinandersetzungen für immer unter der Erde blieben. Der Goldrausch erfaßte sie alle.

Die Goldbergwerke von Hill End förderten nie mehr Gold als die übrigen Gruben in anderen Gegenden. In den siebziger Jahren des vergangenen Jahrhunderts erlebte Hill End eine bisher unbekannte Spekulantenschwemme. Es waren Leute, die weniger Ahnung von der Goldförderung hatten als von der Verteilung von elegant hergestellten Wertpapieren, mit denen sie jedermann goldene Berge versprachen, jedem, der ihnen seine Ersparnisse anvertraute. Die Spekulanten verkauften Aktien, Anteile an Bergwerken und unterschoben sogar falsche Goldproben, um Klienten zum Kauf von tauben Claims anzuregen. Es gab eine Zeit, in der in Hill End 255 Bergarbeitergesellschaften Obligationen mit einem schwindelerregenden Kapital von 3 750 000 Pfund Sterling verkauften. Teilt man diese Summe auf die hier beschäftigten Goldgräber oder gar die gesamte Bevölkerung von Hill End auf, dann muß zugegeben werden, daß es sich um das größte Schwindelgeschäft der Geschichte Australiens handelte. Das führte zum Ruin der Goldgräberei, weil Hill End natürlich nie über so große Goldvorräte verfügte, um die Aktienkäufer zu befriedigen. Die Stadt verfiel, die Menschen starben oder suchten sich ein neues Ziel.

Aller Ruhm der Welt vergeht. Und wie mag es wohl in hundert Jahren in Mount Isa aussehen? Heute handelt es sich um einen gigantischen Produzenten von Kupfer, Silber, Blei und Zink. Mount Isa eignet sich ganz hervorragend, die »Tyrannei der Entfernung« zu studieren, unter der die Australier in der Tat echt leiden. 960 Kilometer weit entfernt befindet sich erst die nächste Stadt – Townsville. Von hier wird die Milch geliefert oder von den umliegenden Rinderfarmen,

Aus Afghanistan führte man Kamele ein. Ohne diese genügsamen Tiere wäre es den Menschen nie gelungen, die »Tyrannei der Entfernung« zu bezwingen.

die aber auch bis zu 450 Kilometer weit entfernt sind. Unter europäischen Bedingungen hieße das, daß man die Milch täglich von Wien bis London transportieren müßte. Gemüse holt man aus Brisbane oder Adelaide, ein etwa 1 600-Kilometer-Weg. »Nicht, daß wir selbst nicht Gemüse anbauen könnten«, sagen die Einheimischen. »Wenn es auch sehr selten regnet, so haben wir doch genügend Wasser, sogar einen See. Doch wir züchten Blumen und legen Zitrusplantagen an.« Die Leute halten sich kleine Gärten, doch ein Gemüseanbau im großen Maßstab lohnt nicht. Die Bergarbeiter zählen zu den bestbezahlten Arbeitern, weil sie zu ihrem Lohn noch »Trennungsgelder« erhalten. Insgeheim lachen sie über die angebliche »Isolierung«, denn Mount Isa bietet genügend Zerstreuung und Amüsement. Mount Isa besitzt eine Fernsehstation, mehrere Kinos, Sportklubs, eine Pferderennbahn, ein Theater. Die Stadtbibliothek kann sich sehen lassen. Auf dem nahen See sieht man Segel- und

Motorboote, wird Wasser- und Angelsport getrieben. In diesen abgelegenen Gegenden kommt man ohne Auto nicht aus, die Menschen sind daran gewöhnt, weite Fahrten durch Busch und Wüste zu unternehmen. Trotzdem, der Geist der Isolierung beruht hier nicht auf Einbildung. Man braucht nur auf den Wegweiser auf dem Hügel von Mount Isa zu schauen und erschrickt vor den riesigen Entfernungen zu den australischen Städten und Metropolen der Welt.

Nur die Hälfte der erwachsenen Einwohner von Mount Isa wurde in Australien geboren. Die meisten stammen aus Großbritannien, Finnland und aus der BRD. Daneben sind auch noch viele Vertreter anderer Nationen unseres alten Europas anwesend.

Der australische Bergbau besteht nicht nur aus großen Bergwerken und Riesenmaschinen, es gehören auch die kleinen Claims und Stollen dazu, die mit Hacke und Schaufel ausgehoben werden. Gemeint sind vor allem Einzelgänger, die nach dem Halbedelstein Opal suchen, den Australien in alle Welt exportiert, auch wenn man ihn in Europa aus mir unerklärlichen Gründen für einen Stein hält, der Unglück bringen soll. Die bekannteste Opalgrube heißt – wie auch der Ort – Coober Pedy und liefert die Hälfte der gesamten Weltopalproduktion. In der Sprache der Ureinwohner heißt die Grube »Weißer Mann im Loch«. Das Besondere an dieser Ortschaft in Südaustralien besteht nicht allein darin, daß die Grubenarbeiter 43 Nationalitäten angehören, sondern daß sie regelrecht unter Tage leben.

Wie die Ureinwohner richtig bemerkten, gräbt der weiße Mann Löcher in die Erde. Es handelt sich aber durchaus nicht um primitive Erdhöhlen. Die Grubenarbeiter verfügen hier über Weinkeller, Besuchersaloons und sogar unterirdische Swimmingpools. Die Versuchung, eine solche Wohnung immer weiter auszubauen, ist riesengroß, und ich will auch sagen warum: Danny Serdar hob eine Erdhöhle aus und fand dabei Opale im Wert von 2 600 Dollar. Von dem Bauerfolg beflügelt, richtete er sich noch ein unterirdisches Bad ein, wobei er nochmals Opale im Wert von 900 Dollar fand. Großes Kapital fand hier keinen Eingang. Man kennt nur kleine Privatclaims. In der Kneipe werden blutrünstige Geschichten über Schlägereien und tödliche Duelle erzählt, die hier stattgefunden haben sollen, doch es scheint, daß es überwiegend frei erfundene Legenden sind.

Sind die Helden müde?

Mein Landgang in Australien nähert sich dem Ende. Sei denn zum Schluß die Frage erlaubt: Wie ist nun der Australier, und wie ist Australien?

Don Dunstan, der ehemalige Premier von Südaustralien, setzt sich in seinem zweiten Buch (das erste war ein Kochbuch) ernsthaft mit dem Mythos auseinander, der den Australier als einen sonnenverbrannten, einsamen Siedler ausweist.

»Diese Legende übersieht, daß die Zahl der Landbevölkerung ständig abnimmt. Nur selten stößt man auf einen typisch australischen Buschbewohner, der mit Freunden um ein Feuer sitzt, starken Tee im Wasserkessel kocht und sich einfach ernährt. Offensichtlich sind es nur noch die Scoutboys, die Ausflüge in den Busch unternehmen, am Lagerfeuer ihr Essen bereiten und ihre Expedition als ein großes Abenteuer empfinden. Heute treiben die Großfarmer ihre Herden mit Hubschraubern über die Weiden und suchen mit ihren eigenen Sportflugzeugen die Städte auf. Die Landarbeiter reiten nicht mehr auf Pferden, sondern fahren auf Motorrädern, Hirten großer Herden bevorzugen geländegängige Jeeps, an denen meist auch ihre Wohnwagen hängen. Farmer, die Weizen anbauen, verfügen über Spezialkombines, Weinbauern über Weintraubenerntemaschinen. Ihre Landhäuser sind überwiegend modern und bequem eingerichtet.«

Aber, so meint Mr. Dunstan, die Australier würden noch immer hartnäckig nach ihrem typischen Symbol suchen. Einst war es der kraftstrotzende, sonnenverbrannte, einsame Siedler, der alle Schwierigkeiten überwand. Heute lebt der Durchschnittsaustralier am Rande einer großen Stadt in einem Reihenhaus. »Solche Retortenhäuser begünstigen eine Retortenexistenz, die Menschen werden dadurch zu einem Einheitsleben programmiert.«

Doktor Morse von der Universität Adelaide kam zu der Erkenntnis, daß die Ansicht vom unabhängigen Australier nur noch als Legende existiert. Er ist der Meinung, daß die Australier eine sehr disziplinierte Gesellschaft bilden und Staatsräson und Autorität durchaus billigen.

»Die meisten Bürger sind überzeugt davon, so handeln zu müssen, wie es die Regierung vorschreibt.« Sind die Helden müde geworden? Oder braucht man keine Helden mehr? Sind die Australier ein Volk der Angepaßten oder der Helden? Ich glaube, sowohl das eine als das andere war nötig, um in den letzten zwei Jahrhunderten auf dem riesigen Kontinent eine neue Gesellschaft aufzubauen.

Wie soll es weitergehen? Das Australien des 21. Jahrhunderts werden einmal jene lenken und leiten, die heute noch die Schulbank drükken. Ich selbst fand Gefallen an der australischen Jugend, doch als Transitpassagier kann ich natürlich nicht von mir behaupten, ein Fachmann auf dem Gebiet der Jugendproblematik zu sein. Die Australier selbst scheinen in dieser Beziehung einige Sorgen zu haben.

William Broderick, ein australischer Lehrer mit einer 40jährigen Berufspraxis, bringt zu diesem Problem folgende Meinung zum Ausdruck: »Dein Sohn, nennen wir ihn Jack, schlug sich so recht und schlecht durch die Schule. Jetzt sitzt er in seinen sorgfältig abgewetzten Jeans und zerlöcherten Sandalen im Haus herum und läßt sein Radio in höchster Lautstärke tönen, obwohl er weiß, daß er damit im Haus alle stört. Dann bequemt er sich zum Frühstückstisch, um eine Tasse Kaffee zu trinken und eine Zigarette zu rauchen. Seitdem er sich aus dem Bett wälzte, sagte er nur ›Hallo, M'am‹, und das war auch schon alles, was man aus ihm hervorbringen konnte. Dann nimmt er die Zeitung in die Hand, um auf der letzten Seite die Sportnachrichten zu lesen. Nein, die Mitteilungen über ›Freie Arbeitsstellen‹ interessieren ihn nicht, obgleich er seit drei Monaten ohne Arbeit ist. Es erscheinen zwei Kumpel, die in deiner Richtung ein undefinierbares Geräusch hervorstoßen und dann mit Jack über etwas in einer Sprache verhandeln, die du nicht verstehst. Es gab Arbeitslosenunterstützung, man will etwas loslassen. Aber du verstehst kaum etwas von diesem stenografieartigen Gestammel, diesem Gedruckse und Bellen, das in diesem Milieu Unterhaltung genannt wird. Und dann verschwinden sie. Wohin? Es hat keinen Zweck, danach zu fragen. Du weißt, daß die Kriminalität unter den Jugendlichen sechsmal so groß ist wie unter Erwachsenen, man las es vorige Woche in der Zeitung. Und so ist man den ganzen Tag, bis zu Jacks Heimkehr, sehr nervös. Bei deinem Töchterchen, nennen wir sie Jill, sieht es nicht anders aus. Sie läuft genauso nachlässig herum wie Jack, weiß auch nicht mehr zu sagen. In ihrer Freizeit hört sie Schallplatten. Sie sagt, sie studiere, man sieht sie aber nie lesen. Sie vertraut sich dir auch nie an, kaum daß sie mit dir spricht. Ihre stereotype Antwort auf all deine Fragen lautet: ›Das verstehst du sowieso nicht.‹ Doch mit ihren Freundinnen kann sie stundenlang telefonieren oder sich in ihrem Zimmer unterhalten. Manchmal fragt man sich, wann und warum haben wir Eltern versagt? Wie kam es, daß der Großvater, der mit zwanzig Jahren sein Studium aufgeben mußte, weil er kein Geld mehr hatte, heute in seinem eigenen Häuschen ›Anna Karenina‹ und andere russische Romane liest, während es seinen Enkeln, die doch gerade erst ihr Reifezeugnis erhielten, schwerfällt, überhaupt ein Buch zu lesen? Sollte es die schlechteste Teenagergeneration unserer Geschichte sein? Sicher, Eltern klagten schon immer über ihre Kinder, und schon Adam berichtete Eva davon, wie schlecht sich Kain gegenüber Abel benahm. Plato rügte die Überheblichkeit der Jugend von Athen und ihre Einstellung, bereits alles wissen zu wollen. Königin Victoria bezichtigte die englische Jugend des vergangenen Jahrhunderts schlechter Sitten und der Unmoral. Trotzdem, wenn ich mich mit meiner vierzigjährigen Lehrerpraxis umschaue, stelle ich fest, daß die heutige Teenagergeneration der Jugend, sagen wir, der dreißiger Jahre in jeder Hinsicht unterlegen ist.«

Broderick machte darauf aufmerksam, daß viele Lehrer, durch die Arbeitsbedingungen in staatlichen Schulen entmutigt, den Übergang zu Privatschulen suchen, die in Australien sehr teuer sind. Er sagte weiter: »Es ist wirklich paradox, wenn man Jack und Jill nimmt und sich dessen bewußt wird, daß es eine Generation ist, für deren Ausbildung in der Geschichte des Landes die meisten Mittel gezahlt wurden. Auch ihre Ausbildungszeit dauert viel länger als je zuvor. Sie sind wohlgenährt, gut gekleidet und wohnen komfortabel. Sie sind so, wie auch wir gewesen wären, wenn die dreißiger und die fünfziger Jahre eine Zeit des Wohlstandes und des Überflusses gewesen wären und unsere Eltern ihre Verantwortung für uns und unsere Erziehung abgelehnt hätten.«

Der australische Kriminologe, Dr. David Biles, stellt in seinem Buch »Verbrechen und Gesetz in Australien« in bezug auf die kriminelle Situation in Australien eine interessante Prognose auf. Danach sieht die Zukunft nicht gerade rosig aus. Australien lernte bereits das Übel des politischen Terrorismus kennen und wird sich vor diesem auch in Zukunft nicht schützen können. Wenn bisher in Australien nur sehr wenige Verbrechen aus politischen Gründen verübt wurden, so dürfte dieser Zustand nicht ewig währen. »Aus den Erfahrungen der übrigen Welt müssen wir schlußfolgern, daß auch bei uns Entführungen von Personen und Flugzeugen, Sabotageakte und sogar Morde aus politischen Motiven erfolgen können.«

Schließlich sagt Biles einen Anstieg der Wirtschaftsverbrechen voraus, begangen von Tätern mit »weißen Kragen«, von Steuerhinterziehern, gerissenen Betrügern und Fälschern. Eine solche Entwicklung verlangte natürlich eine hochqualifizierte Polizei. Der uns schon bekannte Zelman Cowen sprach folgende prophetische Worte aus: »Wir befinden uns heute, ob es uns gefällt oder nicht – und meist gefällt es uns nicht – in einer Etappe der Unsicherheit, der Gewalt und des Zweifels. Viele Menschen verstehen die heutigen Gesetze und Verordnungen nicht mehr.«

Als »Nachtisch« überlasse ich dem sehr geschätzten Leser noch einige Informationen, die ich – wie versprochen – in meinen Ausführungen über Australien nicht erwähnte. Und damit wäre ich eigentlich am Ende angelangt. Viele Jahre angestrengter Arbeit, fünf Expeditionen in das Land dort unten auf dem Globus, Tausende zurückgelegter Kilometer, unterbrochener Nächte, aufregender Tage.

Trotzdem, das Thema ist weit davon entfernt, erschöpfend behandelt worden zu sein, so weit entfernt, wie das Land ist, über das ich berichtete.

Ich bemühte mich, über älteste Begebenheiten nach neuesten Erkenntnissen, über moderne Probleme aus der Sicht der australischen Vergangenheit zu berichten. Das dürfte, so hoffe ich, die Fremdartigkeit dieses Landes besser verstehen helfen, die nicht allein daher rührt, daß es den Tag erst dann begrüßt, wenn er in Europa verabschiedet wird, und auch nicht daher, daß es das Neujahr in heißer Jahreszeit unter freiem Himmel feiert, an dem das Kreuz des Südens funkelt.

Auch das ist Australien

Hier erfährt der verehrte Leser einige statistische Informationen, die für das Verständnis der Lektüre von Vorteil sind. Ausgeklammert bleiben Angaben, die kurzlebig oder in Enzyklopädien und statistischen Jahrbüchern nachzuschlagen sind.

Bei einer »Nettoeinwanderung« von 50 000 Personen im Jahr (d. h. bei Abzug jener, die in Australien nicht seßhaft wurden und wieder ausreisten) sieht das Australische Büro für Statistik für das Jahr 2011 eine Bevölkerungszahl von 19 580 000 Einwohnern vor. Dann werden die Australier auch eine »ältere« Gesellschaft sein, in der das Durchschnittsalter von 28,9 auf 35 Jahre gestiegen sein wird. Heute ist das Zahlenverhältnis von Männern und Frauen fast gleich, 2011 aber werden 100 Frauen auf 98 Männer kommen.

Australien zählte an der Schwelle der 80er Jahre unseres Jahrhunderts über 15 Milionen Einwohner. Die Bevölkerungsdichte auf einem Quadratkilometer beträgt 1,9 Einwohner (in den Niederlanden 326, in Belgien 318). 67 Prozent der Wohnungen gehören jenen, die sie bewohnen.

Sydney überschritt die Dreimillionengrenze, in Melbourne leben 2,6 Millionen Menschen, in Canberra 210 000, in Perth 787 000. 1975 lebten 9 Millionen Australier in den Bundesmetropolen, in der Bundeshauptstadt Canberra und in den Städten Newcastle, Wollogong und Geelong.

Die Entfernung von Sydney nach San Francisco beträgt 12 150 Kilometer, nach Singapur 6 070 Kilometer, nach Tokio 7 800 Kilometer, nach London 17 040 Kilometer.

Den Bundesstaat Tasmanien mitgerechnet, beträgt die Küstenlinie des Australischen Bundessaates 20 000 Kilometer.

Nach »Guinness«, dem Buch der Rekorde, ist Mount Isa mit einer Oberfläche von 40 962 Quadratkilometern die ausgedehnteste Stadt der Welt. Sie besitzt auch die längste Straße der Welt – 188 Kilometer. Dieses kuriose Verwaltungsgebilde entstand 1963, als die Stadt vom Cloncurry-Gebiet abgetrennt wurde.

1971 gaben 99 Prozent der Befragten an, Christen zu sein. 4 Millionen bekannten sich zur anglikanischen Kirche, 3,4 Millionen zur katholischen Kirche, über 1 Million gaben an, Methodisten, 1 Million Presbyterianer zu sein, 339 000 gehörten der orthodoxen Kirche an, der Rest waren Protestanten verschiedenster Richtungen.

In Australien gibt es drei Zeitzonen: die östliche, die zentrale und die westliche. Die östliche Zeit geht der Greenwich-Zeit um 10 Stunden, der zentralaustralischen um eine halbe Stunde und der westaustralischen um 2 Stunden voraus.

Der Begriff der australischen Staatsbürgerschaft besteht seit 1949. Vorher waren die Australier britische Untertanen.

Der Australische Bundesstaat nimmt eine Gesamtfläche von 2359 Quadratkilometern ein. Das Nordterritorium ist sechsmal größer als Großbritannien. Die Entfernung zwischen der Nord- und Südgrenze gleicht der von London nach Lissabon. Der Antarktische Besitz von Australien beträgt 6,1 Millionen Quadratkilometer.

Mary Jones ist das Synonym für die Durchschnittsaustralierin der 80er Jahre. Sie ist verheiratet, besitzt zweiundeinhalb statistische Kinder und erreicht eine Lebenserwartung von 74 Jahren, lebt somit länger als ihr Mann. Mary Jones ist 161,8 Zentimeter groß, wiegt 55,3 Kilogramm, ein wenig zu schwergewichtig, und unternimmt deshalb ständig Abmagerungskuren. Ihr beliebtestes Freizeithobby besteht im Lesen. Die statistische Australierin verabscheut die Geschirrwäsche (wer liebt sie schon?), doch kaum 8 Prozent der Frauen besitzen eine Geschirrspülmaschine. Nur 53 Prozent der Haushalte verfügen über eine automatische Waschmaschine. Die statistische Australierin verdient in der Woche 45 Dollar weniger als der Mann, der in gleicher Stellung die gleiche Tätigkeit ausübt.

47 Prozent der Frauen sind der Meinung, eine ideale Familie sollte ein oder zwei Kinder haben. Jede vierte Frau wünscht sich in der Ehe vier und noch mehr Kinder.

Viele Freundinnen der statistischen Mary Jones kehren nach zehn Jahren Kindererziehung wieder in ihren Beruf zurück, manche beginnen sogar erst dann ein Hochschulstudium. 95 Prozent der australischen Frauen gehen eine Ehe ein, 90 Prozent vor Beendigung ihres 30. Lebensjahres. Obgleich der Kampf um die politischen Rechte der Frau schon längst entschieden ist, spielen australische Frauen in der Politik nach wie vor keine größere Rolle. Zu Beginn der 80er Jahre wurden in Australien insgesamt nur 64 Frauen in die Parlamente der einzelnen Bundesstaaten und das des Bundesstaates gewählt.

Bei der Namensgebung der kleinen Australier überwiegen englische Namen. Andrew, David, Mathew, Michael, Christopher, Jacob, Benjamin, Mark, Timothy oder Peter heißen die Knaben. Junge Australierinnen, die um die Wende zum 21. Jahrhundert volljährig sein werden, werden Sarah, Nicole, Michele, Rebekka, Belinda, Jeniffer, Kylie, Catharine, Melissa oder Alisson gerufen. Eingebürgert hat sich auch der Name Natascha, was wohl vorrangig mit der Ausstrahlung der Fernsehserie »Krieg und Frieden« im Zusammenhang steht.

Seit März 1986 ist Australien ein unabhängiger Staat, der jedoch noch Bestandteil des British Commonwealth of Nations ist. Das bedeutet, daß Königin Elisabeth II. Oberhaupt des Staates ist und vom Generalgouverneur repräsentiert wird. Gesetzgebendes Organ ist das aus zwei Kammern bestehende Parlament. Das Repräsentantenhaus (Unterhaus) wird alle drei Jahre in Abhängigkeit von der Bevölkerungszahl gewählt. Alle sechs Jahre findet die Wahl der Abgeordneten des Senats (Oberhaus) statt, in gleicher Zahl für jeden Staat. Die Macht übt der Exekutivrat (Regierung) aus, der von der Partei gestellt wird, die im Repräsentantenhaus über die meisten Stimmen verfügt und gegenüber dieser verantwortlich ist. An der Spitze der Bundesstaaten stehen die Gouverneure, die auf Antrag des Exekutivrates von der Königin bestätigt werden. Die beiden Kammern der Parlamente stellen in den Bundesstaaten zugleich die gesetzgebenden Organe. Der Bundesstaat Queensland besitzt als einziger ein Einkammerparlament. Die von den Gouverneuren ernannten Bundeskabinette haben sich vor den Bundesparlamenten zu verantworten. Es besteht ab dem 21. Lebensjahr die allgemeine Wahlpflicht.

Die Australische Arbeiterpartei (ALP) entstand Ende des vergangenen Jahrhunderts und ähnelt ihrem Charakter nach der britischen Labour-Party. Die Liberale Partei Australiens (LPA) ging 1944 aus der Verbindung der Vereinigten Partei Australiens (gegründet 1931) und weiteren kleineren Parteien hervor. Sie spielt eine ähnliche Rolle wie die britische Konservative Partei. Die Australische Agrar-Partei (ACP), im Jahr 1916 gegründet, vereinigt hauptsächlich Großgrundbesitzer und reiche Viehzüchter. Die Gründung der Kommunistischen Partei

Australiens (CPA) geht auf das Jahr 1920 zurück. 1955 bildete eine Spaltergruppe der ALP eine Demokratische Arbeiterpartei Australiens.

Die Traditionen der australischen Gewerkschaftsbewegung reichen bis in die Mitte des vorigen Jahrhunderts zurück. Der heute bestehende Australische Rat der Gewerkschaftsverbände (ACTU) entstand 1927 und gehört der Internationalen Vereinigung der Freien Gewerkschaftsverbände an. Daneben gibt es noch den Australischen Arbeiterverband, der 1913 gegründet wurde.